Schiller, Fried

Friedrich Schillers saemmtliche Werke

Kleinere prosaische Schriften

Schiller, Friedrich

Friedrich Schillers saemmtliche Werke

Kleinere prosaische Schriften

Inktank publishing, 2018

www.inktank-publishing.com

ISBN/EAN: 9783747796887

Kleinere prosaische Schriften.

Von

Friedrich Schiller.

Zweyter Theil.

Wien, 1810.
In Commission bey Anton Doll.

Kleinere prosaische Schriften.

Zweyter Theil.

A 2

I.

Der Geisterseher.

Aus den Papieren des Grafen von O***.

Erstes Buch.

Ich erzähle eine Begebenheit, die vielen unglaublich scheinen wird, und von der ich großen Theils selbst Augenzeuge war. Den wenigen, welche von einem gewissen politischen Vorfalle unterrichtet sind, wird sie — wenn anders diese Blätter sie noch am Leben finden — einen vollkommenen Aufschluß darüber geben; und auch ohne diesen Schlüssel wird sie den übrigen, als ein Beytrag zur Geschichte des Betrugs und der Verirrungen des menschlichen Geistes, vielleicht wichtig seyn. Man wird über die Kühnheit des Zwecks erstaunen, den die Bosheit zu entwerfen und zu verfolgen im Stande ist; man wird über die Seltsamkeit der Mittel erstaunen, die sie aufzubiethen vermag, um sich dieses Zwecks zu versichern. Reine, strenge Wahrheit wird meine Feder leiten; denn wenn diese Blätter in die Welt treten, bin ich nicht mehr, und werde durch den Bericht, den ich abstatte, weder zu gewinnen, noch zu verlieren haben.

Es war auf meiner Zurückreise nach Curland, im Jahr 17** um die Carnevalszeit, als ich den Prinzen von ** in Venedig besuchte. Wir hatten uns in **schen Kriegsdiensten kennen lernen, und erneuerten hier eine Bekanntschaft, die der Friede unterbrochen hatte. Weil ich ohnedieß wünschte, das Merkwürdige dieser Stadt zu sehen, und der Prinz nur noch Wechsel erwartete, um nach ** zurück zu reisen, so beredete er mich leicht ihm Gesellschaft zu leisten, und meine Abreise so lange zu verschieben. Wir kamen überein, uns nicht von einander zu trennen, so lange unser Aufenthalt in Venedig dauern würde, und der Prinz war so gefällig, mir seine eigene Wohnung im Mohren anzubiethen.

Er lebte hier unter dem strengsten Incognito, weil er sich selbst leben wollte, und seine geringe Apanage ihm auch nicht verstattet hätte, die Hoheit seines Rangs zu behaupten. Zwey Cavaliere, auf deren Verschwiegenheit er sich vollkommen verlassen konnte, waren nebst einigen treuen Bedienten sein ganzes Gefolge. Den Aufwand vermied er, mehr aus Temperament als aus Sparsamkeit. Er floh die Vergnügungen; in einem Alter von fünf und dreyßig Jahren hatte er allen Reitzungen dieser wollüstigen Stadt widerstanden. Das schöne Geschlecht war ihm bis jetzt gleichgültig gewesen. Tiefer Ernst und eine schwärmerische Melancholie herrschten in seiner Gemüthsart. Seine Neigungen waren still, aber hartnäckig bis zum Übermaß, seine Wahl langsam und schüchtern, seine Anhänglichkeit warm und ewig. Mitten in einem geräuschvollen Gewühle von Menschen ging er einsam; in seine Fantasienwelt verschlossen, war er sehr oft ein Fremdling in der wirklichen. Niemand war mehr dazu geboren, sich beherrschen zu lassen, ohne schwach zu seyn. Dabey war er unerschrocken und zuverlässig, sobald er ein Mahl gewonnen war, und besaß gleich großen Muth, ein erkanntes Vorurtheil zu bekämpfen und für ein anderes zu sterben.

Als der dritte Prinz seines Hauses hatte er keine wahrscheinliche Aussicht zur Regierung. Sein Ehrgeitz war nie erwacht, seine Leidenschaften hatten eine andere Richtung genommen. Zufrieden, von keinem fremden Willen abzuhängen, fühlte er keine Versuchung, über andere zu herrschen: die ruhige Freyheit des Privatlebens und der Genuß eines geistreichen Umgangs, begränzte alle seine Wünsche. Er las viel, doch ohne Wahl; eine vernachlässigte Erziehung und frühe Kriegsdienste hatten seinen Geist nicht zur Reife kommen lassen. Alle Kenntnisse, die er nachher schöpfte, vermehrten nur die Verwirrung seiner Begriffe, weil sie auf keinen festen Grund gebauet waren.

Er war Protestant, wie seine ganze Familie — durch Geburt, nicht nach Untersuchung, die er nie angestellt hatte, ob er gleich in einer Epoche seines Lebens religiöser Schwärmer gewesen war. Freymäurer ist er, so viel ich weiß, nie geworden.

Eines Abends, als wir nach Gewohnheit in tiefer Maske und abgesondert auf dem St. Markusplatz spazieren gingen — es fing an spät zu werden, und das Gedränge hatte sich verloren — bemerkte der Prinz, daß eine Maske uns überall folgte. Die Maske war ein Armenier, und ging allein. Wir beschleunigten unsere Schritte und suchten sie durch öftere Veränderung unseres Weges irre zu machen — umsonst, die Maske blieb immer dicht hinter uns. „Sie haben doch keine Intrigue hier gehabt?" sagte endlich der Prinz zu mir. „Die Ehemänner in Venedig sind gefährlich." — Ich stehe mit keiner einzigen Dame in Verbindung, gab ich zur Antwort. — „Wir wollen uns hier niedersetzen und deutsch sprechen," fuhr er fort. „Ich bilde mir ein, man verkennt uns." Wir setzten uns auf eine steinerne Bank und erwarteten, daß die Maske vorübergehen sollte. Sie kam gerade auf uns zu, und nahm ihren Platz dicht an der Seite des Prinzen. Er zog die Uhr heraus und sagte mir laut auf französisch, indem er aufstand: „Neun Uhr vorbey. Kommen Sie. Wir vergessen, daß man uns im Louvre erwartet." — Dieß sagte er nur, um die Maske von unsrer Spur zu entfernen. „Neun Uhr" wiederhohlte sie in eben der Sprache nachdrücklich und langsam. „Wünschen Sie Sich Glück, Prinz, (indem sie ihn bey seinem wahren Nahmen nannte.) Um neun Uhr ist er gestorben." — Damit stand sie auf und ging.

Wir sahen uns bestürzt an. — „Wer ist gestorben?" sagte endlich der Prinz nach einer langen Stille. „Lassen Sie uns ihr nachgehen, sagte ich, und eine Erklärung fordern." Wir durchkrochen alle Winkel des Markusplatzes — die Maske war nicht mehr zu finden. Unbefriedigt kehrten wir nach unserm Gasthof zurück. Der Prinz sagte mir unter Weges nicht ein Wort, sondern ging seitwärts und allein, und schien einen gewaltsamen Kampf zu kämpfen, wie er mir auch nachher gestanden hat.

Als wir zu Hause waren, öffnete er zum ersten Mahle wieder den Mund. „Es ist doch lächerlich, sagte er, daß ein Wahnsinniger die Ruhe eines Mannes mit zwey Worten erschüttern soll.“ Wir wünschten uns eine gute Nacht, und so bald ich auf meinem Zimmer war, merkte ich mir in meiner Schreibtafel den Tag und die Stunde, wo es geschehen war. Es war ein Donnerstag.

Am folgenden Abend sagte mir der Prinz: „Wollen wir nicht einen Gang über den Marcusplatz machen, und unsern geheimnißvollen Armenier aufsuchen? Mich verlangt doch nach der Entwickelung dieser Komödie.“ Ich wars zufrieden. Wir blieben bis eilf Uhr auf dem Platze. Der Armenier war nirgends zu sehen. Das Nähmliche wiederhohlten wir die vier folgenden Abende, und mit keinem bessern Erfolge.

Als wir am sechsten Abend unser Hotel verließen, hatte ich den Einfall — ob unwillkührlich oder aus Absicht, besinne ich mich nicht mehr — den Bedienten zu hinterlassen, wo wir zu finden seyn würden, wenn nach uns gefragt werden sollte. Der Prinz bemerkte meine Vorsicht, und lobte sie mit einer lächelnden Miene. Es war ein großes Gedränge auf dem Markusplatz, als wir da ankamen. Wir hatten kaum dreyßig Schritte gemacht, so bemerkte ich den Armenier wieder, der sich mit schnellen Schritten durch die Menge arbeitete, und mit den Augen Jemand zu suchen schien. Eben waren wir im Begriff, ihn zu erreichen, als der Baron von F** aus der Suite des Prinzen athemlos auf uns zu kam, und dem Prinzen einen Brief überbrachte. „Er ist schwarz gesiegelt,“ setzte er hinzu. „Wir vermutheten, daß es Eile hätte.“

Das fiel auf mich wie ein Donnerschlag. Der Prinz war zu einer Laterne getreten und fing an zu lesen. „Mein Kousin ist gestorben," rief er. Wann? fiel ich ihm heftig ins Wort. Er sah noch ein Mahl in den Brief. „Vorigen Donnerstag. Abends um neun Uhr."

Wir hatten nicht Zeit, von unserm Erstaunen zurück zu kommen, so stand der Armenier unter uns. „Sie sind hier erkannt, gnädigster Herr," sagte er zu dem Prinzen. „Eilen Sie nach dem Mohren. Sie werden die Abgeordneten des Senats dort finden. Tragen Sie kein Bedenken, die Ehre anzunehmen, die man Ihnen erweisen will. Der Baron von F** vergaß, Ihnen zu sagen, daß Ihre Wechsel angekommen sind." Er verlor sich in dem Gedränge.

Wir eilten nach unserm Hotel. Alles fand sich, wie der Armenier es verkündigt hatte. Drey Nobili der Republik standen bereit, den Prinzen zu bewillkommen, und ihn mit Pracht nach der Assemblee zu begleiten, wo der hohe Adel der Stadt ihn erwartete. Er hatte kaum so viel Zeit, mir durch einen flüchtigen Wink zu verstehen zu geben, daß ich für ihn wach bleiben möchte.

Nachts gegen eilf Uhr kam er wieder. Ernst und gedankenvoll trat er ins Zimmer, und ergriff meine Hand, nachdem er die Bedienten entlassen hatte. „Graf," sagte er mit den Worten Hamlets zu mir, „es gibt mehr Dinge im Himmel und auf Erden, als wir in unsern Philosophien träumen."

„Gnädigster Herr," antwortete ich, „Sie scheinen zu vergessen, daß Sie um eine große Hoffnung reicher zu Bette gehen." (Der Verstorbene war der

Erbprinz, der einzige Sohn des regierenden ***, der alt und kränklich ohne Hoffnung eigner Succession war. Ein Oheim unsers Prinzen, gleichfalls ohne Erben und ohne Aussicht, welche zu bekommen, stand jetzt allein noch zwischen diesem und dem Throne. Ich erwähne dieses Umstandes, weil in der Folge davon die Rede seyn wird.)

„Erinnern Sie mich nicht daran, sagte der Prinz. Und wenn eine Krone für mich wäre gewonnen worden, ich hätte jetzt mehr zu thun, als dieser Kleinigkeit nachzudenken. — — Wenn dieser Armenier nicht bloß errathen hat" — —

„Wie ist das möglich, Prinz?" fiel ich ein. —

„So will ich Ihnen alle meine fürstlichen Hoffnungen für eine Mönchskutte abtreten."

Den folgenden Abend fanden wir uns zeitiger, als gewöhnlich, auf dem Markusplatz ein. Ein plötzlicher Regenguß nöthigte uns, in ein Kaffehhaus einzutreten, wo gespielt wurde. Der Prinz stellte sich hinter den Stuhl eines Spaniers, und beobachtete das Spiel. Ich war in ein anstoßendes Zimmer gegangen, wo ich Zeitungen las. Eine Weile darauf hörte ich Lermen. Vor der Ankunft des Prinzen war der Spanier unaufhörlich im Verluste gewesen, jetzt gewann er auf alle Karten. Das ganze Spiel war auffallend verändert, und die Bank war in Gefahr, von dem Pointeur, den diese glückliche Wendung kühner gemacht hatte, aufgefordert zu werden. Der Venetianer, der sie hielt, sagte dem Prinzen mit beleidigendem Ton — er störe das Glück, und er solle den Tisch verlassen. Dieser sah ihn kalt an und blieb; dieselbe Fassung behielt er, als der Venetianer seine

Beleidigung französisch wiederhohlte. Der letztere glaubte, daß der Prinz beyde Sprachen nicht verstehe, und wandte sich mit verachtungsvollem Lachen zu den übrigen: „Sagen Sie mir doch, meine Herren, wie ich mich diesem Balardo verständlich machen soll?“ Zugleich stand er auf und wollte den Prinzen beym Arm ergreifen; diesen verließ hier die Geduld, er packte den Venetianer mit starker Hand, und warf ihn unsanft zu Boden. Das ganze Haus kam in Bewegung. Auf das Geräusch stürzte ich herein, unwillkührlich rief ich ihn bey seinem Nahmen. „Nehmen Sie Sich in Acht, Prinz,“ setzte ich mit Unbesonnenheit hinzu, „wir sind in Venedig. Der Nahme des Prinzen geboth eine allgemeine Stille, woraus bald ein Gemurmel wurde, das mir gefährlich schien. Alle anwesenden Italiäner rotteten sich zu Haufen, und traten bey Seite. Einer um den andern verließ den Saal, bis wir uns beyde mit dem Spanier und einigen Franzosen allein fanden. „Sie sind verloren, gnädigster Herr,“ sagten diese, „wenn Sie nicht sogleich die Stadt verlassen. Der Venetianer, den Sie so übel behandelt haben, ist reich und von Ansehen — es kostet ihm nur funfzig Zechinen, Sie aus der Welt zu schaffen.“ Der Spanier both sich an, zur Sicherheit des Prinzen Wache zu hohlen, und uns selbst nach Hause zu begleiten. Dasselbe wollten auch die Franzosen. Wir standen noch, und überlegten, was zu thun wäre, als die Thüre sich öffnete und einige Bedienten der Staatsinquisition hereintraten. Sie zeigten uns eine Ordre der Regierung, worin uns beyden befohlen ward, ihnen schleunig zu folgen. Unter einer starken Bedeckung führte man uns bis zum Canal. Hier erwartete uns eine Gondel, in die wir uns setzen mußten. Ehe wir ausstiegen, wurden uns die Augen verbunden. Man führte uns eine große steinerne Treppe hinauf, und dann durch einen langen gewundenen Gang über Gewölbe, wie ich aus dem vielfachen Echo schloß, das unter unsern Füßen hallte. Endlich gelangten wir vor eine andere Treppe, welche uns sechs und zwanzig Stufen in die Tiefe hinunter führte. Hier öffnete sich ein Saal, wo man uns die Binde wieder von den Augen nahm. Wir befanden uns in einem Kreise ehrwürdiger alter Männer, alle schwarz gekleidet, der ganze Saal mit schwarzen Tüchern behangen und sparsam erleuchtet, eine Todtenstille in der ganzen Versammlung, welches einen schreckhaften Eindruck machte. Einer von diesen Greisen, vermuthlich der oberste Staatsinquisitor, näherte sich dem Prinzen, und fragte ihn mit einer feyerlichen Miene, während man ihm den Venetianer vorführte:

„Erkennen Sie diesen Menschen für den nähmlichen, der Sie auf dem Kaffehhause beleidigt hat?"

„Ja," antwortete der Prinz.

Darauf wandte jener sich zu dem Gefangenen: „Ist das dieselbe Person, die Sie heute Abend wollten ermorden lassen?"

Der Gefangene antwortete mit Ja.

Sogleich öffnete sich der Kreis, und mit Entsetzen sahen wir den Kopf des Venetianers vom Rumpfe trennen. „Sind Sie mit dieser Genugthuung zufrieden?" fragte der Staatsinquisitor. — Der Prinz lag ohnmächtig in den Armen seiner Begleiter. — „Gehen Sie nun," fuhr jener mit einer schrecklichen Stimme fort, indem er sich gegen mich wandte, „und urtheilen Sie künftig weniger vorschnell von der Gerechtigkeit in Venedig."

Wer der verborgene Freund gewesen, der uns durch den schnellen Arm der Justiz von einem gewissen Tode errettet hatte, konnten wir nicht errathen. Starr von Schrecken erreichten wir unsere Wohnung. Es war nach Mitternacht. Der Kammerjunker von Z** erwartete uns mit Ungeduld an der Treppe.

„Wie gut war es, daß Sie geschickt haben!" sagte er zum Prinzen, indem er uns leuchtete. — „Eine Nachricht, die der Baron von F** gleich nachher vom Markusplatze nach Hause brachte, hatte uns wegen Ihrer in die tödtlichste Angst gesetzt."

„Geschickt hätte ich? Wann? Ich weiß nichts davon?"

„Diesen Abend nach acht Uhr. Sie ließen uns sagen, daß wir ganz außer Sorgen seyn dürften, wenn Sie heute später nach Hause kämen."

Hier sah der Prinz mich an. „Haben Sie vielleicht ohne mein Wissen diese Sorgfalt gebraucht?"

Ich wußte von gar nichts.

„Es muß doch wohl so seyn, Ihro Durchlaucht," sagte der Kammerjunker — „denn hier ist ja Ihre Repetieruhr, die Sie zur Sicherheit mitschickten." Der Prinz griff nach der Uhrtasche. Die Uhr war wirklich fort, und er erkannte jene für die seinige. „Wer brachte sie?" fragte er mit Bestürzung.

„Eine unbekannte Maske, in armenischer Kleidung, die sich sogleich wieder entfernte."

Wir standen und sahen uns an. — „Was halten Sie davon?" sagte endlich der Prinz nach einem langen Stillschweigen. Ich habe hier einen verborgenen Aufseher in Venedig."

Der schreckliche Auftritt dieser Nacht hatte dem Prinzen ein Fieber zugezogen, das ihn acht Tage nöthigte, das Zimmer zu hüthen. In dieser Zeit wimmelte unser Hotel von Einheimischen und Fremden, die der entdeckte Stand des Prinzen herbey gelockt hatte. Man wetteiferte unter einander, ihm Dienste anzubiethen, jeder suchte nach seiner Art sich geltend zu machen. Des ganzen Vorgangs in der Staatsinquisition wurde nicht mehr erwähnt. Weil der Hof zu** die Abreise des Prinzen noch aufgeschoben wünschte, so erhielten einige Wechsler in Venedig Anweisung, ihm beträchtliche Summen auszuzahlen. So ward er wider Willen in den Stand gesetzt, seinen Aufenthalt in Italien zu verlängern, und auf sein Bitten entschloß ich mich auch, meine Abreise noch zu verschieben.

So bald er so weit genesen war, um das Zimmer wieder verlassen zu können, beredete ihn der Arzt, eine Spazierfahrt auf der Brenta zu machen, um die Luft zu verändern. Das Wetter war helle, und die Partie ward angenommen. Als wir eben im Begriff waren, in die Gondel zu steigen, vermißte der Prinz den Schlüssel zu einer kleinen Schatulle, die sehr wichtige Papiere enthielt. Sogleich kehrten wir um, ihn zu suchen. Er besann sich aufs genaueste, die Schatulle noch den vorigen Tag verschlossen zu haben, und seit dieser Zeit war er nicht aus dem Zimmer gekommen. Aber alles Suchen war umsonst, wir mußten davon abstehen, um die Zeit nicht zu verlieren. Der Prinz, dessen Seele über jeden Argwohn erhaben war, erkläte ihn für verloren, und bath uns nicht weiter davon zu sprechen.

Die Fahrt war die angenehmste. Eine mahlerische Landschaft, die mit jeder Krümmung des Flusses sich an Reichthum und Schönheit zu übertreffen schien, der heiterste Himmel, der mitten im Hornung einen Mayentag bildete, reitzende Gärten und geschmackvolle Landhäuser ohne Zahl, welche beyde Ufer der Brenta schmücken, hinter uns das majestätische Venedig, mit hundert aus dem Wasser springenden Thürmen und Masten, alles dieß gab uns das herrlichste Schauspiel von der Welt. Wir überließen uns ganz dem Zauber dieser schönen Natur, unsere Laune war die heiterste, der Prinz selbst verlor seinen Ernst, und wetteiferte mit uns in fröhlichen Scherzen. Eine lustige Musik schallte uns entgegen, als wir einige italiänische Meilen von der Stadt ans Land stiegen. Sie kam aus einem kleinen Dorfe, wo eben Jahrmarkt gehalten wurde; hier wimmelte es von Gesellschaft aller Art. Ein Trupp junger Mädchen und Knaben, alle theatralisch gekleidet, bewillkommte uns mit einem pantomimischen Tanz. Die Erfindung war neu, Leichtigkeit und Grazie beseelten jede Bewegung. Eh der Tanz noch völlig zu Ende war, schien die Anführerinn desselben, welche eine Königinn vorstellte, plötzlich wie von einem unsichtbaren Arme gehalten. Leblos stand sie und Alles. Die Musik schwieg. Kein Odem war zu hören in der ganzen Versammlung, und sie stand da, den Blick auf die Erde geheftet, in einer tiefen Erstarrung. Auf einmahl fuhr sie mit der Wuth der Begeisterung in die Höhe, blickte wild um sich her — „Ein König ist unter uns," rief sie, riß ihre Krone vom Haupt,

und

und legte sie — zu den Füßen des Prinzen. Alles, was da war, richtete hier die Augen auf ihn, lange Zeit ungewiß, ob Bedeutung in diesem Gaukelspiel wäre, so sehr hatte der affectvolle Ernst dieser Spielerinn getäuscht — Ein allgemeines Händeklatschen des Beyfalls unterbrach endlich diese Stille. Meine Augen suchten den Prinzen. Ich bemerkte, daß er nicht wenig betroffen war, und sich Mühe gab, den forschenden Blicken der Zuschauer auszuweichen. Er warf Geld unter diese Kinder, und eilte aus dem Gewühle zu kommen.

Wir hatten nur wenige Schritte gemacht, als ein ehrwürdiger Barfüßer sich durch das Volk arbeitete, und dem Prinzen in den Weg trat. „Herr," sagte der Mönch, „gib der Madonna von deinem Reichthum, du wirst ihr Gebeth brauchen." Er sprach dieß mit einem Tone, der uns betreten machte. Das Gedränge riß ihn weg.

Unser Gefolge war unterdessen gewachsen. Ein englischer Lord, den der Prinz schon in Nizza gesehen hatte, einige Kaufleute aus Livorno, ein deutscher Domherr, ein französischer Abbé mit einigen Damen, und ein russischer Officier gesellten sich zu uns. Die Physiognomie des letztern hatte etwas ganz Ungewöhnliches, das unsere Aufmerksamkeit auf sich zog. Nie in meinem Leben sah ich so viele Züge, und so wenig Charakter, so viel anlockendes Wohlwollen mit so viel zurückstoßendem Frost in einem Menschengesichte beysammen wohnen. Alle Leidenschaften schienen darin gewühlt und es wieder verlassen zu haben. Nichts war übrig, als der stille, durchdringende Blick eines vollendeten Menschenkenners, der jedes Auge verscheuchte, worauf er traf. Dieser seltsame Mensch folgte uns von weitem, schien aber an allem, was vorging, nur einen nachlässigen Antheil zu nehmen.

Wir kamen vor eine Bude zu stehen, wo Lotterie gezogen wurde. Die Damen setzten ein, wir andern folgten ihrem Beyspiel; auch der Prinz forderte ein Loos. Es gewann eine Tabaterie. Als er sie aufmachte, sah ich ihn blaß zurück fahren. — Der Schlüssel lag darin.

„Was ist das?" sagte der Prinz zu mir, als wir einen Augenblick allein waren. „Eine höhere Gewalt verfolgt mich. Allwissenheit schwebt um mich. Ein unsichtbares Wesen, dem ich nicht entfliehen kann, bewacht alle meine Schritte. Ich muß den Armenier aufsuchen und muß Licht von ihm haben."

Die Sonne neigte sich zum Untergange, als wir vor dem Lusthause ankamen, wo das Abendessen servirt war. Der Nahme des Prinzen hatte unsere Gesellschaft bis zu sechzehn Personen vergrößert. Außer den oben erwähnten war noch ein Virtuose aus Rom, einige Schweitzer und ein Avantürier aus Palermo, der Uniform trug und sich für einen Capitain ausgab, zu uns gestoßen. Es ward beschlossen, den ganzen Abend hier zuzubringen, und mit Fackeln nach Hause zu fahren. Die Unterhaltung bey Tische war sehr lebhaft, und der Prinz konnte nicht umhin, die Begebenheit mit dem Schlüssel zu erzählen, welche eine allgemeine Verwunderung erregte. Es wurde heftig über diese Materie gestritten. Die meisten aus der Gesellschaft behaupteten dreist weg, daß alle diese geheimen Künste auf eine Taschenspielerey hinaus liefen; der Abbé, der schon viel Wein bey sich hatte, forderte das ganze Geisterreich in die Schranken heraus; der Engländer sagte Blasphemien; der Musikus machte das Kreutz vor dem Teufel. Wenige, worunter der Prinz war, hielten dafür, daß man sein Urtheil über diese Dinge zurückhalten müsse; während dessen unterhielt sich der russische Officier mit den Frauenzimmern, und schien das ganze Gespräch nicht zu achten. In der Hitze des Streites hatte man nicht bemerkt, daß der Sicilianer hinaus gegangen war. Nach Verfluß einer kleinen halben Stunde kam er wieder in einen Mantel gehüllt, und stellte sich hinter den Stuhl des Franzosen. „Sie haben vorhin die Bravour geäußert, es mit allen Geistern aufzunehmen — wollen Sie es mit einem versuchen?"

„Topp!" sagte der Abbé — „wenn Sie es auf Sich nehmen wollen, mir einen herbey zu schaffen."

„Das will ich," anwortete der Sicilianer (indem er sich gegen uns kehrte,) „wenn diese Herren und Damen uns werden verlassen haben."

„Warum das?" rief der Engländer. „Ein herzhafter Geist fürchtet sich vor keiner lustigen Gesellschaft."

„Ich stehe nicht für den Ausgang," sagte der Sicilianer.

„Um des Himmels willen! Nein!" schrien die Frauenzimmer an dem Tische, und fuhren erschrocken von ihren Stühlen.

„Lassen Sie Ihren Geist kommen," sagte der Abbé trotzig; „aber warnen Sie ihn vorher, daß es hier spitzige Klingen gibt" (indem er einen von den Gästen um seinen Degen bath).

B 2

„Das mögen Sie alsdann halten, wie Sie wollen," antwortete der Sicilianer kalt, „wenn Sie nachher noch Lust dazu haben." Hier kehrte er sich zum Prinzen. „Gnädigster Herr," sagte er zu diesem, „Sie behaupten, daß Ihr Schlüssel in fremden Händen gewesen — Können Sie vermuthen, in welchen?"

„Nein."

„Rathen Sie auch auf niemand?"

„Ich hatte freylich einen Gedanken." —

„Würden Sie die Person erkennen, wenn Sie sie vor sich sähen?"

„Ohne Zweifel."

Hier schlug der Sicilianer seinen Mantel zurück, und zog einen Spiegel hervor, den er dem Prinzen vor die Augen hielt.

„Ist es diese?"

Der Prinz trat mit Schrecken zurück.

„Was haben Sie gesehen?" fragte ich.

„Den Armenier."

Der Sicilianer verbarg seinen Spiegel wieder unter den Mantel. „War es dieselbe Person, die Sie meinen?" fragte die ganze Gesellschaft den Prinzen.

„Die nähmliche."

Hier veränderte sich jedes Gesicht, man hörte auf zu lachen. Alle Augen hingen neugierig an dem Sicilianer.

„Monsieur l'Abbé, das Ding wird ernsthaft," sagte der Engländer; „ich rieth Ihnen auf den Rückzug zu denken."

„Der Kerl hat den Teufel im Leibe," schrie der Franzose, und lief aus dem Hause, die Frauenzimmer stürzten mit Geschrey aus dem Saal, der Virtuose folgte ihnen, der deutsche Domherr schnarchte in einem Sessel, der Russe blieb wie bisher gleichgültig sitzen.

„Sie wollten vielleicht nur einen Großsprecher zum Gelächter machen," fing der Prinz wieder an, nachdem jene hinaus waren — „oder hätten Sie wohl Lust uns Wort zu halten?"

„Es ist wahr," sagte der Sicilianer. „Mit dem Abbé war es mein Ernst nicht, ich that ihm den Antrag nur, weil ich wohl wußte, daß die Memme mich nicht beym Wort nehmen würde. — Die Sache selbst ist übrigens zu ernsthaft, um bloß einen Scherz damit auszuführen."

„Sie räumen also doch ein, daß sie in Ihrer Gewalt ist?"

Der Magier schwieg eine lange Zeit, und schien den Prinzen sorgfältig mit den Augen zu prüfen.

„Ja," antwortete er endlich.

Die Neugierde des Prinzen war bereits auf den höchsten Grad gespannt. Mit der Geisterwelt in Verbindung zu stehen, war ehedem seine Lieblingsschwärmerey gewesen, und seit jener ersten Erscheinung des Armeniers hatten sich alle Ideen wieder bey ihm gemeldet, die seine reifere Vernunft so lange abgewiesen hatte. Er ging mit dem Sicilianer bey Seite, und ich hörte ihn sehr angelegentlich mit ihm unterhandeln.

„Sie haben hier einen Mann vor Sich," fuhr er fort, „der von Ungeduld brennt, in dieser wichtigen Materie es zu einer Ueberzeugung zu bringen. Ich würde denjenigen als meinen Wohlthäter, als meinen ersten Freund umarmen, der hier meine Zwei-

fel zerstreute, und die Decke von meinen Augen zö-
ge — Wollen Sie sich dieses große Verdienst um
mich erwerben?"

„Was verlangen Sie von mir?" sagte der Magier mit Bedenken.

„Vor jetzt nur eine Probe Ihrer Kunst. Lassen
Sie mich eine Erscheinung sehen."

„Wozu soll das führen?"

„Dann mögen Sie aus meiner nähern Bekanntschaft urtheilen, ob ich eines höhern Unterrichts werth
bin."

„Ich schätze Sie über alles, gnädigster Prinz.
Eine geheime Gewalt in Ihrem Angesichte, die Sie
selbst noch nicht kennen, hat mich beym ersten Anblick
an Sie gebunden. Sie sind mächtiger, als Sie selbst
wissen. Sie haben unumschränkt über meine ganze Gewalt zu gebiethen, aber —

„Also lassen Sie mich eine Erscheinung sehen."

„Aber ich muß erst gewiß seyn, daß Sie diese
Forderung nicht aus Neugierde an mich machen. Wenn
gleich die unsichtbaren Kräfte mir einiger Maßen zu
Willen sind, so ist es unter der heiligen Bedingung,
daß ich die heiligen Geheimnisse nicht profanire, daß
ich meine Gewalt nicht mißbrauche."

„Meine Absichten sind die reinsten. Ich will
Wahrheit."

Hier verließen sie ihren Platz, und traten zu einem entfernten Fenster, wo ich sie nicht weiter hören
konnte. Der Engländer, der diese Unterredung gleichfalls mit angehört hatte, zog mich auf die Seite.

„Ihr Prinz ist ein edler Mann. Ich beklage,
daß er sich mit einem Betrüger einläßt."

„Es wird darauf ankommen," sagte ich, „wie er sich aus dem Handel zieht."

„Wissen Sie was?" sagte der Engländer: „Jetzt macht der arme Teufel sich kostbar. Er wird seine Kunst nicht auskramen, bis er Geld klingen hört. Es sind unser Neune. Wir wollen eine Collecte machen, und ihn durch einen hohen Preis in Versuchung führen. Das bricht ihm den Hals, und öffnet Ihrem Prinzen die Augen."

„Ich bins zufrieden."

Der Engländer warf sechs Guineen auf einen Teller, und sammelte in der Reihe herum. Jeder gab einige Louis; den Russen besonders schien unser Vorschlag ungemein zu interessiren, er legte eine Banknote von hundert Zechinen auf den Teller — eine Verschwendung, über welche der Engländer erstaunte. Wir brachten die Collecte dem Prinzen. „Haben Sie die Güte," sagte der Engländer, „bey diesem Herrn für uns fürzusprechen, daß er uns eine Probe seiner Kunst sehen lasse und diesen kleinen Beweis unsrer Erkenntlichkeit annehme." Der Prinz legte noch einen kostbaren Ring auf den Teller, und reichte ihn dem Sicilianer. Dieser bedachte sich einige Sekunden. — „Meine Herren und Gönner," fing er darauf an, „diese Großmuth beschämt mich. — Es scheint, daß Sie mich verkennen — aber ich gebe Ihrem Verlangen nach. Ihr Wunsch soll erfüllt werden, (indem er eine Glocke zog.) Was dieses Gold betrifft, worauf ich selber kein Recht habe, so werden Sie mir erlauben, daß ich es in dem nächsten Benedictiner-Kloster für milde Stiftungen niederlege. Diesen Ring behalte ich als ein schätzbares Denkmal, das mich an den würdigsten Prinzen erinnern soll."

Hier kam der Wirth, dem er das Geld sogleich überlieferte.

„Und er ist dennoch ein Schurke," sagte mir der Engländer ins Ohr. „Das Geld schlägt er aus, weil ihm jetzt mehr an dem Prinzen gelegen ist."

„Oder der Wirth versteht seinen Auftrag," sagte ein anderer.

„Wen verlangen Sie?" fragte jetzt der Magier den Prinzen.

Der Prinz besann sich einen Augenblick — „Lieber gleich einen großen Mann," rief der Lord. „Fordern Sie den Papst Ganganelli. Dem Herrn wird das gleich wenig kosten."

Der Sicilianer biß sich in die Lippen. — „Ich darf keinen citiren, der die Weihung empfangen hat."

„Das ist schlimm," sagte der Engländer. „Vielleicht hätten wir von ihm erfahren, an welcher Krankheit er gestorben ist."

„Der Marquis von Lanoy," nahm der Prinz jetzt das Wort, „war französischer Brigadier im vorigen Kriege, und mein vertrautester Freund. In der Bataille bey Hastinbeck empfing er eine tödtliche Wunde, man trug ihn nach meinem Zelte, wo er bald darauf in meinen Armen starb. Als er schon mit dem Tode rang, winkte er mich noch zu sich." „Prinz," fing er an, „ich werde mein Vaterland nicht wiedersehen, erfahren Sie also ein Geheimniß, wozu niemand als ich den Schlüssel hat. In einem Kloster auf der flandrischen Grenze lebt eine — —" hier verschied er. Die Hand des Todes zertrennte den Faden seiner Rede; ich möchte ihn hier haben und die Fortsetzung hören."

„Viel gefordert, bey Gott!" rief der Engländer. „Ich erklärt Sie für einen zweyten Salomo, wenn Sie diese Aufgabe lösen." —

Wir bewunderten die sinnreiche Wahl des Prinzen, und gaben ihr einstimmig unsern Beyfall. Unterdessen ging der Magier mit starken Schritten auf und nieder, und schien unentschlossen mit sich selbst zu kämpfen.

„Und das war alles, was der Sterbende Ihnen zu hinterlassen hette?"

„Alles."

„Thaten Sie keine weiteren Nachfragen deßwegen in seinem Vaterlande?"

„Sie waren alle vergebens."

„Der Marqus von Lanoy hatte untadelhaft gelebt? — Ich darf nicht jeden Todten rufen."

„Er starb mit Reue über die Ausschweifungen seiner Jugend."

„Tragen Sie irgend etwa ein Andenken von ihm bey Sich?"

„Ja." (Der Prinz führte wirklich eine Tabatiere bey sich, worauf das Miniatur-Bild des Marquis in Emaille war, und die er bey der Tafel neben sich hatte liegen gehabt.)

„Ich verlange es nicht zu wissen — — Lassen Sie mich allein. Sie sollen den Verstorbenen sehen."

Wir wurden gebethen, uns so lange in den andern Pavillon zu begeben, bis er uns rufen würde. Zugleich ließ er alle Meubeln aus dem Saale räumen, die Fenster ausheben, und die Läden auf das genaueste verschliessen. Dem Wirth, mit dem er schon vertraut zu seyn schien, befahl er, ein Gefäß mit glühenden Kohlen zu bringen, und alle Feuer im Hause sorgfältig mit Wasser zu löschen. Ehe wir weggingen, nahm er von jedem insbesondere das Ehrenwort, ein ewiges Stillschweigen über das zu beobachten, was wir sehen und hören würden. Hinter uns wurden alle Zimmer auf diesem Pavillon verriegelt.

Es war nach eilf Uhr, und eine tiefe Stille herrschte im ganzen Hause. Beym Hinausgehen fragte mich der Russe, ob wir geladene Pistolen bey uns hätten? — „Wozu?" sagte ich — — „Es ist auf alle Fälle," versetzte er. „Warten Sie einen Augenblick, ich will mich darnach umsehen." Er entfernte sich. Der Baron von F * * und ich öffneten ein Fenster, das jenem Pavillon gegenüber sah, und es kam uns vor, als hörten wir zwey Menschen zusammen flüstern, und ein Geräusch, als ob man eine Leiter anlegte. Doch war das nur eine Muthmaßung, und ich getraue mir nicht, sie für wahr auszugeben. Der Russe kam mit einem Paar Pistolen zurück, nachdem er eine halbe Stunde ausgeblieben war. Wir sahen sie ihn scharf laden. Es war beynahe zwey Uhr, als der Magier wieder erschien, und uns ankündigte, daß es Zeit wäre. Ehe wir hinein traten, ward uns befohlen, die Schuhe auszuziehen, und im bloßen Hemde, Strümpfen und Unterkleidern zu erscheinen. Hinter uns wurde, wie das erste Mahl, verriegelt.

Wir fanden, als wir in den Saal zurück kamen, mit einer Kohle einen weiten Kreis beschrieben, der uns alle zehn bequem fassen konnte. Rings herum an allen vier Wänden des Zimmers waren die Dielen weggehoben, daß wir gleichsam auf einer Insel standen. Ein Altar, mit schwarzem Tuch behangen, stand mitten im Kreis errichtet, unter welchen ein Teppich von rothem Atlas gebreitet war. Eine chaldäische Bibel lag bey einem Todtenkopf aufgeschlagen auf dem Altar, und ein silbernes Crucifix war darauf fest gemacht. Statt der Kerzen brannte Spiritus in einer silbernen Kapsel. Ein dicker Rauch von Olibanum verfinsterte den Saal, davon das Licht beynahe erstickte. Der Beschwörer war entkleidet wie wir, aber barfuß; um den bloßen Hals trug er ein Amulet an einer Kette von Menschenhaaren, um die Lenden hatte er eine weiße Schürze geschlagen, die mit geheimen Chiffern und symbolischen Figuren bezeichnet war. Er hieß uns einander die Hände reichen, und eine tiefe Stille beobachten; vorzüglich empfahl er uns, ja keine Frage an die Erscheinung zu thun. Den Engländer und mich (gegen uns beyde schien er das meiste Mißtrauen zu hegen) ersuchte er, zwey bloße Degen unverrückt und kreutzweise, einen Zoll hoch, über seiner Scheitel zu halten, so lange die Handlung dauern würde. Wir standen in einem halben Mond um ihn herum, der russische Officier drängte sich dicht an den Engländer, und stand zunächst an dem Altar. Das Gesicht gegen Morgen gerichtet, stellte sich der Magier jetzt auf den Teppich, sprengte Weihwasser nach allen vier Weltgegenden, und neigte sich drey Mahl gegen die Bibel. Eine halbe Viertelstunde dauerte die Beschwörung, von welcher wir nichts verstanden; nach Endigung derselben gab er denen, die zunächst hinter ihm standen, ein Zeichen, daß sie ihn jetzt fest bey den Haaren fassen sollten. Unter den heftigsten Zuckungen rief er den

Verstorbenen drey Mahl mit Nahmen, und das dritte Mahl streckte er nach dem Crucifixe die Hand aus — —

Auf einmahl empfanden wir alle zugleich einen Streich, wie vom Blitze, daß unsere Hände aus einander flogen; ein plötzlicher Donnerschlag erschütterte das Haus, alle Schlösser klangen, alle Thüren schlugen zusammen, der Deckel an der Kapsel fiel zu, das Licht löschte aus, und an der entgegen stehenden Wand, über dem Kamine, zeigte sich eine menschliche Figur, in blutigem Hemde, bleich und mit dem Gesicht eines Sterbenden.

„Wer ruft mich?" sagte eine hohle, kaum hörbare Stimme.

„Dein Freund," antwortete der Beschwörer, „der dein Andenken ehret, und für deine Seele bethet," zugleich nannte er den Nahmen des Prinzen.

Die Antworten erfolgten immer nach einem sehr großen Zwischenraum.

„Was verlangt er?" fuhr diese Stimme fort.

„Dein Bekenntniß will er zu Ende hören, das du in dieser Welt angefangen und nicht beschlossen hast."

„In einem Kloster auf der flandrischen Grenze lebt" — — —

Hier erzitterte das Haus von neuem. Die Thür sprang freywillig unter einem heftigen Donnerschlag auf, ein Blitz erleuchtete das Zimmer, und eine andere körperliche Gestalt, blutig und blaß wie die erste, aber schrecklicher, erschien an der Schwelle. Der Spiritus fing von selbst an zu brennen, und der Saal wurde helle wie zuvor.

„Wer ist unter uns?" rief der Magier erschrocken,

und warf einen Blick des Entsetzens durch die Versammlung — „Dich habe ich nicht gewollt."

Die Gestalt ging mit majestätischem leisen Schritt gerade auf den Altar zu, stellte sich auf den Teppich, uns gegenüber, und faßte das Crucifix. Die erste Figur sahen wir nicht mehr.

„Wer ruft mich?" sagte diese zweyte Erscheinung.

Der Magier fing an heftig zu zittern. Schrecken und Erstaunen hatten uns gefesselt. Ich griff nach einer Pistole, der Magier riß sie mir aus der Hand, und drückte sie auf die Gestalt ab. Die Kugel rollte langsam auf dem Altar, und die Gestalt trat unverändert aus dem Rauche. Jetzt sank der Magier ohnmächtig nieder. . . . .

„Was wird das?" rief der Engländer voll Erstaunen, und wollte einen Streich mit dem Degen nach ihr thun. Die Gestalt berührte seinen Arm, und die Klinge fiel zu Boden. Hier trat der Angstschweiß auf meine Stirn. Baron F** gestand uns nachher, daß er gebethet habe. Diese ganze Zeit über stand der Prinz furchtlos und ruhig, die Augen starr auf die Erscheinung gerichtet.

„Ja! Ich erkenne dich," rief er endlich voll Rührung aus, „du bist Lanoy, du bist mein Freund — — Woher kommst du?"

„Die Ewigkeit ist stumm. Frage mich aus dem vergangenen Leben."

„Wer lebt in dem Kloster, das du mir bezeichnet hast?"

„Meine Tochter."

„Wie? Du bist Vater gewesen?"

„Weh mir, daß ich es zu wenig war!"

„Bist du nicht glücklich, Lanoy?"

„Gott hat gerichtet."

„Kann ich dir auf dieser Welt noch einen Dienst erzeigen?"

„Keinen, als an dich selbst zu denken."

„Wie muß ich das?"

„In Rom wirst du es erfahren."

Hier erfolgte ein neuer Donnerschlag — eine schwarze Rauchwolke erfüllte das Zimmer; als sie zerflossen war, fanden wir keine Gestalt mehr. Ich stieß einen Fensterladen auf. Es war Morgen.

Jetzt kam auch der Magier aus seiner Betäubung zurück. „Wo sind wir?" rief er aus, als er Tageslicht erblickte. Der russische Officier stand dicht hinter ihm, und sah ihm über die Schulter. „Taschenspieler," sagte er mit schrecklichem Blick zu ihm, „du wirst keinen Geist mehr rufen."

Der Sicilianer drehte sich um, sah ihm genauer ins Gesicht, that einen lauten Schrey, und stürzte zu seinen Füßen.

Jetzt sahen wir alle auf ein Mahl den vermeintlichen Russen an. Der Prinz erkannte in ihm ohne Mühe die Züge seines Armeniers wieder, und das Wort, das er eben hervorstottern wollte, erstarb auf seinem Munde. Schrecken und Überraschung hatten uns alle wie versteinert. Lautlos und unbeweglich starrten wir dieses geheimnißvolle Wesen an, das uns mit einem Blicke stiller Gewalt und Größe durchschaute. Eine Minute dauerte dieß Schweigen — und wieder eine. Kein Odem war in der ganzen Versammlung.

Einige kräftige Schläge an die Thür brachten uns

endlich wieder zu uns selbst. Die Thür fiel zertrümmert in den Saal, und herein drangen Gerichtsdiener mit Wache. „Hier finden wir sie ja beysammen!" rief der Anführer, und wandte sich zu seinen Begleitern. „Im Nahmen der Regierung!" rief er uns zu. „Ich verhafte euch." Wir hatten nicht so viel Zeit uns zu besinnen; in wenig Augenblicken waren wir umringt. Der russische Officier, den ich jetzt wieder den Armenier nenne, zog den Anführer der Häscher auf die Seite, und so viel mir diese Verwirrung zuließ, bemerkte ich, daß er ihm einige Worte heimlich ins Ohr sagte, und etwas Schriftliches vorzeigte. Sogleich verließ ihn der Häscher mit einer stummen und ehrerbiethigen Verbeugung, wandte sich darauf zu uns, und nahm seinen Hut ab. „Vergeben Sie, meine Herren," sagte er, „daß ich Sie mit diesem Betrüger vermengen konnte. Ich will nicht fragen, wer Sie sind — aber dieser Herr versichert mir, daß ich Männer von Ehre vor mir habe." Zugleich winkte er seinen Begleitern, von uns abzulassen. Den Sicilianer befahl er wohl zu bewachen und zu binden. „Der Bursche da ist überreif," setzte er hinzu. „Wir haben schon sieben Monathe auf ihn gelauert."

Dieser elende Mensch war wirklich ein Gegenstand des Jammers. Das doppelte Schrecken der zweyten Geistererscheinung und dieses unerwarteten Überfalls hatte seine Besinnungskraft überwältigt. Er ließ sich binden wie ein Kind; die Augen lagen weit aufgesperrt und stier in einem todtenähnlichen Gesichte, und seine Lippen bebten in stillen Zuckungen, ohne einen Laut auszustoßen. Jeden Augenblick erwarteten wir einen Ausbruch von Convulsionen. Der Prinz fühlte Mitleid mit seinem Zustand, und unternahm es, seine Loslassung bey dem Gerichtsdiener auszuwirken, dem er sich zu erkennen gab.

„Gnädigster Herr," sagte dieser, „wissen Sie auch, wer der Mensch ist, für welchen Sie Sich so großmüthig verwenden? Der Betrug, den er Ihnen zu spielen gedachte, ist sein geringstes Verbrechen. Wir haben seine Helfershelfer. Sie sagen abscheuliche Dinge von ihm aus. Er mag sich noch glücklich preisen, wenn er mit der Galeere davon kommt."

Unterdessen sahen wir auch den Wirth nebst seinen Hausgenossen mit Stricken gebunden über den Hof führen. — „Auch dieser?" rief der Prinz. „Was hat denn dieser verschuldet?" — „Er war sein Mitschuldiger und Hehler," antwortete der Anführer der Häscher, „der ihm zu seinen Taschenspielerstückchen und Diebereyen behülflich gewesen, und seinen Raub mit ihm getheilt hat. Gleich sollen Sie überzeugt seyn, gnädigster Herr! (indem er sich zu seinen Begleitern kehrte!) Man durchsuche das ganze Haus, und bringe mir sogleich Nachricht, was man gefunden hat.

Jetzt sah sich der Prinz nach dem Armenier um — aber er war nicht mehr vorhanden; in der allgemeinen Verwirrung, welche dieser Überfall anrichtete, hatte er Mittel gefunden, sich unbemerkt zu entfernen. Der Prinz war untröstlich; gleich wollte er ihm alle seine Leute nachschicken; er selbst wollte ihn aufsuchen und mit sich fortreissen. Ich eilte ans Fenster; das ganze Haus war von Neugierigen umringt, die das Gerücht dieser Begebenheit herbey geführt hatte. Unmöglich war es, durch das Gedränge zu kommen. Ich stellte dem Prinzen dieses vor: „Wenn es diesem Arme-

nier

nier ein Ernst ist, sich vor uns zu verbergen, so weiß er unfehlbar die Schliche besser als wir, und alle unsere Nachforschungen werden vergebens seyn. Lieber lassen Sie uns noch hier bleiben, gnädigster Prinz. Vielleicht kann uns dieser Gerichtsdiener etwas Näheres von ihm sagen, dem er sich, wenn ich anders recht gesehen habe, entdeckt hat."

Jetzt erinnerten wir uns, daß wir noch ausgekleidet waren. Wir eilten nach unserm Zimmer, uns in der Geschwindigkeit in unsre Kleider zu werfen. Als wir zurück kamen, war die Haussuchung geschehen.

Nachdem man den Altar weggeräumt, und die Dielen des Saals aufgebrochen, entdeckte man ein geräumiges Gewölbe, worin ein Mensch gemächlich aufrecht sitzen konnte, mit einer Thür versehen, die durch eine schmale Treppe nach dem Keller führte. In diesem Gewölbe fand man eine Electrisier-Maschine, eine Uhr und eine kleine silberne Glocke, welche letztere, so wie die Electrisier-Maschine, mit dem Altar und dem darauf befestigten Crucifixe Communication hatte. Ein Fensterladen, der dem Kamine gerade gegenüber stand, war durchbrochen und mit einem Schieber versehen, um, wie wir nachher erfuhren, eine magische Laterne in seine Öffnung einzupassen, aus welcher die verlangte Gestalt auf die Wand über dem Kamin gefallen war. Vom Dachboden und aus dem Keller brachte man verschiedne Trommeln, woran große bleyerne Kugeln an Schnüren befestigt hingen, wahrscheinlich um das Geräusche des Donners hervorzubringen, das wir gehört hatten. Als man die Kleider des Sicilianers durchsuchte, fand man in einem Etui verschiedene Pulver, wie auch lebendigen Merkur in Phiolen und Büchsen;

Phosphorus in einer gläsernen Flasche, einen Ring, den wir gleich für einen magnetischen erkannten, weil er an einem stählernen Knopfe hängen blieb, dem er von ungefähr nahe gebracht worden, in den Rocktaschen ein Paternoster, einen Judenbart, Terzerole und einen Dolch. „Laß doch sehen, ob sie geladen sind!" sagte einer von den Häschern, indem er eines von den Terzerolen nahm, und ins Kamin abschoß. „Jesus Maria!" rief eine hohle menschliche Stimme, eben die, welche wir von der ersten Erscheinung gehört hatten — und in demselben Augenblick sahen wir einen blutenden Körper aus dem Schlot herunter stürzen. — „Noch nicht zur Ruhe, armer Geist?" rief der Engländer, während daß wir andern mit Schrecken zurück fuhren. „Gehe heim zu deinem Grabe. Du hast geschienen, was du nicht warst: jetzt wirst du seyn, was du schienest."

„Jesus Maria! Ich bin verwundet," wiederhohlte der Mensch im Kamine. Die Kugel hatte ihm das rechte Bein zerschmettert. Sogleich besorgte man, daß die Wunde verbunden wurde.

„Aber wer bist du denn, und was für ein böser Dämon muß dich hieher führen?"

„Ein armer Barfüßer," antwortete der Verwundete. „Ein fremder Herr hier hat mir eine Zechine gebothen, daß ich —"

„Eine Formel hersagen sollte? Und warum hast du dich denn nicht gleich wieder davon gemacht?"

„Er wollte mir ein Zeichen geben, wenn ich fortfahren sollte; aber das Zeichen blieb aus, und wie ich hinaus steigen wollte, war die Leiter weggezogen."

„Und wie heißt denn die Formel, die er dir eingelernt hat?"

Der Mensch bekam hier eine Ohnmacht, daß nichts weiter aus ihm heraus zu bringen war. Als wir ihn näher betrachteten, erkannten wir ihn für denselben, der sich dem Prinzen den Abend vorher in den Weg gestellt und ihn so feyerlich angeredet hatte.

Unterdessen hatte sich der Prinz zu dem Anführer der Häscher gewendet.

„Sie haben uns," sagte er, indem er ihm zugleich einige Goldstücke in die Hand drückte, „Sie haben uns aus den Händen eines Betrügers gerettet, und uns, ohne uns noch zu kennen, Gerechtigkeit wiederfahren lassen. Wollen Sie nun unsere Verbindlichkeit vollkommen machen, und uns entdecken, wer der Unbekannte war, dem es nur ein Paar Worte kostete, uns in Freyheit zu setzen?"

„Wen meinen Sie?" fragte der Anführer der Häscher, mit einer Miene, die deutlich zeigte, wie unnöthig diese Frage war.

„Den Herrn in russischer Uniform meine ich, der Sie vorhin bey Seite zog, Ihnen etwas Schriftliches vorwies und einige Worte ins Ohr sagte, worauf Sie uns sogleich wieder losgaben."

„Sie kennen diesen Herrn also nicht?" fragte der Häscher wieder. „Er war nicht von Ihrer Gesellschaft?"

„Nein," sagte der Prinz — „und aus sehr wichtigen Ursachen wünschte ich näher mit ihm bekannt zu werden."

„Näher," antwortete der Häscher, „kenn' ich ihn auch nicht. Sein Nahme selbst ist mir unbekannt, und heute hab' ihn zum ersten Mahl in meinem Leben gesehen."

„Wie? und in so kurzer Zeit, durch ein Paar

Worte konnte er so viel über Sie vermögen, daß Sie ihn selbst und uns alle für unschuldig erklärten?"

„Allerdings durch ein einziges Wort."

„Und dieses war? — Ich gestehe, daß ich es wissen möchte."

„Dieser Unbekannte, gnädigster Herr," — indem er die Zechinen in seiner Hand wog — „Sie sind zu großmüthig gegen mich gewesen, um Ihnen länger ein Geheimniß daraus zu machen — dieser Unbekannte war — ein Officier der Staats-Inquisition."

„Der Staatsinquisition! — Dieser! —"

„Nicht anders, gnädigster Herr — und davon überzeugte mich das Papier, welches er mir vorzeigte."

„Dieser Mensch, sagen Sie? Es ist nicht möglich."

„Ich will Ihnen noch mehr sagen, gnädigster Herr. Eben dieser war es, auf dessen Denunciation ich hierher geschickt worden bin, den Geisterbeschwörer zu verhaften."

Wir sahen uns mit noch größerm Erstaunen an.

„Da hätten wir es ja heraus," rief endlich der Engländer, „warum der arme Teufel von Beschwörer so erschrocken zusammenfuhr, als er ihm näher ins Gesicht sah. Er erkannte ihn für einen Spion, und darum that er jenen Schrey, und stürzte zu seinen Füßen."

„Nimmermehr," rief der Prinz. „Dieser Mensch ist alles, was er seyn will, und alles, was der Augenblick will, daß er seyn soll. Was er wirklich ist, hat noch kein Sterblicher erfahren. Sahen Sie den Sicilianer zusammen sinken, als er ihm die Worte ins Ohr schrie: Du wirst keinen Geist mehr rufen! Dahinter ist mehr. Daß man vor etwas Menschlichem so zu erschrecken pflegt, soll mich niemand überreden."

„Darüber wird uns der Magier selbst wohl am besten zurecht weisen können," sagte der Lord, „wenn uns dieser Herr (sich zu dem Anführer der Gerichtsdiener wendend) Gelegenheit verschaffen will, seinen Gefangnen zu sprechen."

Der Anführer der Häscher versprach es uns, und wir redeten mit dem Engländer ab, daß wir ihn gleich den andern Morgen aufsuchen wollten. Jetzt begaben wir uns nach Venedig zurück.

Mit dem frühesten Morgen war Lord Seymour da, (dieß war der Nahme des Engländers) und bald nachher erschien eine vertraute Person, die der Gerichtsdiener abgeschickt hatte, uns nach dem Gefängniß zu führen. Ich habe vergessen zu erzählen, daß der Prinz schon seit etlichen Tagen einen seiner Jäger vermißte, einen Bremer von Geburt, der ihm viele Jahre redlich gedient und sein ganzes Vertrauen besessen hatte. Ob er verunglückt, oder gestohlen, oder auch entlaufen war, wußte niemand. Zu dem Letztern war gar kein wahrscheinlicher Grund vorhanden, weil er jederzeit ein stiller und ordentlicher Mensch gewesen, und nie ein Tadel an ihm gefunden war. Alles, worauf seine Cameraden sich besinnen konnten, war, daß er in der letzten Zeit sehr schwermüthig gewesen, und, wo er nur einen Augenblick erhaschen konnte, ein gewisses Minoritenkloster in der Giudecca besucht habe, wo er auch mit einigen Brüdern öfters Umgang gepflegt. Dieß brachte uns auf die Vermuthung, daß er vielleicht in die Hände der Mönche gerathen seyn möchte, und sich katholisch gemacht hätte; und weil der Prinz über diesen Artikel damahls noch sehr gleichgültig dachte, so ließ ers nach einigen fruchtlosen Nachforschungen dabey bewenden. Doch schmerzte ihn der Verlust dieses Menschen, der ihm auf seinen Feldzügen immer zur Seite gewesen, immer treu an ihm gehangen, und in einem fremden Lande so leicht nicht wieder zu ersetzen war. Heute nun, als wir eben im Begriff standen auszugehen, ließ sich der Banquier des Prinzen melden, an den der Auftrag ergangen war, für einen neuen Bedienten zu sorgen. Dieser stellte dem Prinzen einen gutgebildeten und wohlgekleideten Menschen in mittleren Jahren vor, der lange Zeit in Diensten eines Procurators als Secretär gestanden, französisch und auch etwas deutsch sprach, übrigens mit den besten Zeugnissen versehen war. Seine Physiognomie gefiel, und da er sich übrigens erklärte, daß sein Gehalt von der Zufriedenheit des Prinzen mit seinen Diensten abhängen sollte, so ließ er ihn ohne Verzug eintreten.

Wir fanden den Sicilianer in einem Privatgefängniß, wohin er, dem Prinzen zu Gefallen, wie der Gerichtsdiener sagte, einstweilen gebracht worden war, ehe er unter die Bleydächer gesetzt wurde, zu denen kein Zugang mehr offen steht. Diese Bleydächer sind das fürchterlichste Gefängniß in Venedig, unter dem Dach des St. Markus-Pallastes, worin die unglücklichen Verbrecher von der dörrenden Sonnenhitze, die sich auf der Bleyfläche sammelt, oft bis zum Wahnwitze leiden. Der Sicilianer hatte sich von dem gestrigen Zufalle wieder erhohlt, und stand ehrerbiethig auf, als er den Prinzen ansichtig wurde. Ein Bein und eine Hand waren gefesselt, sonst aber konnte er frey durch das Zimmer gehen. Bey unserm Eintritt entfernte sich die Wache vor die Thür.

„Ich komme," sagte der Prinz, nachdem wir Platz genommen hatten, „über zwey Puncte Erklärung von Ihnen zu verlangen. Die eine sind Sie mir schuldig, und es wird Ihr Schade nicht seyn, wenn Sie mich über den andern befriedigen."

„Meine Rolle ist ausgespielt," versetzte der Sicilianer. „Mein Schicksal steht in Ihren Händen."

„Ihre Aufrichtigkeit allein," versetzte der Prinz, „kann es erleichtern."

„Fragen Sie, gnädigster Herr. Ich bin bereit zu antworten, denn ich habe nichts mehr zu verlieren."

„Sie haben mich das Gesicht des Armeniers in Ihrem Spiegel sehen lassen. Wodurch bewirkten Sie dieses?"

„Es war kein Spiegel, was Sie gesehen haben. Ein bloßes Pastellgemählde hinter einem Glas, das einen Mann in armenischer Kleidung vorstellte, hat Sie getäuscht. Meine Geschwindigkeit, die Dämmerung, Ihr Erstaunen unterstützten diesen Betrug. Das Bild wird sich unter den übrigen Sachen finden, die man in dem Gasthof in Beschlag genommen hat."

„Aber wie konnten Sie meine Gedanken so gut wissen, und gerade auf den Armenier rathen?"

„Dieses war gar nicht schwer, gnädigster Herr. Ohne Zweifel haben Sie Sich bey Tische in Gegenwart Ihrer Bedienten über die Begebenheit öfters herausgelassen, die sich zwischen Ihnen und diesem Armenier ereignet hat. Einer von meinen Leuten machte mit einem Jäger, der in Ihren Diensten steht, zufälliger Weise in der Giudecca Bekanntschaft, aus welchem er nach und nach so viel zu ziehen wußte, als mir zu wissen nöthig war."

„Wo ist dieser Jäger?" fragte der Prinz. „Ich vermisse ihn, und ganz gewiß wissen Sie um seine Entweichung."

„Ich schwöre Ihnen, daß ich nicht das Geringste davon weiß, gnädigster Herr. Ich selbst hab' ihn nie gesehen, und nie eine andere Absicht mit ihm gehabt, als die eben gemeldete."

„Fahren Sie fort," sagte der Prinz.

„Auf diesem Wege nun erhielt ich überhaupt auch die erste Nachricht von Ihrem Aufenthalt und Ihren Begebenheiten in Venedig, und sogleich entschloß ich mich, sie zu nützen. Sie sehen, gnädigster Herr, daß ich aufrichtig bin. Ich wußte von Ihrer vorhabenden Spatzierfahrt auf der Brenta; ich hatte mich darauf versehen, und ein Schlüssel, der Ihnen von ungefähr entfiel, gab mir die erste Gelegenheit, meine Kunst an Ihnen zu versuchen."

„Wie? So hätte ich mich also geirret? Das Stückchen mit dem Schlüssel war Ihr Werk, und nicht des Armeniers? Der Schlüssel, sagen Sie, wäre mir entfallen?"

„Als Sie die Börse zogen — und ich nahm den Augenblick wahr, da mich niemand beobachtete, ihn schnell mit dem Fuße zu verdecken. Die Person, bey der Sie die Lotterieloose nahmen, war im Verständniß mit mir. Sie ließ Sie aus einem Gefäße ziehen, wo keine Niete zu hohlen war, und der Schlüssel lag längst in der Dose, ehe sie von Ihnen genommen wurde.

„Nunmehr begreif' ichs. Und der Barfüßermönch, der sich mir in den Weg warf, und mich so feyerlich anredete?"

„War der nähmliche, den man, wie ich höre, verwundet aus dem Kamine gezogen. Es ist einer von meinen Cameraden, der mir unter dieser Verhüllung schon manche gute Dienste geleistet."

„Aber zu welchem Ende stellten Sie dieses an?"

„Um Sie nachdenkend zu machen — um einen Gemüthszustand in Ihnen vorzubereiten, der Sie für das Wunderbare, das ich mit Ihnen im Sinne hatte, empfänglich machen sollte."

„Aber der pantomimische Tanz, der eine so überraschende seltsame Wendung nahm — dieser war doch wenigstens nicht von Ihrer Erfindung?"

„Das Mädchen, welches die Königinn vorstellte, war von mir unterrichtet, und ihre ganze Rolle mein Werk. Ich vermuthete, daß es Ew. Durchlaucht nicht wenig befremden würde, an diesem Orte gekannt zu seyn, und verzeihen Sie mir, gnädigster Herr, das Abenteuer mit dem Armenier ließ mich hoffen, daß Sie bereits schon geneigt seyn würden, natürliche Auslegungen zu verschmähen, und nach höhern Quellen des Außerordentlichen zu spüren."

„In der That," rief der Prinz mit einer Miene zugleich des Verdrusses und der Verwunderung, indem er mir besonders einen bedeutenden Blick gab, „in der That," rief er aus, „das habe ich nicht erwartet."

„Aber," fuhr er nach einem langen Stillschweigen wieder fort, „wie brachten Sie die Gestalt hervor, die an der Wand über dem Kamin erschien?"

„Durch die Zauberlaterne, welche an dem gegenüber stehenden Fensterladen angebracht war, wo Sie auch die Öffnung dazu bemerkt haben werden."

„Aber wie kam es denn, daß kein Einziger unter uns sie gewahr wurde?" fragte Lord Seymour.

„Sie erinnern Sich, gnädiger Herr, daß ein dicker Rauch den ganzen Saal verfinsterte, als Sie zurück gekommen waren. Zugleich hatte ich die Vorsicht gebraucht, die Dielen, welche man weggehoben, neben demjenigen Fenster anlehnen zu lassen, wo die Laterna magica eingefügt war; dadurch verhinderte ich, daß Ihnen dieser Fensterladen nicht sogleich ins Gesicht fiel. Übrigens blieb die Laterne auch so lange durch einen Schieber verdeckt, bis Sie alle Ihre Plätze genommen hatten, und keine Untersuchung im Zimmer mehr von Ihnen zu fürchten war.

„Mir kam vor," fiel ich ein, „als hörte ich in der Nähe dieses Saals eine Leiter anlegen, als ich in dem andern Pavillon aus dem Fenster sah. War dem wirklich so?"

„Ganz recht. Eben diese Leiter, auf welcher mein Gehülfe zu dem bewußten Fenster empor kletterte, um die Zauberlaterne zu dirigiren."

„Die Gestalt," fuhr der Prinz fort, „schien wirklich eine flüchtige Ähnlichkeit mit meinem verstorbenen Freunde zu haben; besonders traf es ein, daß sie sehr blond war. War dieses bloßer Zufall, oder woher schöpften Sie dieselbe?"

„Eure Durchlaucht erinnern Sich, daß Sie über Tische eine Dose neben Sich hatten liegen gehabt, auf welcher das Porträt eines Officiers in **ischer Uniform in Emaille war. Ich fragte Sie, ob Sie von Ihrem

Freunde nicht irgend ein Andenken bey Sich führten? worauf Sie mit Ja antworteten; daraus schloß ich, daß es vielleicht die Dose seyn möchte. Ich hatte das Bild über Tische gut ins Auge gefaßt, und weil ich im Zeichnen sehr geübt, auch im Treffen sehr glücklich bin, so war es mir ein Leichtes, dem Bilde diese flüchtige Ähnlichkeit zu geben, die Sie wahrgenommen haben; und um so mehr, da die Gesichtszüge des Marquis sehr ins Auge fallen."

„Aber die Gestalt schien sich doch zu bewegen. —"

„So schien es — aber es war nicht die Gestalt, sondern der Rauch, der von ihrem Scheine beleuchtet war."

„Und der Mensch, welcher aus dem Schlot herab stürzte, antwortete also für die Erscheinung?

„Eben dieser."

„Aber er konnte ja die Fragen nicht wohl hören."

„Dieses brauchte er auch nicht. Sie besinnen Sich, gnädigster Prinz, daß ich Ihnen allen auf das strengste verboth, selbst eine Frage an das Gespenst zu richten. Was ich ihn fragen würde, und er mir antworten sollte, war abgeredet; und damit ja kein Versehen vorfiele, ließ ich ihn große Pausen beobachten, die er an den Schlägen einer Uhr abzählen mußte."

„Sie gaben dem Wirthe Befehl, alle Feuer im Hause sorgfältig mit Wasser löschen zu lassen; dieß geschah ohne Zweifel —"

„Um meinen Mann im Kamine außer Gefahr des Erstickens zu setzen, weil die Schornsteine im Hause in einander laufen, und ich vor Ihrer Suite nicht ganz sicher zu seyn glaubte."

„Wie kam es aber," fragte Lord Seymour, „daß

Ihr Geist weder früher noch später da war, als Sie ihn brauchten?"

„Mein Geist war schon eine gute Weile im Zimmer, ehe ich ihn citierte; aber so lange der Spiritus brannte, konnte man diesen matten Schein nicht sehen. Als meine Beschwörungsformel geendiget war, ließ ich das Gefäß, worin der Spiritus flammte, zusammen fallen, es wurde Nacht im Saal, und jetzt erst wurde man die Figur an der Wand gewahr, die sich schon längst darauf reflectiert hatte."

„Aber in eben dem Moment, als der Geist erschien, empfanden wir alle einen electrischen Schlag. Wie bewirkten Sie diesen?"

„Die Mäschine unter dem Altar haben Sie entdeckt. Sie sahen auch, daß ich auf einem seidnen Fußteppich stand. Ich ließ Sie in einem halben Mond um mich herum stehen, und einander die Hände reichen; als es nahe dabey war, winkte ich einem von Ihnen, mich bey den Haaren zu fassen. Das Crucifix war der Conductor, und Sie empfingen den Schlag, als ich es mit der Hand berührte."

„Sie befahlen uns, dem Grafen von O** und mir," sagte Lord Seymour, „zwey bloße Degen kreutzweise über Ihrem Scheitel zu halten, so lange die Beschwörung dauern würde. Wozu nun dieses?"

„Zu nichts weiter, als um Sie beyde, denen ich am wenigsten traute, während des ganzen Actus zu beschäftigen. Sie erinnern Sich, daß ich Ihnen ausdrücklich einen Zoll hoch bestimmte; dadurch, daß Sie diese Entfernung immer in Acht nehmen mußten, waren Sie verhindert, Ihre Blicke dahin zu richten, wo ich sie nicht gerne haben wollte. Meinen schlimmsten Feind hatte ich damahls noch gar nicht ins Auge gefaßt."

„Ich gestehe," rief Lord Seymour, „daß dieß vorsichtig gehandelt heißt — aber warum mußten wir ausgekleidet seyn?"

„Bloß um der Handlung eine Feyerlichkeit mehr zu geben, und durch das Ungewöhnliche Ihre Einbildungskraft zu spannen."

„Die zweyte Erscheinung ließ Ihren Geist nicht zum Worte kommen," sagte der Prinz. „Was hätten wir eigentlich von ihm erfahren sollen?"

„Beynahe dasselbe, was Sie nachher gehört haben. Ich fragte Eure Durchlaucht nicht ohne Absicht, ob Sie mir auch alles gesagt, was Ihnen der Sterbende aufgetragen, und ob Sie keine weitern Nachfragen wegen seiner in seinem Vaterlande gethan; dieses fand ich nöthig, um nicht gegen Thatsachen anzustoßen, die der Aussage meines Geistes hätten widersprechen können. Ich fragte gewisser Jugendsünden wegen, ob der Verstorbene untadelhaft gelebt; und auf die Antwort gründete ich alsdann meine Erfindung."

„Über diese Sache," fing der Prinz nach einigem Stillschweigen an, „haben Sie mir einen befriedigenden Aufschluß gegeben. Aber ein Hauptumstand ist noch zurück, worüber ich Licht von Ihnen verlange."

„Wenn es in meiner Gewalt steht, und —"

„Keine Bedingungen! Die Gerechtigkeit, in deren Händen Sie sind, dürfte so bescheiden nicht fragen. Wer war dieser Unbekannte, vor dem wir Sie niederstürzen sahen? Was wissen Sie von ihm? Woher kennen Sie ihn? Und was hat es für eine Bewandtniß mit dieser zweyten Erscheinung?"

„Gnädigster Prinz —"

„Als Sie ihm näher ins Gesicht sahen, stießen Sie einen lauten Schrey aus und stürzten nieder. Warum das? Was bedeutete das?"

„Dieser Unbekannte, gnädigster Prinz" — Er hielt inne, wurde sichtbarlich unruhiger, und sah uns alle in der Reihe herum mit verlegenen Blicken an. — „Ja bey Gott, gnädigster Prinz, dieser Unbekannte ist ein schreckliches Wesen."

„Was wissen Sie von ihm? Wie steht er mit Ihnen in Verbindung? — Hoffen Sie nicht, uns die Wahrheit zu verhehlen." —

„Dafür werde ich mich wohl hüthen, denn wer steht mir dafür, daß er nicht in diesem Augenblick unter uns stehet?"

„Wo? Wer?" riefen wir alle zugleich, und schauten uns halb lachend, halb bestürzt im Zimmer um. — „Das ist ja nicht möglich!"

„O! diesem Menschen — oder wer er seyn mag — sind Dinge möglich, die noch weit weniger zu begreifen sind."

„Aber wer ist er denn? Woher stammt er? Armenier oder Russe? Was ist das Wahre an dem, wofür er sich ausgibt?"

„Keines von allem, was er scheint. Es wird wenige Stände, Charaktere und Nationen geben, davon er nicht schon die Maske getragen. Wer er sey? Woher er gekommen? Wohin er gehe? weiß niemand. Daß er lang' in Ägypten gewesen, wie viele behaupten, und dort aus einer Pyramide seine verborgene Weisheit geholt habe, will ich weder bejahen noch verneinen. Bey uns kennt man ihn nur unter dem Nahmen des Unergründlichen. Wie alt, zum Beyspiel, schätzen Sie ihn?"

„Nach dem äußern Anschein zu urtheilen, kann er kaum vierzig zurück gelegt haben."

„Und wie alt denken Sie, daß ich sey?"

„Nicht weit von fünfzig."

„Ganz recht — und wenn ich Ihnen nun sage, daß ich ein Bursche von siebenzehn Jahren war, als mir mein Großvater von diesem Wundermann erzählte, der ihn ungefähr in eben dem Alter, worin er jetzt zu seyn scheint, in Famagusta gesehen hat. —"

„Das ist lächerlich, unglaublich und übertrieben."

„Nicht um einen Zug. Hielten mich diese Fesseln nicht ab, ich wollte Ihnen Bürgen stellen, deren ehrwürdiges Ansehen Ihnen keinen Zweifel mehr übrig lassen würde. Es gibt glaubwürdige Leute, die sich erinnern, ihn in verschiedenen Weltgegenden zu gleicher Zeit gesehen zu haben. Keines Degens Spitze kann ihn durchbohren, kein Gift kann ihm etwas anhaben, kein Feuer sengt ihn, kein Schiff geht unter, worauf er sich befindet. Die Zeit selbst scheint an ihm ihre Macht zu verlieren, die Jahre trocknen seine Säfte nicht aus, und das Alter kann seine Haare nicht bleichen. Niemand ist, der ihn Speise nehmen sah, nie ist ein Weib von ihm berührt worden, kein Schlaf besucht seine Augen: von allen Stunden des Tages weiß man nur eine einzige, über die er nicht Herr ist, in welcher niemand ihn gesehen, in welcher er kein irdisches Geschäft verrichtet hat."

„So?" sagte der Prinz. „Und was ist dieß für eine Stunde?"

„Die zwölfte in der Nacht. Sobald die Glocke den

zwölften Schlag thut, gehört er den Lebendigen nicht mehr. Wo er auch seyn mag, er muß fort, welches Geschäft er auch verrichtet, er muß es abbrechen. Dieser schreckliche Glockenschlag reißt ihn aus den Armen der Freundschaft, reißt ihn selbst vom Altar, und würde ihn auch aus dem Todeskampf rufen. Niemand weiß, wo er dann hingehet, noch was er da verrichtet. Niemand wagt es, ihn darum zu befragen, noch weniger ihm zu folgen; denn seine Gesichtszüge ziehen sich auf einmahl, sobald diese gefürchtete Stunde schlägt, in einen so finstern und schreckhaften Ernst zusammen, daß jedem der Muth entfällt, ihm in's Gesicht zu blicken, oder ihn anzureden. Eine tiefe Todesstille endigt dann plötzlich das lebhafteste Gespräch, und alle, die um ihn sind, erwarten mit ehrerbiethigem Schaudern seine Wiederkunft, ohne es nur zu wagen, sich von der Stelle zu heben, oder die Thür zu öffnen, durch die er gegangen ist."

„Aber," fragte einer von uns, „bemerkt man nichts Außerordentliches an ihm bey seiner Zurückkunft?"

„Nichts, als daß er bleich und abgemattet aussieht, ungefähr wie ein Mensch, der eine schmerzhafte Operation ausgestanden, oder eine schreckliche Zeitung erhält. Einige wollen Blutstropfen auf seinem Hemde gesehen haben; dieses aber lasse ich dahin gestellt seyn."

„Und man hat es zum wenigsten nie versucht, ihm diese Stunde zu verbergen, oder ihn so in Zerstreuung zu verwickeln, daß er sie übersehen mußte?"

„Ein einziges Mahl, sagt man, überschritt er den Termin. Die Gesellschaft war zahlreich, man verspätete sich bis tief in die Nacht, alle Uhren waren mit Fleiß falsch gerichtet, und das Feuer der Unterredung riß ihn

da-

dahin. Als die gesetzte Stunde da war, verstummte er plötzlich, und wurde starr, alle seine Gliedmaßen verharrten in derselben Richtung, worin dieser Zufall sie überraschte, seine Augen standen, sein Puls schlug nicht mehr, alle Mittel, die man anwendete, ihn wieder zu erwecken, waren fruchtlos; und dieser Zustand hielt an, bis die Stunde verstrichen war. Dann belebte er sich plötzlich von selbst wieder, schlug die Augen auf, und fuhr in der nähmlichen Sylbe fort, worin er war unterbrochen worden. Die allgemeine Bestürzung verrieth ihm, was geschehen war, und da erklärte er mit einem fürchterlichen Ernst, daß man sich glücklich preisen dürfte, mit dem bloßen Schrecken davon gekommen zu seyn. Aber die Stadt, worin ihm dieses begegnet war, verließ er noch an demselben Abend auf immer. Der allgemeine Glaube ist, daß er in dieser geheimnißvollen Stunde Unterredungen mit seinem Genius halte. Einige meinen gar, er sey ein Verstorbener, dem es verstattet sey, drey und zwanzig Stunden vom Tage unter den Lebenden zu wandeln; in der letzten aber müsse seine Seele zur Unterwelt heim kehren, um dort ihr Gericht auszuhalten. Viele halten ihn auch für den berühmten Apollonius von Thyana, und andre gar für den Jünger Johannes, von dem es heißt, daß er bleiben würde bis zum letzten Gericht."

„Über einen so außerordentlichen Mann," sagte der Prinz, „kann es freylich nicht an abenteuerlichen Muthmaßungen fehlen. Alles Bisherige haben Sie bloß vom Hörensagen; und doch schien mir sein Benehmen gegen Sie, und das Ihrige gegen ihn auf eine genauere Bekanntschaft zu deuten. Liegt hier nicht irgend eine besondere Geschichte zum Grunde, bey der

Sie selbst mit verwickelt gewesen? Verhehlen Sie uns nichts."

Der Sicilianer sah uns mit einem zweifelhaften Blick an, und schwieg.

„Wenn es eine Sache betrifft," fuhr der Prinz fort, „die Sie nicht gerne laut machen wollen, so versichre ich Sie im Nahmen dieser beyden Herrn der unverbrüchlichsten Verschwiegenheit. Aber reden Sie aufrichtig und unverhohlen."

„Wenn ich hoffen kann," fing der Mann nach einem langen Stillschweigen an, „daß Sie solche nicht gegen mich zeugen lassen wollen, so will ich Ihnen wohl eine merkwürdige Begebenheit mit diesem Armenier erzählen, von der ich Augenzeuge war, und die Ihnen über die verborgene Gewalt dieses Menschen keinen Zweifel übrig lassen wird. Aber es muß mir erlaubt seyn," setzte er hinzu, „einige Nahmen dabey zu verschweigen."

„Kann es nicht ohne diese Bedingung geschehen?"

„Nein, gnädigster Herr. Es ist eine Familie darein verwickelt, die ich zu schonen Ursache habe."

„Lassen Sie uns hören," sagte der Prinz.

„Es mögen nun fünf Jahre seyn," fing der Sicilianer an, „daß ich in Neapel, wo ich mit ziemlichem Glück meine Künste trieb, mit einem gewissen Lorenzo del M**nte, Chevalier des Ordens von St. Stephan, Bekanntschaft machte, einem jungen und reichen Cavalier aus einem der ersten Häuser des Königreichs, der mich mit Verbindlichkeiten überhäufte, und für meine Geheimnisse große Achtung zu tragen schien. Er entdeckte mir, daß der Marchese del M**nte, sein Vater, ein eifriger Verehrer der Kabbala wäre, und sich glücklich schätzen würde, einen Weltweisen (wie er mich zu nennen beliebte,) unter seinem Dache zu wissen. Der Greis wohnte auf einem seiner Landgüter an der See, ungefähr sieben Meilen von Neapel, wo er beynahe in gänzlicher Abgeschiedenheit von Menschen das Andenken eines theuern Sohnes beweinte, der ihm durch ein schreckliches Schicksal entrissen ward. Der Chevalier ließ mich merken, daß er und seine Familie in einer sehr ernsthaften Angelegenheit meiner wohl gar einmahl bedürfen könnten, um von meiner geheimen Wissenschaft vielleicht einen Aufschluß über etwas zu erhalten, wobey alle natürlichen Mittel fruchtlos erschöpft worden wären. Er insbesondere, setzte er sehr bedeutend hinzu, würde einst vielleicht Ursache haben, mich als den Schöpfer seiner Ruhe und seines ganzen irdischen Glücks zu betrachten. Ich wagte nicht, ihn um das Nähere zu befragen, und für damahls blieb es bey dieser Erklärung. Die Sache selbst aber verhielt sich folgender Gestalt:"

„Dieser Lorenzo war der jüngere Sohn des Marchese, weswegen er auch zu dem geistlichen Stand bestimmt war; die Güter der Familie sollten an seinen ältern Bruder fallen. Jeronymo, so hieß dieser ältere Bruder, hatte mehrere Jahre auf Reisen zugebracht, und kam ungefähr sieben Jahre vor der Begebenheit, die jetzt erzählt wird, in sein Vaterland zurück, um eine Heirath mit der einzigen Tochter eines benachbarten gräflichen Hauses von C***tti zu vollziehen, worüber beyde Familien schon seit der Geburt dieser Kinder überein gekommen waren, um ihre ansehnlichen Güter dadurch zu vereinigen. Ungeachtet diese Verbindung bloß das Werk der älterlichen Convenienz war, und die Herzen beyder Verlobten bey der Wahl nicht um Rath gefragt wurden, so hatten sie dieselbe doch stillschweigend schon gerechtfertigt. Jeronymo del M**nte und Antonie C***tti waren mit einander auferzogen worden, und der wenige Zwang, den man dem Umgang zweyer Kinder auflegte, die man schon damahls gewohnt war, als ein Paar zu betrachten, hatte frühzeitig ein zärtliches Verständniß zwischen beyden entstehen lassen, das durch die Harmonie ihrer Charaktere noch mehr befestigt ward, und sich in reifern Jahren leicht zur Liebe erhöhte. Eine vierjährige Entfernung hatte es vielmehr angefeuert, als erkältet, und Jeronymo kehrte eben so treu und eben so feurig in die Arme seiner Braut zurück, als wenn er sich niemahls daraus gerissen hätte."

„Die Entzückungen des Wiedersehens waren noch nicht vorüber, und die Anstalten zur Vermählung wurden auf das lebhafteste betrieben, als der Bräutigam — verschwand. Er pflegte öfters ganze Abende auf einem Landhause zuzubringen, das die Aussicht aufs Meer hatte, und sich da zuweilen mit einer Wasserfahrt zu vergnügen. Nach einem solchen Abende geschah es, daß er ungewöhnlich lang ausblieb. Man schickte Bothen nach ihm aus, Fahrzeuge suchten ihn auf der See; niemand wollte ihn gesehen haben. Von seinen Bedienten wurde keiner vermißt, daß ihn also keiner begleitet haben konnte. Es wurde Nacht, und er erschien nicht. Es wurde Morgen — es wurde Mittag und Abend, und noch kein Jeronymo. Schon fing man an, den schrecklichsten Muthmaßungen Raum zu geben, als die Nachricht einlief, ein algierischer Korsar habe vorigen Tages an dieser Küste gelandet, und verschiedene von den Einwohnern seyen gefangen weggeführt worden. Sogleich werden zwey Galeeren bemannt, die eben segelfertig liegen; der alte Marchese besteigt selbst die erste, entschlossen, seinen Sohn mit Gefahr seines eigenen Lebens zu befreyen. Am dritten Morgen erblickten sie den Korsaren, vor welchem sie den Vortheil des Windes voraus haben; sie haben ihn bald erreicht, sie kommen ihm so nahe, daß Lorenzo, der sich auf der ersten Galeere befindet, das Zeichen seines Bruders auf dem feindlichen Verdeck zu erkennen glaubt, als plötzlich ein Sturm sie wieder von einander trennt. Mit Mühe stehen ihn die beschädigten Schiffe aus; aber die Prise ist verschwunden, und die Noth zwingt sie, auf Maltha zu landen. Der Schmerz der Familie ist ohne Gränzen; trostlos rauft sich der alte Marchese die eisgrauen Haare aus, man fürchtet für das Leben der jungen Gräfinn."

„Fünf Jahre gehen in fruchtlosen Erkundigungen hin. Nachfragen geschehen längs der ganzen barbarischen Küste; ungeheure Preise werden für die Freyheit des jungen Marchese gebothen; aber niemand meldet sich, sie zu verdienen. Endlich blieb es bey der wahrscheinlichen Vermuthung, daß jener Sturm, welcher beyde Fahrzeuge trennte, das Räuberschiff zu Grunde gerichtet habe, und daß seine ganze Mannschaft in den Fluthen umgekommen sey."

„So scheinbar diese Vermuthung war, so fehlte ihr doch noch viel zur Gewißheit, und nichts berechtigte, die Hoffnung ganz aufzugeben, daß der Verlorne nicht einmahl wieder sichtbar werden könnte. Aber gesetzt nun, er würde es nicht mehr, so erlosch mit ihm zugleich die Familie, oder der zweyte Bruder mußte dem geistlichen Stande entsagen, und in die Rechte des Erstgebornen eintreten. So gewagt dieser Schritt und so ungerecht es an sich selbst war, diesen möglicher Weise noch lebenden Bruder aus dem Besitz seiner natürlichen Rechte zu verdrängen, so glaubte man, einer so entfernten Möglichkeit wegen, das Schicksal eines alten glänzenden Stammes, der ohne diese Einrichtung erlosch, nicht aufs Spiel setzen zu dürfen. Gram und Alter näherten den alten Marchese dem Grabe; mit jedem neu vereitelten Versuch sank die Hoffnung, den Verschwundenen wieder zu finden; er sah den Untergang seines Hauses, der durch eine kleine Ungerechtigkeit zu verhüthen war, wenn er sich nähmlich nur entschließen wollte, den jüngern Bruder auf Unkosten des ältern zu begünstigen. Um seine Verbindungen mit dem gräflichen Hause von C***tti zu erfüllen, brauchte nur ein Nahme geändert zu werden; der Zweck beyder Familien war auf gleiche Art erreicht, Gräfinn Antonie mochte nun Lorenzos oder Jeronymos Gattinn heißen. Die schwache Möglichkeit einer Wiedererscheinung des letztern kam gegen das gewisse und dringende Übel, den gänzlichen Untergang der Familie, in keine Betrachtung, und der alte Marchese, der die Annäherung des Todes mit jedem Tage stärker fühlte, wünschte mit Ungeduld, von dieser Unruhe wenigstens frey zu sterben."

„Wer diesen Schritt allein verzögerte und am hartnäckigsten bekämpfte, war derjenige, der das Meiste dabey gewonnen — Lorenzo. Ungerührt von dem Reitz unermeßlicher Güter, unempfindlich selbst gegen den Besitz des liebenswürdigsten Geschöpfs, das seinen Armen überliefert werden sollte, weigerte er sich mit der edelmüthigsten Gewissenhaftigkeit, einen Bruder zu berauben, der vielleicht noch am Leben wäre, und sein Eigenthum zurück fordern könnte. Ist das Schicksal meines theuern Jeronymo, sagte er, durch diese lange Gefangenschaft nicht schon schrecklich genug, daß ich es noch durch einen Diebstahl verbittern sollte, der ihn um alles bringt, was ihm das Theuerste war? Mit welchem Herzen würde ich den Himmel um seine Wiederkunft anflehen, wenn sein Weib in meinen Armen liegt? Mit welcher Stirne ihm, wenn endlich ein Wunder ihn uns zurück bringt, entgegen eilen? Und gesetzt, er ist uns auf ewig entrissen, wodurch können wir sein Andenken besser ehren, als wenn wir die Lücke ewig unausgefüllt lassen, die sein Tod in unsern Zirkel gerissen hat? als wenn wir alle Hoffnungen auf seinem Grabe opfern, und das, was sein war, gleich einem Heiligthum unberührt lassen?"

„Aber alle Gründe, welche die brüderliche Delicatesse ausfand, waren nicht vermögend, den alten Marchese mit der Idee auszusöhnen, einen Stamm erlöschen zu sehen, der Jahrhunderte geblüht hatte. Alles, was Lorenzo ihm abgewann, war noch eine Frist von zwey Jahren, ehe er die Braut seines Bruders zum Altar führte. Während dieses Zeitraums wurden die Nachforschungen auf's eifrigste fortgesetzt. Lorenzo selbst that verschiedene Seereisen, setzte seine Person manchen Gefahren aus; keine Mühe, keine Kosten wurden gespart, den Verschwundenen wieder zu finden. Aber auch diese zwey Jahre verstrichen fruchtlos, wie alle vorigen."

„Und Gräfinn Antonie?" fragte der Prinz. „Von ihrem Zustande sagen Sie uns nichts. Sollte sie sich so gelassen in ihr Schicksal ergeben haben? Ich kann es nicht glauben."

„Antoniens Zustand war der schrecklichste Kampf zwischen Pflicht und Leidenschaft, Abneigung und Bewunderung. Die uneigennützige Großmuth der brüderlichen Liebe rührte sie, sie fühlte sich hingerissen, den Mann zu verehren, den sie nimmermehr lieben konnte; zerrissen von widersprechenden Gefühlen blutete ihr Herz. Aber ihr Widerwille gegen den Chevalier schien in eben dem Grade zu wachsen, wie sich seine Ansprüche auf ihre Achtung vermehrten. Mit tiefem Leiden bemerkte er den stillen Gram, der ihre Jugend verzehrte. Ein zärtliches Mitleid trat unvermerkt an die Stelle der Gleichgültigkeit, mit der er sie bisher betrachtet hatte; aber diese verrätherische Empfindung hinterging ihn, und eine wüthende Leidenschaft fing an, ihm die Ausübung einer Tugend zu erschweren, die bis jetzt jeder Versuchung überlegen geblieben war. Doch selbst noch auf Unkosten seines Herzens gab er den Eingebungen seines Edelmuths Gehör: er allein war es, der das unglückliche Opfer gegen die Willkühr der Familie in Schutz nahm. Aber alle seine Bemühungen mißlangen; jeder Sieg, den er über seine Leidenschaft davon trug, zeigte ihn ihrer nur um so würdiger, und die Großmuth, mit der er sie ausschlug, diente nur dazu, ihrer Widersetzlichkeit jede Entschuldigung zu rauben."

„So standen die Sachen, als der Chevalier mich beredete, ihn auf seinem Landgute zu besuchen. Die warme Empfehlung meines Gönners bereitete mir da einen Empfang, der alle meine Wünsche übertraf. Ich darf nicht vergessen, hier noch anzuführen, daß es mir durch einige merkwürdige Operationen gelungen war, meinen Nahmen unter den dortigen Logen berühmt zu machen, welches vielleicht dazu beytragen mochte, das Vertrauen des alten Marchese zu vermehren, und seine Erwartungen von mir zu erhöhen. Wie weit ich es mit ihm gebracht, und welche Wege ich dabey gegangen, erlassen Sie mir zu erzählen; aus den Geständnissen, die ich Ihnen bereits gethan, können Sie auf alles Übrige schließen. Da ich mir alle mystische Bücher zu Nutzen machte, die sich in der sehr ansehnlichen Bibliothek des Marchese befanden, so gelang es mir bald, in seiner Sprache mit ihm zu reden, und mein System von der unsichtbaren Welt mit seinen eignen Meinungen in Übereinstimmung zu bringen. In kurzem glaubte er, was ich wollte, und hätte eben so zuversichtlich auf die Begattungen der Philosophen mit Salamandrinnen und Sylphiden, als auf einen Artikel des Kanons geschworen. Da er überdieß sehr religiös war, und seine Anlage zum Glauben in dieser Schule zu einem hohen Grade ausgebildet hatte, so fanden meine Mährchen bey ihm desto leichter Eingang, und zuletzt hatte ich ihn mit Mysticität so umstrickt und umwunden, daß nichts mehr bey ihm Credit hatte, sobald es natürlich war. In kurzem war ich der angebethete Apostel des Hauses. Der gewöhnliche Inhalt meiner Vorlesungen war die Exaltation der menschlichen Natur und der Umgang mit höhern Wesen, mein Gewährsmann der untrügliche Graf von Gabalis. Die junge Gräfinn, die seit dem Verlust ihres Geliebten ohnehin mehr in der Geisterwelt als in der wirklichen lebte, und durch den schwärmerischen Flug ihrer Phantasie mit leidenschaftlichem Interesse zu Gegenständen dieser Gattung hingezogen ward, fing meine hingeworfenen Winke mit schaudernbem Wohlbehagen auf; ja sogar die Bedienten des Hauses suchten sich im Zimmer zu thun zu machen, wenn ich redete, um hier und da eins meiner Worte aufzuhaschen, welche Bruchstücke sie alsdann nach ihrer Art an einander reiheten."

„Ungefähr zwey Monathe mochte ich so auf diesem Rittersitze zugebracht haben, als eines Morgens der Chevalier auf mein Zimmer trat. Tiefer Gram mahlte sich auf seinem Gesichte, alle seine Züge waren zerstört, er warf sich in einen Stuhl mit allen Gebärden der Verzweiflung."

„Capitän," sagte er, „mit mir ist es vorbey. Ich muß fort. Ich kann es nicht länger hier aushalten."

„Was ist Ihnen, Chevalier? Was haben Sie?"

„O diese fürchterliche Leidenschaft! (Hier fuhr er mit Heftigkeit von dem Stuhle auf, und warf sich in meine Arme.) — Ich habe sie bekämpft wie ein Mann — Jetzt kann ich nicht mehr."

„Aber an wem liegt es denn, liebster Freund, als an Ihnen? Steht nicht alles in Ihrer Gewalt? Vater, Familie —"

„Vater! Familie! Was ist mir das? — Will ich eine erzwungene Hand, oder eine freywillige Neigung? — Hab' ich nicht einen Nebenbuhler? — Ach! Und welchen? Einen Nebenbuhler vielleicht unter den Todten? O lassen Sie mich! Lassen Sie mich! Ging es auch bis ans Ende der Welt. Ich muß meinen Bruder finden."

„Wie? Nach so viel fehlgeschlagenen Versuchen können Sie noch Hoffnung —"

„Hoffnung! — In meinem Herzen starb sie längst. Aber auch in jenem? — Was liegt daran, ob ich hoffe? Bin ich glücklich, so lange noch ein Schimmer dieser Hoffnung in Antoniens Herzen glimmt? — Zwey Worte, Freund, könnten meine Marter enden — Aber umsonst! Mein Schicksal wird elend bleiben, bis die Ewigkeit ihr langes Schweigen bricht, und Gräber für mich zeugen."

„Ist es diese Gewißheit also, die Sie glücklich machen kann?"

„Glücklich? O ich zweifle, ob ich es je wieder seyn kann! — Aber Ungewißheit ist die schrecklichste Verdammniß! (Nach einigem Stillschweigen mäßigte er sich, und fuhr mit Wehmuth fort.) Daß er meine Leiden sähe! — Kann sie ihn glücklich machen diese Treue, die das Elend seines Bruders macht? Soll ein Lebendiger eines Todten wegen schmachten, der nicht mehr genießen kann? — Wüßte er meine Qual — (hier fing er an, heftig zu weinen, und drückte sein Gesicht auf meine Brust) vielleicht — ja vielleicht würde er sie selbst in meine Arme führen."

„Aber sollte dieser Wunsch so ganz unerfüllbar seyn?"

„Freund! Was sagen Sie?" — „Er sah mich erschrocken an."

„Weit geringere Anlässe, fuhr ich fort, haben die Abgeschiedenen in das Schicksal der Lebenden verflochten. Sollte das ganze zeitliche Glück eines Menschen — eines Bruders —"

„Das ganze zeitliche Glück! O das fühl' ich! Wie wahr haben Sie gesagt! Meine ganze Glückseligkeit!"

„Und die Ruhe einer trauernden Familie keine rechtmäßige Veranlassung seyn, die unsichtbaren Mächte zum Beystand aufzufordern? Gewiß! wenn je eine irdische Angelegenheit dazu berechtigen kann, die Ruhe der Seligen zu stören — von einer Gewalt Gebrauch zu machen —"

„Um Gottes willen, Freund! unterbrach er mich, nichts mehr davon. Ehemahls wohl, ich gesteh' es, hägte ich einen solchen Gedanken — mir däucht, ich sagte Ihnen davon — aber ich hab' ihn längst als ruchlos und abscheulich verworfen."

„Sie sehen nun schon," fuhr der Sicilianer fort, „wohin uns dieses führte. Ich bemühte mich, die Bedenklichkeiten des Ritters zu zerstreuen, welches mir endlich auch gelang. Es ward beschlossen, den Geist des Verstorbenen zu citiren, wobey ich mir nur vierzehn Tage Frist ausbedingte, um mich, wie ich vorgab, würdig darauf vorzubereiten. Nachdem dieser Zeitraum verstrichen, und meine Maschinen gehörig gerichtet waren, benutzte ich einen schauerlichen Abend, wo die Familie auf die gewöhnliche Art um mich versammelt war, ihr die Einwilligung dazu abzulocken, oder sie vielmehr unvermerkt dahin zu leiten, daß sie selbst diese Bitte an mich that. Den schwersten Stand hatte man bey der jungen Gräfinn, deren Gegenwart doch so wesentlich war; aber hier kam uns der schwärmerische Flug ihrer Leidenschaft zu Hülfe, und vielleicht mehr noch ein schwacher Schimmer von Hoffnung, daß der Todtgeglaubte noch lebe, und auf den Ruf nicht erscheinen werde. Mißtrauen in die Sache selbst, Zweifel in meine Kunst war das einzige Hinderniß, welches ich nicht zu bekämpfen hatte."

„Sobald die Einwilligung der Familie da war, wurde der dritte Tag zu dem Werke angesetzt. Gebethe, die bis in die Mitternacht verlängert werden mußten, Fasten, Wachen, Einsamkeit und mystischer Unterricht waren, verbunden mit dem Gebrauch eines gewissen noch unbekannten musikalischen Instruments, das ich in ähnlichen Fällen sehr wirksam fand, die Vorbereitungen zu diesem feyerlichen Act, welche auch so sehr nach Wunsche einschlugen, daß die fanatische Begeisterung meiner Zuhörer meine eigene Phantasie erhitzte, und die Illusion nicht wenig vermehrte, zu der ich mich bey dieser Gelegenheit anstrengen mußte. Endlich kam die erwartete Stunde —"

„Ich errathe," rief der Prinz, „wen Sie uns jetzt aufführen werden. — Aber fahren Sie nur fort — fahren Sie fort —"

„Nein, gnädigster Herr. Die Beschwörung ging nach Wunsche vorüber."

„Aber wie? Wo bleibt der Armenier?"

„Fürchten Sie nicht," antwortete der Sicilianer, „der Armenier wird nur zu zeitig erscheinen."

„Ich lasse mich in keine Beschreibung des Gaukelspiels ein, die mich ohnehin auch zu weit führen würde. Genug, es erfüllte alle meine Erwartungen. Der alte Marchese, die junge Gräfinn nebst ihrer Mutter, der Chevalier und noch einige Verwandte waren zugegen. Sie können leicht denken, daß es mir in der langen Zeit, die ich in diesem Hause zugebracht, nicht an Gelegenheit werde gemangelt haben, von allem, was den Verstorbenen anbetraf, die genaueste Erkundigung einzuziehen. Verschiedene Gemählde, die ich da von ihm vorfand, setzten mich in den

Stand, der Erscheinung die täuschendste Ähnlichkeit zu geben, und weil ich den Geist nur durch Zeichen sprechen ließ, so konnte auch seine Stimme keinen Verdacht erwecken. Der Todte selbst erschien in barbarischem Sclavenkleid, eine tiefe Wunde am Halse. „Sie bemerken, sagte der Sicilianer, daß ich hierin von der allgemeinen Muthmaßung abging, die ihn in den Wellen umkommen lassen, weil ich Ursache hatte zu hoffen, daß gerade das Unerwartete dieser Wendung die Glaubwürdigkeit der Vision selbst nicht wenig vermehren würde, so wie mir im Gegentheil nichts gefährlicher schien, als eine zu gewissenhafte Annaherung an das Natürliche."

„Ich glaube, daß dieß sehr richtig geurtheilt war," sagte der Prinz, indem er sich zu uns wendete. „In einer Reihe außerordentlicher Erscheinungen müßte, däucht mir, just die wahrscheinlichere stören. Die Leichtigkeit, die erhaltene Entdeckung zu begreifen, würde hier nur das Mittel, durch welches man dazu gelangt war, herabgewürdiget haben; die Leichtigkeit, sie zu erfinden, dieses wohl gar verdächtig gemacht haben; denn wozu einen Geist bemühen, wenn man nichts Weiteres von ihm erfahren soll, als was auch ohne ihn, mit Hülfe der bloß gewöhnlichen Vernunft, heraus zu bringen war? Aber die überraschende Neuheit und Schwierigkeit der Entdeckung ist hier gleichsam eine Gewährleistung des Wunders, wodurch sie erhalten wird — denn wer wird nun das Übernatürliche einer Operation in Zweifel ziehen, wenn das, was sie leistete, durch natürliche Kräfte nicht geleistet werden kann?" — Ich habe Sie unterbrochen setzte der Prinz hinzu. „Vollenden Sie Ihre Erzählung.“

„Ich ließ,“ fuhr dieser fort, „die Frage an den Geist ergehen, ob er nichts mehr sein nenne auf dieser Welt, und nichts darauf hinterlassen habe, was ihm theuer wäre? Der Geist schüttelte drey Mahl das Haupt, und streckte eine seiner Hände gen Himmel. Ehe er wegging, streifte er noch einen Ring vom Finger, den man nach seiner Verschwindung auf dem Fußboden liegend fand. Als die Gräfinn ihn genauer in's Gesicht faßte, war es ihr Trauring.“

„Ihr Trauring!“ rief der Prinz mit Befremdung. „Ihr Trauring! Aber wie gelangten Sie zu diesem?“

„Ich — — — Es war nicht der rechte, gnädigster Prinz — — Ich hatte ihn — — Es war nur ein nachgemachter. —“

„Ein nachgemachter!“ wiederhohlte der Prinz. „Zum Nachmachen brauchten Sie ja den rechten, und wie kamen Sie zu diesem, da ihn der Verstorbene gewiß nie vom Finger brachte?“

„Das ist wohl wahr,“ sagte der Sicilianer, nicht ohne Zeichen der Verwirrung — „aber aus einer Beschreibung, die man mir von dem wirklichen Trauring gemacht hatte —“

„Die Ihnen wer gemacht hatte?“

„Schon vor langer Zeit,“ sagte der Sicilianer — — „Es war ein ganz einfacher goldner Ring, mit dem Nahmen der jungen Gräfinn, glaub' ich — — Aber Sie haben mich ganz aus der Ordnung gebracht —“

„Wie erging es weiter?“ sagte der Prinz mit sehr unbefriedigter und zweydeutiger Miene.

„Jetzt hielt man sich für überzeugt, daß Jeronymo nicht mehr am Leben sey. Die Familie machte von diesem Tag an seinen Tod öffentlich bekannt, und legte förmlich die Trauer um ihn an. Der Umstand mit dem Ringe erlaubte auch Antonien keinen Zweifel mehr, und gab den Bewerbungen des Chevaliers einen größern Nachdruck. Aber der heftige Eindruck, den diese Erscheinung auf sie gemacht, stürzte sie in eine gefährliche Krankheit, welche die Hoffnungen ihres Liebhabers bald auf ewig vereitelt hätte. Als sie wieder genesen war, bestand sie darauf, den Schleyer zu nehmen, wovon sie nur durch die nachdrücklichsten Gegenvorstellungen ihres Beichtvaters, in welchen sie ein unumschränktes Vertrauen setzte, abzubringen war. Endlich gelang es den vereinigten Bemühungen dieses Mannes und der Familie, ihr das Jawort abzuängstigen. Der letzte Tag der Trauer sollte der glückliche Tag seyn, den der alte Marchese durch Abtretung aller seiner Güter an den rechtmäßigen Erben noch festlicher zu machen gesonnen war."

„Es erschien dieser Tag, und Lorenzo empfing seine bebende Braut am Altare. Der Tag ging unter, ein prächtiges Mahl erwartete die frohen Gäste im hellerleuchteten Hochzeitsaal, und eine lärmende Musik begleitete die ausgelassene Freude. Der glückliche Greis hatte gewollt, daß alle Welt seine Fröhlichkeit theilte; alle Zugänge zum Pallaste waren geöffnet, und willkommen war jeder, der ihn glücklich pries. Unter diesem Gedränge nun —"

Der Sicilianer hielt hier inne, und ein Schauder der Erwartung hemmte unsern Odem — —

„Unter diesem Gedränge also," fuhr er fort,

„ließ

„ließ mich derjenige, welcher zunächst an mir saß, einen Franziskanermönch bemerken, der unbeweglich wie eine Säule stand, langer hagrer Statur und aschbleichen Angesichts, einen ernsten und traurigen Blick auf das Brautpaar geheftet. Die Freude, welche rings herum auf allen Gesichtern lachte, schien an diesem Einzigen vorüber zu gehen, seine Miene blieb unwandelbar dieselbe, wie eine Büste unter lebenden Figuren. Das Außerordentliche dieses Anblicks, der, weil er mich mitten in der Lust überraschte, und gegen alles, was mich in diesem Augenblick umgab, auf eine so grelle Art abstach, um so tiefer auf mich wirkte, ließ einen unauslöschlichen Eindruck in meiner Seele zurück, daß ich dadurch allein in den Stand gesetzt worden bin, die Gesichtszüge dieses Mönchs in der Physiognomie des Russen (denn Sie begreifen wohl schon, daß er mit diesem und Ihrem Armenier eine und dieselbe Person war) wieder zu erkennen, welches sonst schlechterdings unmöglich würde gewesen seyn. Oft versucht' ich's, die Augen von dieser schreckhaften Gestalt abzuwenden, aber unfreywillig fielen sie wieder darauf, und fanden sie jedes Mahl unverändert. Ich stieß meinen Nachbar an, dieser den seinigen; dieselbe Neugierde, dieselbe Befremdung durchlief die ganze Tafel, das Gespräch stockte, eine allgemeine plötzliche Stille; den Mönch störte sie nicht. Der Mönch stand unbeweglich und immer derselbe, einen ernsten und traurigen Blick auf das Brautpaar geheftet. Einen jeden entsetzte diese Erscheinung; die junge Gräfinn allein fand ihren eigenen Kummer im Gesicht dieses Fremdlings wieder, und hing mit stiller Wollust an dem einzigen Gegenstand in der Versammlung, der ihren Gram zu verstehen, zu theilen schien. Allgemach verlief sich das Gedränge, Mitternacht war vorüber, die Musik fing an stiller und verlorner zu tönen, die Kerzen dunkler und endlich nur einzeln zu brennen, das Gespräch leiser und immer leiser zu flüstern — und öder ward es, und immer öder im trüberleuchteten Hochzeitsaal; der Mönch stand unbeweglich, und immer derselbe, einen stillen und traurigen Blick auf das Brautpaar geheftet.

Die Tafel wird aufgehoben, die Gäste zerstreuen sich dahin und dorthin, die Familie tritt in einen engeren Kreis zusammen; der Mönch bleibt ungeladen in diesem engern Kreis. Ich weiß nicht, woher es kam, daß niemand ihn anreden wollte; niemand redete ihn an. Schon drängen sich ihre weiblichen Bekannten um die zitternde Braut herum, die einen bittenden, Hülfe suchenden Blick auf den ehrwürdigen Fremdling richtet; der Fremdling erwiederte ihn nicht.

Die Männer sammeln sich auf gleiche Art um den Bräutigam — Eine gepreßte erwartungsvolle Stille — „Daß wir unter einander da so glücklich sind," hub endlich der Greis an, der allein unter uns Allen den Unbekannten nicht zu bemerken, oder sich doch nicht über ihn zu verwundern schien: „Daß wir so glücklich sind," sagte er, „und mein Sohn Jeronymo muß fehlen!" —

„Hast du ihn denn geladen, und er ist ausgeblieben?" — fragte der Mönch. „Es war das erste Mahl, daß er den Mund öffnete. Mit Schrecken sahen wir ihn an."

„Ach! er ist hingegangen, wo man auf ewig ausbleibt, versetzte der Alte. Ehrwürdiger Herr, ihr versteht mich unrecht. Mein Sohn Jeronymo ist todt."

„Vielleicht fürchtet er sich auch nur, sich in solcher Gesellschaft zu zeigen," fuhr der Mönch fort — „Wer weiß, wie er aussehen mag, dein Sohn Jeronymo! — Laß ihn die Stimme hören, die er zum letzten Mahl hörte! — Bitte deinen Sohn Lorenzo, daß er ihn rufe." !

„Was soll das bedeuten? murmelte alles. Lorenzo veränderte die Farbe. Ich läugne nicht, daß mir das Haar anfing zu steigen."

„Der Mönch war unterdessen zum Schenktisch getreten, wo er ein volles Weinglas ergriff, und an die Lippen setzte — „Das Andenken unseres theuern Jeronymo!" rief er. „Wer den Verstorbenen lieb hatte, thue mir's nach."

„Woher ihr auch seyn möget, ehrwürdiger Herr, rief endlich der Marchese. Ihr habt einen theuern Nahmen genannt. Seyd mir willkommen! — Kommt, meine Freunde! (indem er sich gegen uns kehrte, und die Gläser herum gehen ließ) laßt einen Fremdling uns nicht beschämen! — Dem Andenken meines Sohnes Jeronymo."

„Nie, glaube ich, ward eine Gesundheit mit so schlimmem Muthe getrunken."

„Ein Glas steht noch voll da — Warum weigert sich mein Sohn Lorenzo auf diesen freundlichen Trunk Bescheid zu thun?"

„Bebend empfing Lorenzo das Glas aus des Franziskaners Hand, bebend brachte er's an den Mund" — „Meinem vielgeliebten Bruder Jeronymo!" stammelte er, und schauernd setzte er's nieder.

E 2

„Das ist meines Mörders Stimme, rief eine fürchterliche Gestalt, die auf einmahl in unsrer Mitte stand, mit bluttriefendem Kleide und entstellt von gräßlichen Wunden.“ — —

„Aber um das Weitere frage man mich nicht mehr,“ sagte der Sicilaner, alle Zeichen des Entsetzens in seinem Angesicht. „Meine Sinne hatten mich von dem Augenblicke an verlassen, als ich die Augen auf die Gestalt warf, so wie jeden, der zugegen war. Da wir wieder zu uns selber kamen, rang Lorenzo mit dem Tode; Mönch und Erscheinung waren verschwunden. Den Ritter brachte man unter schrecklichen Zuckungen zu Bette; niemand als der Geistliche war um den Sterbenden, und der jammervolle Greis, der ihm, wenige Wochen nachher, im Tode folgte. Seine Geständnisse liegen in der Brust des Paters versenkt, der seine letzte Beichte hörte, und kein lebendiger Mensch hat sie erfahren.“

„Nicht lange nach dieser Begebenheit geschah es, daß man einen Brunnen auszuräumen hatte, der im Hinterhofe des Landhauses unter wildem Gesträuche versteckt, und viele Jahre lang verschüttet war; da man den Schutt durch einander störte, entdeckte man ein Todtengerippe. Das Haus, wo sich dieses zutrug, steht nicht mehr; die Familie del M**nte ist erloschen, und in einem Kloster, unweit Salerno, zeigt man Ihnen Antoniens Grab.“

„Sie sehen nun,“ fuhr der Sicilianer fort, als er sah, daß wir noch alle stumm und betreten standen, und niemand das Wort nehmen wollte: „Sie sehen nun, worauf sich meine Bekanntschaft mit diesem russischen Officier, oder diesem Armenier gründet. Urtheilen Sie jetzt, ob ich Ursache gehabt habe, vor einem Wesen zu zittern, das sich mir zwey Mahl auf eine so schreckliche Art in den Weg warf."

„Beantworten Sie mir noch eine einzige Frage," sagte der Prinz, und stand auf. „Sind Sie in Ihrer Erzählung über alles, was den Ritter betraf, immer aufrichtig gewesen?"

„Ich weiß nichts anders," versetzte der Sicilianer.

„Sie haben ihn also wirklich für einen rechtschaffenen Mann gehalten?"

„Das hab' ich, bey Gott, das hab' ich," antwortete jener.

„Auch da noch, als er Ihnen den bewußten Ring gab?"

„Wie? — Er gab mir keinen Ring — Ich habe ja nicht gesagt, daß Er mir den Ring gegeben."

„Gut," sagte der Prinz, an der Glocke ziehend, und im Begriff wegzugehen. „Und den Geist des Marquis von Lanoy, (fragte er, indem er noch ein Mahl zurück kam) den dieser Russe gestern auf den Ihrigen folgen ließ, halten Sie also für einen wahren und wirklichen Geist?"

— „Ich kann ihn für nichts anders halten," antwortete jener.

„Kommen Sie," sagte der Prinz zu uns. Der Schließer trat herein. „Wir sind fertig," sagte er zu diesem. „Sie, mein Herr (zu dem Sicilianer sich wendend,) sollen weiter von mir hören."

„Die Frage, gnädigster Herr, welche Sie zuletzt an den Gaukler gethan haben, möchte ich an Sie selbst thun", sagte ich zu dem Prinzen, als wir wieder allein waren. Halten Sie diesen zweyten Geist für den wahren und echten?

„Ich? Nein, wahrhaftig, das thue ich nicht mehr."

„Nicht mehr? Also haben Sie es doch gethan?"

„Ich läugne nicht, daß ich mich einen Augenblick habe hinreissen lassen, dieses Blendwerk für etwas mehr zu halten."

Und ich will den sehen, rief ich aus, der sich unter diesen Umständen einer ähnlichen Vermuthung erwehren kann. Aber was für Gründe haben Sie nun, diese Meinung zurück zu nehmen? Nach dem, was man uns eben von diesem Armenier erzählt hat, sollte sich der Glaube an seine Wundergewalt eher vermehrt als vermindert haben.

„Was ein Nichtswürdiger uns von ihm erzählt hat?" fiel mir der Prinz mit Ernsthaftigkeit in's Wort. „Denn hoffentlich zweifeln Sie nun nicht mehr, daß wir mit einem solchen zu thun gehabt haben? —"

Nein, sagte ich. Aber sollte deßwegen sein Zeugniß — —

„Das Zeugniß eines Nichtswürdigen — gesetzt, ich hätte auch weiter keinen Grund, es in Zweifel zu ziehen — kann gegen Wahrheit und gesunde Vernunft nicht in Anschlag kommen. Verdient ein Mensch, der mich mehrmahl betrogen, der den Betrug zu seinem Handwerk gemacht hat, in einer Sache gehört zu werden, wo die aufrichtigste Wahrheitsliebe selbst sich erst reinigen muß, um Glauben zu verdienen? Verdient ein solcher Mensch, der vielleicht nie eine Wahrheit um ihrer selbst willen gesagt hat, da Glauben, wo er als Zeuge gegen Menschenvernunft und ewige Naturordnung auftritt? Das klingt eben so, als wenn ich einen gebrandmarkten Bösewicht bevollmächtigen wollte, gegen die nie befleckte und nie bescholtene Unschuld zu klagen."

Aber was für Gründe sollte er haben, einem Manne, den er so viele Ursachen hat zu hassen, wenigstens zu fürchten, ein so glorreiches Zeugniß zu geben?

„Wenn ich diese Gründe auch nicht einsehe, soll er sie deßwegen weniger haben? Weiß ich, in wessen Solde er mich belog? Ich gestehe, daß ich das ganze Gewebe seines Betrugs noch nicht ganz durchschaue; aber er hat der Sache, für die er streitet, einen sehr schlechten Dienst gethan, daß er sich als einen Betrüger — und vielleicht als etwas noch Schlimmeres — entlarvte."

Der Umstand mit dem Ringe scheint mir freylich etwas verdächtig.

„Er ist mehr als das," sagte der Prinz, „er ist entscheidend. Diesen Ring (lassen Sie mich einstweilen annehmen, daß die erzählte Begebenheit sich wirklich ereignet habe) empfing er von dem Mörder, und er mußte in demselben Augenblick gewiß seyn, daß es der Mörder war. Wer als der Mörder konnte dem Verstorbenen einen Ring abgezogen haben, den dieser gewiß nie vom Finger ließ? Uns suchte er die ganze Erzählung hindurch zu überreden, als ob er selbst von dem Ritter getäuscht worden, und als ob er geglaubt hätte, ihn zu täuschen. Wozu diesen Winkelzug, wenn er nicht selbst bey sich fühlte, wie viel er verloren gab, wenn er sein Verständniß mit dem Mörder einräumte? Seine ganze Erzählung ist offenbar nichts als eine Reihe von Erfindungen, um die wenigen Wahrheiten an einander zu hängen, die er uns Preiß zu geben für gut fand. Und ich sollte grösseres Bedenken tragen, einen Nichtswürdigen, den ich auf zehn Lügen ertappte, lieber auch noch der eilften zu beschuldigen, als die Grundordnung der Natur unterbrechen zu lassen, die ich noch auf keinem Mißklang betrat?"

Ich kann Ihnen darauf nichts antworten, sagte ich. Aber die Erscheinung, die wir gestern sahen, bleibt mir darum nicht weniger unbegreiflich.

„Auch mir," versetzte der Prinz, „ob ich gleich in Versuchung gerathen bin, einen Schlüssel dazu ausfindig zu machen."

Wie? sagte ich.

„Erinnern Sie Sich nicht, daß die zweyte Gestalt, sobald sie herein war, auf den Altar zuging, das Crucifix in die Hand faßte, und auf den Teppich trat?"

So schien mir's. Ja.

„Und das Crucifix, sagte uns der Sicilianer, war ein Conductor. Daraus sehen Sie also, daß sie eilte, sich electrisch zu machen. Der Streich, den Lord Seymour mit dem Degen nach ihr that, konnte also nicht anders als unwirksam bleiben, weil der electrische Schlag seinen Arm lähmte."

Mit dem Degen hätte dieses seine Richtigkeit. Aber die Kugel, die der Sicilianer auf sie abschoß, und welche wir langsam auf den Altar rollen hörten?

„Wissen Sie auch gewiß, daß es die abgeschossene Kugel war, die wir rollen hörten? — Davon will ich gar nicht einmahl reden, daß die Marionette oder der Mensch, der den Geist vorstellte, so gut umpanzert seyn konnte, daß er schuß- und degenfest war — Aber denken Sie doch ein wenig nach, wer es war, der die Pistolen geladen."

Es ist wahr, sagte ich, — und ein plötzliches Licht ging mir auf — der Russe hatte sie geladen. Aber dieses geschah vor unsern Augen, wie hätte da ein Betrug vorgehen können?

„Und warum hätte er nicht sollen vorgehen können? Setzten Sie denn schon damahls ein Mißtrauen in diesen Menschen, daß Sie es für nöthig befunden hätten, ihn zu beobachten? Untersuchten Sie die Kugel, eh' er sie in den Lauf brachte, die eben so gut eine quecksilberne oder auch nur eine bemahlte Thonkugel seyn konnte? Gaben Sie Acht, ob er sie auch wirklich in den Lauf der Pistole, oder nicht nebenbey in seine Hand fallen ließ? Was überzeugt Sie — gesetzt er hätte sie auch wirklich scharf geladen — daß er gerade die geladenen in den andern Pavillon mit hinüber nahm, und nicht vielmehr ein anderes Paar unterschob, welches so leicht anging, da es niemand einfiel, ihn zu beobachten, und wir überdieß mit dem Auskleiden beschäftigt waren? Und konnte die Gestalt nicht in dem Augenblicke, da der Pulverrauch sie uns entzog, eine andere Kugel, womit sie auf den Nothfall versehen war, auf den Altar fallen lassen? Welcher von allen diesen Fällen ist der unmögliche?"

Sie haben Recht. Aber diese treffende Ähnlichkeit der Gestalt mit Ihrem verstorbenen Freunde — Ich habe ihn ja auch sehr oft bey Ihnen gesehen, und in dem Geiste hab' ich ihn auf der Stelle wieder erkannt.

„Auch ich — und ich kann nicht anders sagen, als daß die Täuschung auf's höchste getrieben war.

Wenn aber nun dieser Sicilianer, nach einigen wenigen verstohlnen Blicken, die er auf meine Tabatiere warf, auch in s e i n Gemählde eine flüchtige Ähnlichkeit zu bringen wußte, die Sie und mich hinterging, warum nicht um so viel mehr der Russe, der während der ganzen Tafel den freyen Gebrauch meiner Tabatiere hatte, der den Vortheil genoß, immer und durchaus unbeobachtet zu bleiben, und dem ich noch außerdem im Vertrauen entdeckt hatte, w e r mit dem Bilde auf der Dose gemeint sey? — Setzen Sie hinzu — was auch der Sicilianer anmerkte — daß das Charakteristische des Marquis in lauter solchen Gesichtszügen liegt, die sich auch im Groben nachahmen lassen — wo bleibt dann das Unerklärbare in dieser ganzen Erscheinung?"

Aber der Inhalt seiner Worte? Der Aufschluß über Ihren Freund?

„Wie? Sagte uns denn der Sicilianer nicht, daß er aus dem Wenigen, was er mir abfragte, eine ähnliche Geschichte zusammengesetzt habe? Beweiset dieses nicht, wie natürlich gerade auf diese Erfindung zu fallen war? Überdieß klangen die Antworten des Geistes so orakelmäßig dunkel, daß er gar nicht Gefahr laufen konnte, auf einem Widerspruch betreten zu werden. Setzen Sie, daß die Creatur des Gauklers, die den Geist machte, Scharfsinn und Besonnenheit besaß, und von den Umständen nur ein wenig unterrichtet war — wie weit hätte diese Gaukeley nicht noch geführt werden können?"

Aber überlegen Sie, gnädigster Herr, wie weitläuftig die Anstalten zu einem so zusammengesetzten Betrug von Seiten des Armeniers hätten seyn müssen! Wie viele Zeit dazu gehört haben würde! Wie viele

Zeit nur, einen menschlichen Kopf einem andern so getreu nachzumahlen, als hier vorausgesetzt wird! Wie viele Zeit, diesen untergeschobenen Geist so gut zu unterrichten, daß man vor einem groben Irrthum gesichert war! Wie viele Aufmerksamkeit die kleinen unnennbaren Nebendinge würden erfordert haben, welche entweder mithelfen, oder denen, weil sie stören konnten, auf irgend eine Art doch begegnet werden mußte! Und nun erwägen Sie, daß der Russe nicht über eine halbe Stunde ausblieb. Konnte wohl in nicht mehr als einer halben Stunde alles angeordnet werden, was hier nur das Unentbehrlichste war? — Wahrlich, gnädigster Herr, selbst nicht einmahl ein dramatischer Schriftsteller, der um die unerbittlichen drey Einheiten seines Aristoteles verlegen war, würde einem Zwischenact so viel Handlung aufgelastet, noch seinem Parterre einen so starken Glauben zugemuthet haben.

„Wie? Sie halten es also schlechterdings für unmöglich, daß in dieser kleinen halben Stunde alle diese Anstalten hätten getroffen werden können?"

In der That, rief ich, für so gut als unmöglich. —

„Diese Redensart verstehe ich nicht. Widerspricht es allen Gesetzen der Zeit, des Raums und der physischen Wirkungen, daß ein so gewandter Kopf, wie doch unwidersprechlich dieser Armenier ist, mit Hülfe seiner vielleicht eben so gewandten Creaturen, in der Hülle der Nacht, von niemand beobachtet, mit allen Hülfsmitteln ausgerüstet, von denen sich ein Mann dieses Handwerks ohnehin niemahls trennen wird, daß ein solcher Mensch, von solchen Umständen begünstigt, zu so weniger Zeit so viel zu Stande bringen könnte? Ist es geradezu undenkbar, und abgeschmackt zu glauben, daß er mit Hülfe weniger Worte, Befehle oder Winke seinen Helfershelfern weitläuftige Aufträge geben, weitläuftige und zusammengesetzte Operationen mit wenigem Wortaufwande bezeichnen könne? — Und darf etwas anders, als eine hell eingesehene Unmöglichkeit, gegen die ewigen Gesetze der Natur aufgestellt werden? Wollen Sie lieber ein Wunder glauben, als eine Unwahrscheinlichkeit zugeben? lieber die Kräfte der Natur umstürzen, als eine künstliche und weniger gewöhnliche Combination dieser Kräfte sich gefallen lassen?"

Wenn die Sache auch eine so kühne Folgerung nicht rechtfertigt, so müssen Sie mir doch eingestehen, daß sie weit über unsre Begriffe geht.

„Beynahe hätte ich Lust, Ihnen auch dieses abzustreiten," sagte der Prinz mit schalkhafter Munterkeit. „Wie, lieber Graf? wenn es sich, zum Beyspiel, ergäbe, daß nicht bloß während und nach dieser halben Stunde, nicht bloß in der Eile und nebenher, sondern den ganzen Abend und die ganze Nacht für diesen Armenier gearbeitet worden? Denken Sie nach, daß der Sicilianer beynahe drey volle Stunden zu seinen Zurüstungen verbrauchte."

Der Sicilianer, gnädigster Herr!

„Und womit beweisen Sie mir denn, daß der Sicilianer an dem zweyten Gespenste nicht eben so vielen Antheil gehabt habe, als an dem ersten?"

Wie, gnädigster Herr?

„Daß er nicht der vornehmste Helfershelfer des

Armeniers war — kurz — daß beyde nicht mit einander unter einer Decke liegen?"

Das möchte schwer zu erweisen seyn, rief ich mit nicht geringer Verwunderung.

„Nicht so schwer, lieber Graf, als Sie wohl meinen. Wie? Es wäre Zufall, daß sich diese beyden Menschen in einem so seltsamen, so verwickelten Anschlag auf dieselbe Person, zu derselben Zeit und an demselben Orte begegneten, daß sich unter ihren beyderseitigen Operationen eine so auffallende Harmonie, ein so durchdachtes Einverständniß fände, daß einer dem andern gleichsam in die Hände arbeitete? Setzen Sie, er habe sich des gröbern Gaukelspiels bedient, um dem feinern eine Folie unterzulegen. Setzen Sie, er habe jenes vorausgeschickt, um den Grad von Glauben auszufinden, worauf er bey mir zu rechnen hätte; um die Zugänge zu meinem Vertrauen auszuspähen; um sich durch diesen Versuch, der unbeschadet seines übrigen Planes verunglücken konnte, mit seinem Subjecte zu familiarisiren; kurz, um sein Instrument damit anzuspielen. Setzen Sie, er habe es gethan, um eben dadurch, daß er meine Aufmerksamkeit auf einer Seite vorsätzlich aufforderte und wachsam erhielt, sie auf einer andern, die ihm wichtiger war, einschlummern zu lassen. Setzen Sie, er habe einige Erkundigungen einzuziehen gehabt, von denen er wünschte, daß sie auf Rechnung des Taschenspielers geschrieben würden, um den Argwohn von der wahren Spur zu entfernen."

Wie meinen Sie das?

„Lassen Sie uns annehmen, er habe einen meiner Leute bestochen, um durch ihn gewisse geheime Nachrichten — vielleicht gar Documente — zu erhalten, die zu seinem Zwecke dienen. Ich vermisse meinen Jäger. Was hindert mich zu glauben, daß der Armenier bey der Entweichung dieses Menschen mit im Spiele sey? Aber der Zufall kann es fügen, daß ich hinter diese Schliche komme; ein Brief kann aufgefangen werden, ein Bedienter kann plaudern. Sein ganzes Ansehen scheitert, wenn ich die Quellen seiner Allwissenheit entdecke. Er schiebt also diesen Taschenspieler ein, der diesen oder jenen Anschlag auf mich haben muß. Von dem Daseyn und den Absichten dieses Menschen unterläßt er nicht, mir frühzeitig einen Wink zu geben. Was ich also auch entdecken mag, so wird mein Verdacht auf niemand anders als auf diesen Gaukler fallen; und zu den Nachforschungen, welche ihm, dem Armenier, zu gute kommen, wird der Sicilianer seinen Nahmen geben. Dieses war die Puppe, mit der er mich spielen läßt, während daß er selbst, unbeobachtet und unverdächtig, mit unsichtbaren Seilen mich umwindet."

Sehr gut! Aber wie läßt es sich mit diesen Absichten reimen, daß er selbst diese Täuschung zerstören hilft, und die Geheimnisse seiner Kunst profanen Augen Preiß gibt? Muß er nicht fürchten, daß die entdeckte Grundlosigkeit einer, bis zu einem so hohen Grad von Wahrheit getriebenen, Täuschung, wie die Operation des Sicilianers doch in der That war, Ihren Glauben überhaupt schwächen, und ihm also seine künftigen Plane um ein Großes erschweren würde?

„Was sind es für Geheimnisse, die er mir Preiß gibt? Keines von denen zuverlässig, die er Lust hat, bey mir in Ausübung zu bringen. Er hat also durch ihre Profanation nichts verloren — Aber wie viel hat er im Gegentheil gewonnen, wenn dieser vermeintliche Triumph über Betrug und Taschenspielerey mich sicher und zuversichtlich macht, wenn es ihm dadurch gelang, meine Wachsamkeit nach einer entgegengesetzten Richtung zu lenken, meinen noch unbestimmt umher schweifenden Argwohn auf Gegenständen zu fixiren, die von dem eigentlichen Ort des Angriffs am weitesten entlegen sind? — Er konnte erwarten, daß ich früher oder später, aus eignem Mißtrauen oder fremdem Antrieb, den Schlüssel zu seinen Wundern in der Taschenspielerkunst aufsuchen würde. — Was konnte er Besseres thun, als daß er sie selbst neben einander stellte, daß er mir gleichsam den Maßstab dazu in die Hand gab, und, indem er der letztern eine künstliche Gränze setzte, meine Begriffe von den erstern desto mehr erhöhete oder verwirrte? Wie viele Muthmaßungen hat er durch diesen Kunstgriff auf einmahl abgeschnitten! wie viele Erklärungsarten im voraus widerlegt, auf die ich in der Folge vielleicht hätte fallen mögen!"

So hat er wenigstens sehr gegen sich selbst gehandelt, daß er die Augen derer, die er täuschen wollte, schärfte, und ihren Glauben an Wunderkraft durch Entlarvung eines so künstlichen Betrugs überhaupt schwächte. Sie selbst, gnädigster Herr, sind die beste Widerlegung seines Plans, wenn er ja einen gehabt hat.

„Er hat sich in mir vielleicht geirret — aber er hat darum nicht weniger scharf geurtheilt. Konnte er voraus sehen, daß mir gerade dasjenige im Gedächtniß bleiben würde, welches der Schlüssel zu dem Wunder werden könnte? Lag' es in seinem Plan, daß mir die Creatur, deren er sich bediente, solche Blößen geben sollte? Wissen wir, ob dieser Sicilianer seine Vollmacht nicht weit überschritten hat? — Mit dem Ringe gewiß — Und doch ist es hauptsächlich dieser einzige Umstand, der mein Mißtrauen gegen diesen Menschen entschieden hat. Wie leicht kann ein zugespitzter feiner Plan durch ein gröberes Organ verunstaltet werden! Sicherlich war es seine Meinung nicht, daß uns der Taschenspieler seinen Ruhm im Marktschreyerton vorposaunen sollte — daß er uns jene Mährchen aufschüsseln sollte, die sich beym leichtesten Nachdenken widerlegen. So zum Beyspiel — mit welcher Stirne kann dieser Betrüger vorgeben, daß sein Wunderthäter auf den Glockenschlag Zwölfe in der Nacht jeden Umgang mit Menschen aufheben müsse? Haben wir ihn nicht selbst um diese Zeit in unsrer Mitte gesehen?"

Das ist wahr, rief ich. Das muß er vergessen haben!

„Aber es liegt im Charakter dieser Art Leute, daß sie solche Aufträge übertreiben, und durch das Zuviel alles verschlimmern, was ein bescheidener und mäßiger Betrug vortrefflich gemacht hätte."

Ich kann es dessen ungeachtet noch nicht über mich gewinnen, gnädigster Herr, diese ganze Sache für nichts mehr, als ein angestelltes Spiel zu halten. Wie? Der Schrecken des Sicilianers, die Zuckungen, die Ohnmacht, der ganze klägliche Zustand dieses Menschen, der uns selbst Erbarmen einflößte — alles dieses wäre nur eine eingelernte Rolle gewesen? Zugegeben, daß sich das theatralische Gaukelspiel auch noch so weit treiben lasse, so kann die Kunst des Acteurs doch nicht über die Organe seines Lebens gebiethen.

„Was

„Was das anbetrifft, Freund — Ich habe Richard den Dritten von Garrick gesehen — Und waren wir in diesem Augenblick kalt und müßig genug, um unbefangene Beobachter abzugeben? Konnten wir den Affect dieses Menschen prüfen, da uns der unsrige übermeisterte? Überdieß ist die entscheidende Krise, auch sogar eines Betrugs, für den Betrüger selbst eine so wichtige Angelegenheit, daß bey ihm die Erwartung gar leicht so gewaltsame Symptome erzeugen kann, als die Überraschung bey dem Betrogenen. Rechnen Sie dazu noch die unvermuthete Erscheinung der Häscher —"

Eben diese, gnädigster Herr — Gut, daß Sie mich daran erinnern — Würde er es wohl gewagt haben, einen so gefährlichen Plan dem Auge der Gerechtigkeit bloß zu stellen? Die Treue seiner Creatur auf eine so bedenkliche Probe zu bringen? — Und zu welchem Ende?

„Dafür lassen Sie ihn sorgen, der seine Leute kennen muß. Wissen wir, was für geheime Verbrechen ihm für die Verschwiegenheit dieses Menschen haften? Sie haben gehört, welches Amt er in Venedig bekleidet — Und lassen Sie auch dieses Vorgeben zu den übrigen Mährchen gehören — wie viel wird es ihm wohl kosten, diesem Kerl durchzuhelfen, der keinen andern Ankläger hat, als ihn?"

(Und in der That hat der Ausgang den Verdacht des Prinzen nur zu sehr gerechtfertigt. Als wir uns einige Tage darauf nach unserm Gefangenen erkundigen ließen, erhielten wir zur Antwort, daß er unsichtbar geworden sey.)

„Und zu welchem Ende fragen Sie? Auf welchem andern Weg, als auf diesem gewaltsamen, konnte er dem Sicilianer eine so unwahrscheinliche und schimpfliche Beicht abfordern lassen, worauf es doch so wesentlich ankam? Wer als ein verzweifelter Mensch, der nichts mehr zu verlieren hat, wird sich entschließen können, so erniedrigende Aufschlüsse über sich selbst zu geben? Unter welchen andern Umständen hätten wir sie ihm geglaubt?

Alles zugegeben, gnädigster Prinz, sagte ich endlich. Beyde Erscheinungen sollen Gaukelspiele gewesen seyn, dieser Sicilianer soll uns meinethalben nur ein Mährchen aufgeheftet haben, das ihm sein Principal einlernen ließ, beyde sollen zu Einem Zweck, mit einander einverstanden, wirken, und aus diesem Einverständniß sollen alle jene wunderbaren Zufälle sich erklären lassen, die uns im Laufe dieser Begebenheit in Erstaunen gesetzt haben. Jene Prophezeihung auf dem Markusplatz, das erste Wunder, welches alle übrigen eröffnet hat, bleibt nichts desto weniger unerklärt; und was hilft uns der Schlüssel zu allen übrigen, wenn wir an der Auflösung dieses einzigen verzweifeln?

„Kehren Sie es vielmehr um, lieber Graf?" gab mir der Prinz hierauf zur Antwort. „Sagen Sie, was beweisen alle jene Wunder, wenn ich herausbringe, daß auch nur ein einziges Taschenspiel darunter war? Jene Prophezeihung — ich bekenn' es Ihnen — geht über meine Fassungskraft. Stände sie einzeln da, hätte der Armenier seine Rolle mit ihr beschlossen, wie er sie damit eröffnete — ich gestehe Ihnen, ich weiß nicht, wie weit sie mich noch hätte führen können.

In dieser niedrigen Gesellschaft ist sie mir ein klein wenig verdächtig. —"

Zugegeben, gnädigster Herr! Unbegreiflich bleibt sie aber doch, und ich fordre alle unsre Philosophen auf, mir einen Aufschluß darüber zu ertheilen.

„Sollte sie aber wirklich so unerklärbar seyn?" fuhr der Prinz fort, nachdem er sich einige Augenblicke besonnen hatte. „Ich bin weit entfernt, auf den Nahmen eines Philosophen Ansprüche zu machen; und doch könnte ich mich versucht fühlen, auch zu diesem Wunder einen natürlichen Schlüssel aufzusuchen, oder es lieber gar von allem Schein des Außerordentlichen zu entkleiden."

Wenn Sie das können, mein Prinz, dann, versetzte ich mit sehr unglaubigem Lächeln, sollen Sie das einzige Wunder seyn, das ich glaube.

„Und zum Beweise," fuhr er fort, „wie wenig wir berechtigt sind, zu übernatürlichen Kräften unsre Zuflucht zu nehmen, will ich Ihnen zwey verschiedene Auswege zeigen, auf welchen wir diese Begebenheit, ohne der Natur Zwang anzuthun, vielleicht ergründen."

Zwey Schlüssel auf einmahl! Sie machen mich in der That höchst neugierig.

„Sie haben mit mir die nähern Nachrichten von der Krankheit meines verstorbenen Cousins gelesen. Es war in einem Anfall von kaltem Fieber, wo ihn ein Schlagfluß tödtete. Das Außerordentliche dieses Todes, ich gestehe es, trieb mich an, das Urtheil einiger Ärzte darüber zu vernehmen, und was ich bey dieser Gelegenheit in Erfahrung brachte, leitet mich auf die

F 2

Spur dieses Zauberwerks. Die Krankheit des Verstorbenen, eine der seltensten und fürchterlichsten, hat dieses eigenthümliche Symptom, daß sie während des Fieberfrostes den Kranken in einen tiefen unerwecklichen Schlaf versenkt, der ihn gewöhnlich bey der zweyten Wiederkehr des Paroxismus apoplectisch tödtet. Da diese Paroxismen in der strengsten Ordnung und zur gesetzten Stunde zurückkehren, so ist der Arzt, von demselben Augenblick an, als sich sein Urtheil über das Geschlecht der Krankheit entschieden hat, auch in den Stand gesetzt, die Stunde des Todes anzugeben. Der dritte Paroxism eines dreytägigen Wechselfiebers fällt aber bekanntlich in den fünften Tag der Krankheit — und gerade nur so viel Zeit bedarf ein Brief, um von***, wo mein Cousin starb, nach Venedig zu gelangen. Setzen wir nun, daß unser Armenier einen wachsamen Correspondenten unter dem Gefolge des Verstorbenen besitze — daß er ein lebhaftes Interesse habe, Nachrichten von dorther zu erhalten, daß er auf mich selbst Absichten habe, die ihm der Glaube an das Wunderbare und der Schein übernatürlicher Kräfte bey mir befördern hilft — so haben Sie einen natürlichen Aufschluß über eine Wahrsagung, die Ihnen so unbegreiflich däucht. Genug, Sie ersehen daraus die Möglichkeit, wie mir ein Dritter von einem Todesfall Nachricht geben kann, der sich in dem Augenblick, wo er ihn meldet, vierzig Meilen weit davon ereignet."

In der That, Prinz, Sie verbinden hier Dinge, die einzeln genommen, zwar sehr natürlich lauten, aber nur durch etwas, was nicht besser ist, als Zauberey, in diese Verbindung gebracht werden können.

„Wie? Sie erschrecken also vor dem Wunderbaren weniger als vor dem Gesuchten, dem Ungewöhnlichen? Sobald wir dem Armenier einen wichtigen Plan, der mich entweder zum Zweck hat oder zum Mittel gebraucht, einräumen — und müssen wir das nicht, was wir auch immer von seiner Person urtheilen? — so ist nichts unnatürlich, nichts gezwungen, was ihn auf dem kürzesten Wege zu seinem Ziele führt. Was für einen kürzern Weg gibt es aber, sich eines Menschen zu versichern, als das Creditiv eines Wunderthäters? Wer widersteht einem Manne, dem die Geister unterwürfig sind? Aber ich gebe Ihnen zu, daß meine Muthmaßung gekünstelt ist; ich gestehe, daß sie mich selbst nicht befriedigt. Ich bestehe nicht darauf, weil ich es nicht der Mühe werth halte, einen künstlichen und überlegten Entwurf zu Hülfe zu nehmen, wo man mit dem bloßen Zufall schon ausreicht."

Wie? fiel ich ein, es soll bloßer Zufall — —

„Schwerlich etwas mehr!" fuhr der Prinz fort. „Der Armenier wußte von der Gefahr meines Cousins. Er traf uns auf dem St. Markusplatze. Die Gelegenheit lud ihn ein, eine Prophezeihung zu wagen, die, wenn sie fehl schlug, bloß ein verlornes Wort war — wenn sie eintraf, von den wichtigsten Folgen seyn konnte. Der Erfolg begünstigte diesen Versuch — und jetzt erst mochte er darauf denken, das Geschenk des Ungefährs für einen zusammenhängenden Plan zu benutzen. — Die Zeit wird dieses Geheimniß aufklären, oder auch nicht aufklären — aber glauben Sie mir, Freund, (indem er seine Hand auf die meinige legte, und eine sehr ernsthafte Miene annahm) ein Mensch, dem höhere Kräfte zu Gebothe stehen, wird keines Gaukelspiels bedürfen, oder er wird es verachten."

So endigte sich eine Unterredung, die ich darum ganz hieher gesetzt habe, weil sie die Schwierigkeiten zeigt, die bey dem Prinzen zu besiegen waren, und weil sie, wie ich hoffe, sein Andenken von dem Vorwurfe reinigen wird, daß er sich blind und unbesonnen in die Schlinge gestürzt habe, die eine unerhörte Teufeley ihm bereitete. Nicht alle — fährt der Graf von O** fort — die in dem Augenblicke, wo ich dieses schreibe, vielleicht mit Hohngelächter auf seine Schwachheit herabsehen, und im stolzen Dünkel ihrer nie angefochtenen Vernunft sich für berechtigt halten, den Stab der Verdammung über ihn zu brechen, nicht alle, fürchte ich, würden diese erste Probe so männlich bestanden haben. Wenn man ihn nunmehr auch nach dieser glücklichen Vorbereitung dessen ungeachtet fallen sieht; wenn man den schwarzen Anschlag, vor dessen entferntester Annäherung ihn sein guter Genius warnte, nichts desto weniger an ihm in Erfüllung gegangen findet, so wird man weniger über seine Thorheit spotten, als über die Größe des Bubenstücks erstaunen, dem eine so wohl vertheidigte Vernunft erlag. Weltliche Rücksichten können an meinem Zeugnisse keinen Antheil haben; denn Er, der es mir danken soll, ist nicht mehr. Sein schreckliches Schicksal ist geendigt; längst hat sich seine Seele am Thron der Wahrheit gereinigt, vor dem auch die meinige längst steht, wenn die Welt dieses lieset; aber — man verzeihe mir die Thräne, die dem Andenken meines theuersten Freundes unfreywillig fällt — aber zur Steuer der Gerechtigkeit schreib' ich es nieder: Er war ein edler Mensch, und gewiß wär' er eine Zierde des Thrones geworden, den er durch ein Verbrechen ersteigen zu wollen, sich bethören ließ.

Zweytes Buch.

Nicht lange nach diesen letztern Begebenheiten — fährt der Graf von O** zu erzählen fort — fing ich an, in dem Gemüth des Prinzen eine wichtige Veränderung zu bemerken. Bis jetzt nähmlich hatte der Prinz jede strengere Prüfung seines Glaubens vermieden, und sich damit begnügt, die rohen und sinnlichen Religions-Begriffe, in denen er auferzogen worden, durch die bessern Ideen, die sich ihm nachher aufdrangen, zu reinigen, ohne die Fundamente seines Glaubens zu untersuchen. Religionsgegenstände überhaupt, gestand er mir mehrmahls, seyen ihm jederzeit wie ein bezaubertes Schloß vorgekommen, in das man nicht ohne Grauen seinen Fuß setze, und man thue weit besser, man gehe mit ehrerbiethiger Resignation daran vorüber, ohne sich der Gefahr auszusetzen, sich in seinen Labyrinthen zu verirren. Dennoch zog ihn ein entgegengesetzter Hang unwiderstehlich zu Untersuchungen hin, die damit in Verbindung standen.

Eine bigotte, knechtische Erziehung war die Quelle dieser Furcht; diese hatte seinem zarten Gehirne Schreckbilder eingedrückt, von denen er sich während seines ganzen Lebens nie ganz los machen konnte. Religiöse Melancholie war eine Erbkrankheit in seiner Familie;

die Erziehung, welche man ihm und seinen Brüdern geben ließ, war dieser Disposition angemessen, die Menschen, denen man ihn anvertrauete, aus diesem Gesichtspuncte gewählt, also entweder Schwärmer oder Häuchler. Alle Lebhaftigkeit des Knaben in einem dumpfen Geisteszwange zu ersticken, war das zuverlässigste Mittel, sich der höchsten Zufriedenheit der fürstlichen Ältern zu versichern.

Diese schwarze nächtliche Gestalt hatte die ganze Jugendzeit unsers Prinzen; selbst aus seinen Spielen war die Freude verbannt. Alle seine Vorstellungen von Religion hatten etwas Fürchterliches an sich, und eben das Grauenvolle und Derbe war es, was sich seiner lebhaften Einbildungskraft zuerst bemächtigte, und sich auch am längsten darin erhielt. Sein Gott war ein Schreckbild, ein strafendes Wesen; seine Gottesverehrung knechtisches Zittern, oder blinde, alle Kraft und Kühnheit erstickende Ergebung. Allen seinen kindischen und jugendlichen Neigungen, denen ein derber Körper und eine blühende Gesundheit um so kraftvollere Explosionen gab, stand die Religion im Wege; mit allem, woran sein jugendliches Herz sich hängte, lag sie im Streite, er lernte sie nie als eine Wohlthat, nur als eine Geißel seiner Leidenschaften kennen. So entbrannte allmählich ein stiller Groll gegen sie in seinem Herzen, welcher mit einem respectvollen Glauben und blinder Furcht in seinem Kopf und Herzen die bizarreste Mischung machte — einen Widerwillen gegen einen Herrn, vor dem er in gleichem Grade Abscheu und Ehrfurcht fühlte.

Kein Wunder, daß er die erste Gelegenheit ergriff, einem so strengen Joche zu entfliehen — aber er entlief ihm, wie ein leibeigner Sclave seinem harten Herrn, der auch mitten in der Freyheit das Gefühl seiner Knechtschaft herumträgt. Eben darum, weil er dem Glauben seiner Jugend nicht mit ruhiger Wahl entsagt; weil er nicht gewartet hatte, bis seine reifere Vernunft sich gemächlich davon abgelöset hatte; weil er ihm als ein Flüchtling entsprungen war, auf den die Eigenthumsrechte seines Herrn immer noch fortdauern — so mußte er auch, nach noch so großen Distractionen, immer wieder zu ihm zurückkehren. Er war mit der Kette entsprungen, und eben darum mußte er der Raub eines jeden Betrügers werden, der sie entdeckte und zu gebrauchen verstand. Daß sich ein solcher fand, wird, wenn man es noch nicht errathen hat, der Verfolg dieser Geschichte ausweisen.

Die Geständnisse des Sicilianers ließen in seinem Gemüth wichtigere Folgen zurück, als dieser ganze Gegenstand werth war, und der kleine Sieg, den seine Vernunft über diese schwache Täuschung davon getragen, hatte die Zuversicht zu seiner Vernunft überhaupt merklich erhöht. Die Leichtigkeit, mit der es ihm gelungen war, diesen Betrug aufzulösen, schien ihn selbst überrascht zu haben. In seinem Kopfe hatten sich Wahrheit und Irrthum noch nicht so genau von einander gesondert, daß es ihm nicht oft begegnet wäre, die Stützen der einen mit den Stützen des andern zu verwechseln; daher kam es, daß der Schlag, der seinen Glauben an Wunder stürzte, das ganze Gebäude seines religiösen Glaubens zugleich zum Wanken brachte. Es erging ihm hier, wie einem unerfahrnen Menschen, der in der Freundschaft oder

Liebe hintergangen worden, weil er schlecht gewählt hatte, und der nun seinen Glauben an diese Empfindungen überhaupt sinken läßt, weil er bloße Zufälligkeiten für wesentliche Eigenschaften und Kennzeichen derselben aufnimmt. Ein entlarvter Betrug machte ihm auch die Wahrheit verdächtig, weil er sich die Wahrheit unglücklicher Weise durch gleich schlechte Gründe bewiesen hatte.

Dieser vermeintliche Triumph gefiel ihm um so mehr, je schwerer der Druck gewesen, wovon er ihn zu befreyen schien. Von diesem Zeitpuncte an regte sich eine Zweifelsucht in ihm, die auch das Ehrwürdigste nicht verschonte.

Es halfen mehrere Dinge zusammen, ihn in dieser Gemüthslage zu erhalten, und noch mehr darin zu befestigen. Die Einsamkeit, in der er bisher gelebt hatte, hörte jetzt auf, und mußte einer zerstreuungsvollen Lebensart Platz machen. Sein Stand war entdeckt. Aufmerksamkeiten, die er erwiedern mußte, Etikette, die er seinem Range schuldig war, rissen ihn unvermerkt in den Wirbel der großen Welt. Sein Stand sowohl als seine persönlichen Eigenschaften öffneten ihm die geistvollesten Zirkel in Venedig; bald sah er sich mit den hellsten Köpfen der Republik, Gelehrten sowohl als Staatsmännern, in Verbindung. Dieß zwang ihn, den einförmigen, engen Kreis zu erweitern, in welchen sein Geist sich bisher eingeschlossen hatte. Er fing an, die Beschränktheit seiner Begriffe wahrzunehmen, und das Bedürfniß höherer Bildung zu fühlen. Die altmodische Form seines Geistes, von so vielen Vorzügen sie auch sonst begleitet war, stand mit den gangbaren Begriffen der Gesellschaft in einem nachtheiligen Contrast, und seine Fremdheit in den bekanntesten Dingen setzte ihn zuweilen dem Lächerlichen aus; nichts fürchtete er so sehr als das Lächerliche. Das ungünstige Vorurtheil, das auf seinem Geburtslande haftete, schien ihm eine Aufforderung zu seyn, es in seiner Person zu widerlegen. Dazu kam noch die Sonderbarkeit in seinem Charakter, daß ihn jede Aufmerksamkeit verdroß, die er seinem Stande und nicht seinem persönlichen Werthe danken zu müssen glaubte. Vorzüglich empfand er diese Demüthigung in Gegenwart solcher Personen, die durch ihren Geist glänzten, und durch persönliche Verdienste gleichsam über ihre Geburt triumphirten. In einer solchen Gesellschaft sich als Prinz unterschieden zu sehen, war jederzeit eine tiefe Beschämung für ihn, weil er unglücklicher Weise glaubte, durch diesen Nahmen schon von jeder Concurrenz ausgeschlossen zu seyn. Alles dieses zusammen genommen überführte ihn von der Nothwendigkeit, seinem Geist die Bildung zu geben, die er bisher verabsäumt hatte, um das Jahrfünftel der witzigen und denkenden Welt einzuhohlen, hinter welchem er so weit zurück geblieben war.

Er wählte dazu die modernste Lectüre, der er sich mit allem dem Ernste hingab, womit er alles, was er vornahm, zu behandeln pflegte. Aber die schlimme Hand, die bey der Wahl dieser Schriften im Spiele war, ließ ihn unglücklicher Weise immer auf solche stoßen, bey denen weder seine Vernunft noch sein Herz viel gebessert waren. Und auch hier waltete sein Lieblingshang vor, der ihn immer zu allem, was nicht begriffen werden soll, mit unwiderstehlichem Reitze hinzog. Nur für dasjenige, was damit in Beziehung stand, hatte er Aufmerksamkeit und Gedächtniß; seine Vernunft und sein Herz blieben leer, während sich diese Fächer seines Gehirns mit verworrenen Begriffen anfüllten. Der blendende Styl des Einen riß seine Imagination dahin, indem die Spitzfindigkeiten des Andern seine Vernunft verstrickten. Beyden wurde es leicht, sich einen Geist zu unterjochen, der ein Raub eines jeden war, der sich ihm mit einer gewissen Dreistigkeit aufdrang.

Eine Lectüre, die länger als ein Jahr mit Leidenschaft fortgesetzt wurde, hatte ihn beynahe mit gar keinem wohlthätigen Begriffe bereichert, wohl aber seinen Kopf mit Zweifeln angefüllt, die, wie es bey diesem consequenten Charakter unausbleiblich folgte, bald einen unglücklichen Weg zu seinem Herzen fanden. Daß ich es kurz sage — er hatte sich in dieses Labyrinth begeben, als ein glaubensreicher Schwärmer, und er verließ es als Zweifler, und zuletzt als ein ausgemachter Freygeist.

Unter den Zirkeln, in die man ihn zu ziehen gewußt hatte, war eine gewisse geschlossene Gesellschaft, der Bucentauro genannt, die unter dem äußerlichen Schein einer edeln vernünftigen Geistesfreyheit die zügelloseste Licenz der Meinungen wie der Sitten begünstigte. Da sie unter ihren Mitgliedern viele Geistliche zählte, und sogar die Nahmen einiger Cardinäle an ihrer Spitze trug, so wurde der Prinz um so leichter bewogen, sich darin einführen zu lassen. Gewisse gefährliche Wahrheiten der Vernunft, meinte er, könnten nirgends besser aufgehoben seyn, als in den Händen solcher Personen, die ihr Stand schon zur Mäßigung verpflichtete, und die den Vortheil hätten, auch die Gegenpartey gehört und geprüpft zu haben. Der Prinz vergaß hier, daß Libertinage des Geistes und der Sitten bey Personen dieses Standes eben darum weiter um sich greift, weil sie hier einen Zügel weniger findet, und durch keinen Nimbus von Heiligkeit, der so oft profane Augen blendet, zurück geschreckt wird. Und dieses war der Fall bey dem Bucentauro, dessen mehreste Mitglieder durch eine verdammliche Philosophie, und durch Sitten, die einer solchen Führerinn würdig waren, nicht ihren Stand allein, sondern selbst die Menschheit beschimpften.

Die Gesellschaft hatte ihre geheimen Grade, und ich will zur Ehre des Prinzen glauben, daß man ihn des innersten Heiligthums nie gewürdigt habe. Jeder, der in diese Gesellschaft eintrat, mußte, wenigstens so lange er ihr lebte, seinen Rang, seine Nation, seine Religions-Partey, kurz, alle conventionellen Unterscheidungszeichen ablegen, und sich in einen gewissen Stand universeller Gleichheit begeben. Die Wahl der Mitglieder war in der That streng, weil nur Vorzüge des Geistes einen Weg dazu bahnten. Die Gesellschaft rühmte sich des feinsten Tons und des ausgebildetsten Geschmacks, und in diesem Rufe stand sie auch wirklich in ganz Venedig. Dieses sowohl als der Schein von Gleichheit, der darin herrschte, zog den Prinzen unwiderstehlich an. Ein geistvoller, durch feinen Witz aufgeheiterter Umgang, unterrichtende Unterhaltungen, das Beste aus der gelehrten und politischen Welt, das hier, wie in seinem Mittelpuncte, zusammenfloß, verbargen ihm lange Zeit das Gefährliche dieser Verbindung. Wie ihm nach und nach der Geist des Instituts durch die Maske hindurch sichtbarer wurde, oder man es auch müde war, länger gegen ihn auf seiner Huth zu seyn, war der Rückweg gefährlich, und falsche Scham sowohl als Sorge für seine Sicherheit zwangen ihn, sein inneres Mißfallen zu verbergen.

Aber schon durch die bloße Vertraulichkeit mit dieser Menschenclasse und ihren Gesinnungen, wenn sie ihn auch nicht zur Nachahmung hinrissen, ging die reine, schöne Einfalt seines Charakters und die Zartheit seiner moralischen Gefühle verloren. Sein durch so wenig gründliche Kenntnisse unterstützter Verstand konnte ohne fremde Beyhülfe die feinen Trugschlüsse nicht lösen, womit man ihn hier verstrickt hatte, und unvermerkt hatte dieses schreckliche Corrosiv alles — beynahe alles verzehrt, worauf seine Moralität ruhen sollte. Die natürlichen Stützen seiner Glückseligkeit gab er für Sophismen hinweg, die ihn im entscheidenden Augenblick verließen, und ihn dadurch zwangen, sich an den ersten besten willkührlichen zu halten, die man ihm zuwarf.

Vielleicht wäre es der Hand eines Freundes gelungen, ihn noch zur rechten Zeit von diesem Abgrund zurück zu ziehen — aber, außerdem daß ich mit dem Innern des Bucentauro erst lange nachher bekannt worden bin, als das Übel schon geschehen war, so hatte mich schon zu Anfang dieser Periode ein dringender Vorfall aus Venedig abgerufen. Auch Mylord Seymour, eine schätzbare Bekanntschaft des Prinzen, dessen kalter Kopf jeder Art von Täuschung widerstand, und der ihm unfehlbar zu einer sichern Stütze hätte dienen können, verließ uns zu dieser Zeit, um in sein Vaterland zurück zu kehren. Diejenigen, in deren

Händen ich den Prinzen ließ, waren zwar redliche, aber unerfahrne und in ihrer Religion äußerst beschränkte Menschen, denen es sowohl an der Einsicht in das Übel, als an Ansehen bey dem Prinzen fehlte. Seinen verfänglichen Sophismen wußten sie nichts, als die Machtsprüche eines blinden ungeprüften Glaubens entgegen zu setzen, die ihn entweder aufbrachten oder belustigten; er übersah sie gar zu leicht, und sein überlegner Verstand brachte diese schlechten Vertheidiger der guten Sache bald zum Schweigen. Den andern, die sich in der Folge seines Vertrauens bemächtigten, war es vielmehr darum zu thun, ihn immer tiefer darein zu versenken. Als ich im folgenden Jahre wieder nach Venedig zurück kam — wie anders fand ich da schon alles!

Der Einfluß dieser neuen Philosophie zeigte sich bald in des Prinzen Leben. Je mehr er zusehends in Venedig Glück machte, und neue Freunde sich erwarb, desto mehr fing er an, bey seinen ältern Freunden zu verlieren. Mir gefiel er von Tag zu Tage weniger, auch sahen wir uns seltener, und überhaupt war er weniger zu haben. Der Strom der großen Welt hatte ihn gefaßt. Nie wurde seine Schwelle leer, wenn er zu Hause war. Eine Lustbarkeit drängte die andre, ein Fest das andre, eine Glückseligkeit die andre. Er war die Schöne, um welche alles buhlte, der König und der Abgott aller Zirkel. So schwer er sich in der vorigen Stille seines beschränkten Lebens den großen Weltlauf gedacht hatte, so leicht fand er ihn nunmehr zu seinem Erstaunen. Es kam ihm alles so entgegen, alles war trefflich, was von seinen Lippen kam, und wenn er schwieg, so war es ein Raub an der Gesell-

schaft

schaft. Auch machte ihn dieses ihn überall verfolgende Glück, dieses allgemeine Gelingen, wirklich zu etwas mehr, als er in der That war, weil es ihm Muth und Zuversicht zu ihm selbst gab. Die erhöhte Meinung, die er dadurch von seinem eignen Werth erlangte, gab ihm Glauben an die übertriebene und beynahe abgöttische Verehrung, die man seinem Geiste wiederfahren ließ, die ihm, ohne dieses vergrößerte und gewisserMaßen gegründete Selbstgefühl, nothwendig hätte verdächtig werden müssen. Jetzt aber war diese allgemeine Stimme nur die Bekräftigung dessen, was sein selbstzufriedener Stolz ihm im Stillen sagte — ein Tribut, der ihm, wie er glaubte, von Rechts wegen gebührte. Unfehlbar würde er dieser Schlinge entgangen seyn, hätte man ihn zu Athem kommen lassen, hätte man ihm nur ruhige Muse gegönnt, seinen eignen Werth mit dem Bilde zu vergleichen, das ihm in einem so lieblichen Spiegel vorgehalten wurde. Aber seine Existenz war ein fortdauernder Zustand von Trunkenheit, von schwebendem Taumel. Je höher man ihn gestellt hatte, desto mehr hatte er zu thun, sich auf dieser Höhe zu erhalten: diese immerwährende Anspannung verzehrte ihn langsam; selbst aus seinem Schlaf war die Ruhe geflohen. Man hatte seine Blößen durchschaut, und die Leidenschaft gut berechnet, die man in ihm entzündet hatte.

Bald mußten es seine redlichen Cavaliers entgelten, daß ihr Herr zum großen Kopf geworden war. Ernsthafte Empfindungen und ehrwürdige Wahrheiten, an denen sein Herz sonst mit aller Wärme gehangen, fingen nun an, Gegenstände seines Spotts zu werden. An den Wahrheiten der Religion rächte er sich für den Druck, worunter ihn Wahnbegriffe so lange gehalten hatten; aber weil eine nicht zu verfälschende Stimme seines Herzens die Taumeleyen seines Kopfes bekämpfte, so war mehr Bitterkeit als fröhlicher Muth in seinem Witze. Sein Naturell fing an sich zu ändern, Launen stellten sich ein. Die schönste Zierde seines Charakters, seine Bescheidenheit verschwand; Schmeichler hatten sein treffliches Herz vergiftet. Die schonende Delicatesse des Umgangs, die es seine Cavaliere sonst ganz vergessen gemacht hatte, daß er ihr Herr war, machte jetzt nicht selten einem gebietherischen, entscheidenden Tone Platz, der um so empfindlicher schmerzte, weil er nicht auf den äußerlichen Abstand der Geburt, worüber man sich mit leichter Mühe tröstet, und den er selbst wenig achtete, sondern auf eine beleidigende Voraussetzung seiner persönlichen Erhabenheit gegründet war. Weil er zu Hause doch öfters Betrachtungen Raum gab, die ihn im Taumel der Gesellschaft nicht hatten angehen dürfen, so sahen ihn seine eigenen Leute selten anders als finster, mürrisch und unglücklich, während daß er fremde Zirkel mit einer erzwungenen Fröhlichkeit beseelte. Mit theilnehmendem Leiden sahen wir ihn auf dieser gefährlichen Bahn hinwandeln; aber in dem Tumult, durch den er geworfen wurde, hörte er die schwache Stimme der Freundschaft nicht mehr, und war jetzt auch noch zu glücklich, um sie zu verstehen.

Schon in den ersten Zeiten dieser Epoche forderte mich eine wichtige Angelegenheit an den Hof meines Souverains, die ich auch dem feurigsten Interesse der Freundschaft nicht nachsetzen durfte. Eine unsichtbare Hand, die sich mir erst lange nachher entdeckte, hatte

Mittel gefunden, meine Angelegenheiten dort zu verwirren, und Gerüchte von mir auszubreiten, die ich eilen mußte, durch meine persönliche Gegenwart zu widerlegen. Der Abschied vom Prinzen ward mir schwer, aber ihm war er desto leichter. Schon seit geraumer Zeit waren die Bande erschlafft, die ihn an mich gekettet hatten. Aber sein Schicksal hatte meine ganze Theilnehmung erweckt; ich ließ mir deßwegen von dem Baron von F*** versprechen, mich durch schriftliche Nachrichten damit in Verbindung zu erhalten, was er auch auf's gewissenhafteste gehalten hat. Von jetzt an bin ich also auf lange Zeit kein Augenzeuge dieser Begebenheit mehr: man erlaube mir, den Baron von F*** an meiner Statt aufzuführen, und diese Lücke durch Auszüge aus seinen Briefen zu ergänzen. Ungeachtet die Vorstellungsart meines Freundes F*** nicht immer die meinige ist, so habe ich dennoch an seinen Worten nichts ändern wollen, aus denen der Leser die Wahrheit mit wenig Mühe heraus finden wird.

Baron von F*** an den Grafen von O***.

Erster Brief.

May 17**.

Dank Ihnen, sehr verehrter Freund, daß Sie mir die Erlaubniß ertheilt haben, auch abwesend den vertrauten Umgang mit Ihnen fortzusetzen, der während Ihres Hierseyns meine beste Freude ausmachte. Hier, das wissen Sie, ist niemand, gegen den ich es wagen dürfte, mich über gewisse Dinge heraus zu lassen — was Sie mir auch dagegen sagen mögen, dieses Volk ist mir verhaßt. Seitdem der Prinz einer davon geworden ist, und seitdem vollends Sie uns entrissen sind, bin ich mitten in dieser volkreichen Stadt verlassen. Z*** nimmt es leichter, und die Schönen in Venedig wissen ihm die Kränkungen vergessen zu machen, die er zu Hause mit mir theilen muß. Und was hätte Er sich auch darüber zu grämen? Er sieht und verlangt in dem Prinzen nichts, als einen Herrn, den er überall findet — aber ich! Sie wissen, wie nahe ich das Wohl und Weh unsers Prinzen an meinem Herzen fühle, und wie sehr ich Ursache dazu habe. Sechzehn Jahre sind's, daß ich um seine Person lebe, daß ich nur für ihn lebe. Als ein neunjähriger Knabe kam ich in seine Dienste, und seit dieser Zeit hat mich kein Schicksal von ihm getrennt. Unter seinen Augen bin ich geworden; ein langer Umgang hat mich ihm zugebildet; alle seine großen und kleinen Abenteuer habe ich mit ihm bestanden. Ich lebe in seiner Glückseligkeit. Bis auf dieses unglückliche Jahr habe ich nur meinen Freund, meinen ältern Bruder in ihm gesehen, wie in einem heitern Sonnenschein hab' ich in seinen Augen gelebt — keine Wolke trübte mein Glück; und alles dieß soll mir nun in diesem unseligen Venedig zu Trümmern gehen!

Seitdem Sie von uns sind, hat sich allerley bey uns verändert. Der Prinz von **d** ist vorige Woche mit einer zahlreichen Suite hier angelangt, und hat unserm Zirkel ein neues tumultuarisches Leben gegeben. Da er und unser Prinz so nahe verwandt sind, und jetzt auf einem ziemlich guten Fuß zusammen stehen, so werden sie sich während seines hiesigen Aufenthalts, der, wie ich höre, bis zum Himmelfahrtsfeste dauern soll, wenig von einander trennen. Der Anfang ist schon bestens gemacht; seit zehn Tagen ist der Prinz kaum zu Athem gekommen. Der Prinz von **d** hat es gleich sehr hoch angefangen, und das mochte er immer, da er sich bald wieder entfernt; aber das Schlimme dabey ist, er hat unsern Prinzen damit angesteckt, weil er sich nicht wohl davon ausschließen konnte, und bey dem besondern Verhältniß, das zwischen beyden Häusern obwaltet, dem bestrittenen Range des seinigen hier etwas schuldig zu seyn glaubte. Dazu kommt, daß in wenigen Wochen auch unser Abschied von Venedig herannaht; wodurch er ohnehin überhoben wird, diesen außerordentlichen Aufwand in die Länge fortzuführen.

Der Prinz von **d**, wie man sagt, ist in Geschäften des *** Ordens hier, wobey er sich einbildet, eine wichtige Rolle zu spielen. Daß er von allen Bekanntschaften unsers Prinzen sogleich Besitz genommen haben werde, können Sie Sich leicht einbilden. In den Bucentauro besonders ist er mit Pomp eingeführt worden, da es ihm seit einiger Zeit beliebt hat, den witzigen Kopf und den starken Geist zu spielen, wie er sich denn auch in seinen Correspondenzen, deren er in allen Weltgegenden unterhält, nur den Prince philosophe nennen läßt. Ich weiß nicht, ob Sie das Glück gehabt haben, ihn zu sehen. Ein vielversprechendes Äußere, beschäftigte Augen, eine Miene voll Kunstverständigkeit, viel Prunk von Lectüre, viel erworbene Natur, (vergönnen Sie mir dieses Wort) und eine fürstliche Herablassung zu Menschengefühlen, dabey eine heroische Zuversicht auf sich selbst, und eine alles niedersprechende Beredsamkeit. Wer könnte bey so glänzenden Eigenschaften einer K. H. seine Huldigung versagen? Wie indessen der stille, wortarme und gründliche Werth unsers Prinzen neben dieser schreyenden Vortrefflichkeit auskommen wird, muß der Ausgang lehren.

In unsrer Einrichtung sind seit der Zeit viele und große Veränderungen geschehen. Wir haben ein neues prächtiges Haus, der neuen Procuratie gegenüber, bezogen, weil es dem Prinzen im Mohren zu eng wurde. Unsre Suite hat sich um zwölf Köpfe vermehrt, Pagen, Mohren, Heiducken u. d. m. — Alles geht jetzt in's Große. Sie haben während Ihres Hierseyns über Aufwand geklagt — jetzt sollten Sie erst sehen!

Unsre innern Verhältnisse sind noch die alten, —

außer, daß der Prinz, der durch Ihre Gegenwart nicht mehr in Schranken gehalten wird, wo möglich noch einsylbiger und frostiger gegen uns geworden ist, und daß wir ihn jetzt außer dem An- und Auskleiden wenig haben. Unter dem Vorwand, daß wir das Französische schlecht und das Italiänische gar nicht reden, weiß er uns von seinen mehresten Gesellschaften auszuschließen, wodurch er mir für meine Person eben keine große Kränkung anthut; aber ich glaube das Wahre davon einzusehen: er schämt sich unser — und das schmerzt mich, das haben wir nicht verdient.

Von unsern Leuten (weil Sie doch alle Kleinigkeiten wissen wollen) bedient er sich jetzt fast ganz allein des Biondello, den er, wie Sie wissen, nach Entweichung unsers Jägers in seine Dienste nahm, und der ihm jetzt bey dieser neuen Lebensart ganz unentbehrlich geworden ist. Der Mensch kennt alles in Venedig, und alles weiß er zu gebrauchen. Es ist nicht anders, als wenn er tausend Augen hätte, tausend Hände in Bewegung setzen könnte. Er bewerkstellige dieses mit Hülfe der Gondoliers, sagt er. Dem Prinzen kommt er dadurch ungemein zu Statten, daß er ihn vorläufig mit allen neuen Gesichtern bekannt macht, die diesem in seinen Gesellschaften vorkommen; und die geheimen Notitzen, die er gibt, hat der Prinz immer richtig befunden. Dabey spricht und schreibt er das Italiänische und das Französische vortrefflich, wodurch er sich auch bereits zum Secretair des Prinzen aufgeschwungen hat. Einen Zug von uneigennütziger Treue muß ich Ihnen doch erzählen, der bey einem Menschen dieses Standes in der That selten ist. Neulich ließ ein angesehener Kaufmann aus Rimini bey dem Prinzen um

Gehör ansuchen. Der Gegenstand war eine sonderbare Beschwerde über Biondello. Der Procurator, sein voriger Herr, der ein wunderlicher Heiliger gewesen seyn mochte, hatte mit seinen Verwandten in unversöhnlicher Feindschaft gelebt, die ihn auch, wo möglich, noch überleben sollte. Sein ganzes ausschließendes Vertrauen hatte Biondello, bey dem er alle Geheimnisse niederzulegen pflegte; dieser mußte ihm noch am Todbette angeloben, sie heilig zu bewahren, und zum Vortheil der Verwandten niemahls Gebrauch davon zu machen; ein ansehnliches Legat sollte ihn für diese Verschwiegenheit belohnen. Als man sein Testament eröffnete und seine Papiere durchsuchte, fanden sich große Lücken und Verwirrungen, worüber Biondello allein den Aufschluß geben konnte. Dieser läugnete hartnäckig, daß er etwas wisse, ließ den Erben das sehr beträchtliche Legat, und behielt seine Geheimnisse. Große Erbiethungen wurden ihm von Seiten der Verwandten gethan, aber alle vergeblich; endlich um ihrem Zudringen zu entgehen, weil sie drohten, ihn rechtlich zu belangen, begab er sich bey dem Prinzen in Dienste. An diesen wandte sich nun der Haupterbe, dieser Kaufmann, und that noch größere Erbiethungen, als die schon geschehen waren, wenn Biondello seinen Sinn ändern wollte. Aber auch die Fürsprache des Prinzen war umsonst. Diesem gestand er zwar, daß ihm wirklich dergleichen Geheimnisse anvertraut wären, er läugnete auch nicht, daß der Verstorbene im Haß gegen seine Familie vielleicht zu weit gegangen sey; aber, setzte er hinzu, er war mein guter Herr und mein Wohlthäter, und im festen Vertrauen auf meine Redlichkeit starb er hin. Ich war der einzige Freund, den er auf der Welt verließ — um so weniger darf ich seine einzige Hoffnung hintergehen. Zugleich ließ er merken, daß diese Eröffnungen dem Andenken seines verstorbenen Herrn nicht sehr zur Ehre gereichen dürften. Ist das nicht fein gedacht und edel? Auch können Sie leicht denken, daß der Prinz nicht sehr darauf beharrte, ihn in einer so löblichen Gesinnung wankend zu machen. Diese seltene Treue, die er gegen seinen verstorbenen Herrn bewies, hat ihm das uneingeschränkte Vertrauen des lebenden gewonnen.

Leben Sie glücklich, liebster Freund. Wie sehne ich mich nach dem stillen Leben zurück, in welchem Sie uns hier fanden, und wofür Sie uns so angenehm entschädigten! Ich fürchte, meine guten Zeiten in Venedig sind vorbey, und Gewinn genug, wenn von dem Prinzen nicht das Nähmliche wahr ist. Das Element, worin er jetzt lebt, ist dasjenige nicht, worin er in die Länge glücklich seyn kann, oder eine sechzehnjährige Erfahrung müßte mich betrügen. Leben Sie wohl.

Baron von F*** an den Grafen von O**.

Zweyter Brief.

18. May.

Hätte ich doch nicht gedacht, daß unser Aufenthalt in Venedig noch zu irgend etwas gut seyn würde! Er hat einem Menschen das Leben gerettet, ich bin mit ihm ausgesöhnt.

Der Prinz ließ sich neulich bey später Nacht aus dem Bucentauro nach Hause tragen, zwey Bediente, unter denen Biondello war, begleiteten ihn. Ich weiß nicht, wie es zugeht, die Sänfte, die man in der Eile aufgerafft hatte, zerbricht, und der Prinz sieht sich genöthigt, den Rest des Weges zu Fuße zu mahen. Biondello geht voran, der Weg führte durch einige dunkle abgelegene Straßen, und da es nicht weit mehr von Tages Anbruch war, so brannten die Lampen dunkel, oder waren schon ausgegangen. Eine Viertelstunde mochte man gegangen seyn, als Biondello die Entdeckung machte, daß er verirrt sey. Die Ähnlichkeit der Brücken hatte ihn getäuscht, und anstatt in St. Markus überzusetzen, befand man sich im Sestiere von Castello. Es war in einer der abgelegensten Gasen, und nichts Lebendes weit und breit; man mußte umkehren, um sich in einer Hauptstraße zu orientiren. Sie sind nur wenige Schritte gegangen, als nicht weit von ihnen in einer Gasse ein Mordgeschrey erschallt. Der Prinz, unbewaffnet wie er war, reißt einem Bedienten den Stock aus den Händen, und mit dem entschlossenen Muth, den Sie an ihm kennen, nach der Gegend zu, woher diese Stimme erschallte. Drey fürchterliche Kerls sind eben im Begriff, einen Vierten niederzustoßen, der sich mit seinem Begleiter nur noch schwach vertheidigt; der Prinz erscheint noch eben zu rechter Zeit, um den tödtlichen Stich zu hindern. Sein und der Bedienten Rufen bestürzt die Mörder, die sich an einem so abgelegenen Ort auf keine Überraschung versehen hatten, daß sie nach einigen leichten Dolchstichen von ihrem Manne ablassen und die Flucht ergreifen. Halb ohnmächtig und vom Ringen erschöpft, sinkt der Verwundete in den Arm des Prinzen; sein Begleiter entdeckt diesem, daß er den Marchese von Civitella, den Neffen des Cardinals A***i, gerettet habe. Da der Marchese viel Blut verlor, so machte Biondello, so gut er konnte, in der Eile den Wundarzt, und der Prinz trug Sorge, daß er nach dem Pallast seines Oheims geschafft wurde, der am nächsten gelegen war, und wohin er ihn selbst begleitete. Hier verließ er ihn in der Stille, und ohne sich zu erkennen gegeben zu haben.

Aber durch einen Bedienten, der Biondello erkannt hatte, ward er verrathen. Gleich den folgenden Morgen erschien der Cardinal, eine alte Bekanntschaft aus dem Bucentauro. Der Besuch dauerte eine Stunde; der Cardinal war in großer Bewegung, als sie heraus kamen, Thränen standen in seinen Augen, auch der Prinz war gerührt. Noch an demselben Abend wurde bey dem Kranken ein Besuch abgestattet, von dem der Wundarzt übrigens das Beste versichert. Der Mantel, in den er gehüllt war, hatte die Stöße unsicher gemacht, und ihre Stärke gebrochen. Seit diesem Vorfall verstrich kein Tag, an welchem der Prinz nicht im Hause des Cardinals Besuche gegeben oder empfangen hätte, und eine starke Freundschaft fängt an, sich zwischen ihm und diesem Hause zu bilden.

Der Cardinal ist ein ehrwürdiger Sechziger, majestätisch von Ansehen, voll Heiterkeit und frischer Gesundheit. Man hält ihn für einen der reichsten Prälaten im ganzen Gebiethe der Republik. Sein unermeßliches Vermögen soll er noch sehr jugendlich verwalten, und bey einer vernünftigen Sparsamkeit keine Weltfreude verschmähen. Dieser Neffe ist sein einziger Erbe, der aber mit seinem Oheim nicht immer im besten Vernehmen stehen soll. So wenig der Alte ein Feind des Vergnügens ist, so soll doch die Aufführung des Neffen auch die höchste Toleranz erschöpfen. Seine freyen Grundsätze und seine zügellose Lebensart, unglücklicher Weise durch alles unterstützt, was Laster schmücken, und die Sinnlichkeit hinreissen kann, machen ihn zum Schrecken aller Väter und zum Fluch aller Ehemänner; auch diesen letzten Angriff soll er sich, wie man behauptet, durch eine Intrigue zugezogen haben, die er mit der Gemahlinn des **schen Gesandten angesponnen hatte: anderer schlimmen Händel nicht zu gedenken, woraus ihn das Ansehen und das Geld des Cardinals nur mit Mühe hat retten können. Dieses abgerechnet, wäre letzterer der beneidetste Mann in ganz Italien, weil er alles besitzt, was das Leben wünschenswürdig machen kann. Mit diesem einzigen Familienleiden nimmt das Glück alle seine Gaben zurück, und vergällt ihm den Genuß seines Vermögens durch die immerwährende Furcht, keinen Erben dazu zu finden.

Alle diese Nachrichten habe ich von Biondello. In diesem Menschen hat der Prinz einen wahren Schatz erhalten. Mit jedem Tage macht er sich unentbehrlicher, mit jedem Tage entdecken wir irgend ein neues Talent an ihm. Neulich hatte sich der Prinz erhitzt, und konnte nicht einschlafen. Das Nachtlicht ward ausgelöscht, und kein Klingeln konnte den Kammerdiener erwecken, der außer dem Hause seinen Liebschaften nachgegangen war. Der Prinz entschließt sich also selbst aufzustehen, um einen seiner Leute zu errufen. Er ist noch nicht weit gegangen, als ihm von ferne eine liebliche Musik entgegen schallt. Er geht wie bezaubert dem Schall nach, und findet Biondello auf seinem Zimmer auf der Flöte blasend, seine Cameraden um ihn her. Er will seinen Augen, seinen Ohren nicht trauen, und befiehlt ihm fortzufahren. Mit einer bewundernswürdigen Leichtigkeit extemporirt dieser nun dasselbe schmelzende Adagio mit den glücklichsten Variationen und allen Feinheiten eines Virtuosen. Der Prinz, der ein Kenner ist, wie Sie wissen, behauptet, daß er sich getrost in der besten Kapelle hören lassen dürfte.

„Ich muß diesen Menschen entlassen," sagte er mir den Morgen darauf; „ich bin unvermögend, ihn nach Verdienst zu belohnen." Biondello, der diese Worte aufgefangen hatte, trat herzu. Gnädigster Herr, sagte er, wenn Sie das thun, so rauben Sie mir meine beste Belohnung.

„Du bist zu etwas Besserm bestimmt, als zu

dienen," sagte mein Herr. „Ich darf dir nicht vor deinem Glücke seyn."

Dringen Sie mir doch kein anderes Glück auf, gnädigster Herr, als das ich mir selbst gewählt habe.

„Und ein solches Talent zu vernachlässigen — Nein! Ich darf es nicht zugeben."

So erlauben Sie mir, gnädigster Herr, daß ich es zuweilen in Ihrer Gegenwart übe.

Und dazu wurden auch sogleich die Anstalten getroffen. Biondello erhielt ein Zimmer, zunächst am Schlafgemach seines Herrn, wo er ihn mit Musik in den Schlummer wiegen, und mit Musik daraus erwecken kann. Seinen Gehalt wollte der Prinz verdoppeln, welches er aber verbath, mit der Erklärung: der Prinz möchte ihm erlauben, diese zugedachte Gnade als ein Capital bey ihm zu deponiren, welches er vielleicht in kurzer Zeit nöthig haben würde, zu erheben. Der Prinz erwartet nunmehr, daß er nächstens kommen werde, um etwas zu bitten; und was es auch seyn möge, es ist ihm zum voraus gewährt. Leben Sie wohl, liebster Freund. Ich erwarte mit Ungeduld Nachrichten aus K***n.

Baron von F*** an den Grafen von O**.

Dritter Brief.

4. Junius.

Der Marchese von Civitella, der von seinen Wunden nun ganz wieder hergestellt ist, hat sich vorige Woche durch seinen Onkel, den Cardinal, bey dem Prinzen einführen lassen, und seit diesem Tage folgt er ihm, wie sein Schatten. Von diesem Marchese hat mir Biondello doch nicht die Wahrheit gesagt, wenigstens hat er sie weit übertrieben. Ein sehr liebenswürdiger Mensch von Ansehen, und unwiderstehlich im Umgang. Es ist nicht möglich, ihm gram zu seyn; der erste Anblick hat mich erobert. Denken Sie Sich die bezauberndste Figur, mit Würde und Anmuth getragen, ein Gesicht voll Geist und Seele, eine offne einladende Miene, einen einschmeichelnden Ton der Stimme, die fließendste Beredsamkeit, die blühendste Jugend mit allen Grazien der feinsten Erziehung vereinigt. Er hat gar nichts von dem geringschätzigen Stolz, von der feyerlichen Steifheit, die uns an den übrigen Nobili so unerträglich fällt. Alles an ihm athmet jugendliche Frohherzigkeit, Wohlwollen, Wärme des Gefühls.

Seine Ausschweifungen muß man mir weit übertrieben haben, nie sah ich ein vollkommneres, schöneres Bild der Gesundheit. Wenn er wirklich so schlimm ist, als mir Biondello sagt, so ist es eine Sirene, der kein Mensch widerstehen kann.

Gegen mich war er gleich sehr offen. Er gestand mir mit der angenehmsten Treuherzigkeit, daß er bey seinem Onkel dem Cardinal nicht am besten angeschrieben stehe, und es auch wohl verdient haben möge. Er sey aber ernstlich entschlossen, sich zu bessern, und das Verdienst davon würde ganz dem Prinzen zufallen. Zugleich hoffe er, durch diesen mit seinem Onkel wieder ausgesöhnt zu werden, weil der Prinz alles über den Cardinal vermöge. Es habe ihm bis jetzt nur an einem Freunde und Führer gefehlt, und beydes hoffe er sich in dem Prinzen zu erwerben.

Der Prinz bedient sich auch aller Rechte eines Führers gegen ihn, und behandelt ihn mit der Wachsamkeit und Strenge eines Mentors. Aber eben dieses Verhältniß gibt auch ihm gewisse Rechte an den Prinzen, die er sehr gut geltend zu machen weiß. Er kommt ihm nicht mehr von der Seite, er ist bey allen Parthien, an denen der Prinz Theil nimmt; für den Bucentauro ist er — und das ist sein Glück! bis jetzt nur zu jung gewesen. Überall, wo er sich mit dem Prinzen einfindet, entführt er diesen der Gesellschaft, durch die feine Art, womit er ihn zu beschäftigen und auf sich zu ziehen weiß. Niemand, sagen sie, habe ihn bändigen können, und der Prinz verdiene eine Legende, wenn ihm dieses Riesenwerk gelänge. Ich fürchte aber sehr, das Blatt möchte sich vielmehr wenden, und der Führer bey seinem Zögling in die Schule gehen,

hen, wozu sich auch bereits alle Umstände anzulassen scheinen.

Der Prinz von **d** ist nun abgereiset, und zwar zu unserm allerseitigen Vergnügen, auch meinen Herrn nicht ausgenommen. Was ich voraus gesagt habe, liebster O**, ist auch richtig eingetroffen. Bey so entgegengesetzten Charakteren, bey so unvermeidlichen Collisionen konnte dieses gute Vernehmen auf die Dauer nicht bestehen. Der Prinz von **d** war nicht lange in Venedig, so entstand ein bedenkliches Schisma in der spirituellen Welt, das unsern Prinzen in Gefahr setzte, die Hälfte seiner bisherigen Bewunderer zu verlieren. Wo er sich nur sehen ließ, fand er diesen Nebenbuhler in seinem Wege, der gerade die gehörige Dosis kleiner List und selbstgefälliger Eitelkeit besaß, um jeden noch so kleinen Vortheil geltend zu machen, den ihm der Prinz über sich gab. Weil ihm zugleich alle kleinliche Kunstgriffe zu Gebothe standen, deren Gebrauch dem Prinzen ein edles Selbstgefühl untersagte, so konnte es nicht fehlen, daß er nicht in kurzer Zeit die Schwachköpfe auf seiner Seite hatte, und an der Spitze eine Parthie prangte, die seiner würdig war*). Das Vernünftigste wäre freylich wohl gewesen, mit einem Gegner dieser Art sich in gar keinen

*) Das harte Urtheil, welches sich der Baron von F*** hier und in einigen Stellen des ersten Briefs über einen geistreichen Prinzen erlaubt, wird jeder, der das Glück hat, diesen Prinzen näher zu kennen, mit mir übertrieben finden, und es dem eingenommenen Kopfe dieses jugendlichen Beurtheilers zu Gute halten.

Anm. des Graf. v. O**.

Wettkampf einzulassen, und einige Monathe früher wäre dieß gewiß die Parthie gewesen, welche der Prinz ergriffen hätte. Jetzt aber war er schon zu weit in den Strom gerissen, um das Ufer so schnell wieder erreichen zu können. Diese Nichtigkeiten hatten, wenn auch nur durch die Umstände, einen gewissen Werth bey ihm erlangt, und hätte er sie auch wirklich verachtet, so erlaubte ihm sein Stolz nicht, ihnen in einem Zeitpuncte zu entsagen, wo sein Nachgeben weniger für einen freywilligen Entschluß, als für ein Geständniß seiner Niederlage würde gegolten haben. Das unselige Hin- und Wiederbringen schneidender Reden von beyden Seiten kam dazu, und der Geist von Rivalität, der seine Anhänger erhitzte, hatte auch ihn ergriffen. Um also seine Eroberungen zu bewahren, um sich auf dem schlüpfrigen Platze zu erhalten, dem ihm die Meinung der Welt angewiesen hatte, glaubte er die Gelegenheiten häufen zu müssen, wo er glänzen und verbinden konnte, und dieß konnte nur durch einen fürstlichen Aufwand erreicht werden; daher ewige Feste und Gelage, kostbare Concerte, Präsente und hohes Spiel. Und weil sich diese seltsame Raserey bald auch der beyderseitigen Suite und Dienerschaft mittheilte, die, wie Sie wissen, über den Artikel der Ehre noch weit wachsamer zu halten pflegt als ihre Herrschaft, so mußte er dem guten Willen seiner Leute durch seine Freygebigkeit zu Hülfe kommen. Eine ganze lange Kette von Armseligkeiten, alles unvermeidliche Folgen einer einzigen ziemlich verzeihlichen Schwachheit, von der sich der Prinz in einem unglücklichen Augenblick überschleichen ließ!

Den Nebenbuhler sind wir zwar nun los, aber

was er verdorben hat, ist nicht so leicht wieder gut zu machen. Des Prinzen Schatulle ist erschöpft; was er durch eine weise Ökonomie seit Jahren erspart hat, ist dahin; wir müssen eilen, aus Venedig zu kommen, wenn er sich nicht in Schulden stürzen soll, wovor er sich bis jetzt auf das sorgfältigste gehüthet hat. Die Abreise ist auch fest beschlossen, sobald nur erst frische Wechsel da sind.

Möchte indeß aller dieser Aufwand gemacht seyn, wenn mein Herr nur eine einzige Freude dabey gewonnen hätte! Aber nie war er weniger glücklich als jetzt! Er fühlt, daß er nicht ist, was er sonst war — er sucht sich selbst — er ist unzufrieden mit sich selbst, und stürzt sich in neue Zerstreuungen, um den Folgen der alten zu entfliehen. Eine neue Bekanntschaft folgt auf die andre, die ihn immer tiefer hinein reißt. Ich sehe nicht, wie das noch werden soll. Wir müssen fort — hier ist keine andre Rettung — wir müssen fort aus Venedig.

Aber, liebster Freund, noch immer keine Zeile von Ihnen! Wie muß ich dieses lange hartnäckige Schweigen mir erklären?

Baron von F*** an den Grafen von O**.

Vierter Brief.

12. Junius.

Haben Sie Dank, liebster Freund, für das Zeichen Ihres Andenkens, das mir der junge B***hl von Ihnen überbrachte. Aber was sprechen Sie darin von Briefen, die ich erhalten haben soll? Ich habe keinen Brief von Ihnen erhalten, nicht eine Zeile. Welchen weiten Umweg müssen die genommen haben! Künftig, liebster O**, wenn Sie mich mit Briefen beehren, senden Sie solche über Trient und unter der Addresse meines Herrn.

Endlich haben wir den Schritt doch thun müssen, liebster Freund, den wir bis jetzt so glücklich vermieden haben. — Die Wechsel sind ausgeblieben, jetzt in diesem dringendsten Bedürfniß zum ersten Mahl ausgeblieben, und wir waren in die Nothwendigkeit gesetzt, unsre Zuflucht zu einem Wucherer zu nehmen, weil der Prinz das Geheimniß gern etwas theurer bezahlt. Das Schlimmste an diesem unangenehmen Vorfall ist, daß er unsre Abreise verzögert.

Bey dieser Gelegenheit kam es zu einigen Erläuterungen zwischen mir und dem Prinzen. Das ganze Geschäft war durch Biondello's Hände gegangen, und der Ebräer war da, eh' ich etwas davon ahnete. Den Prinzen zu dieser Extremität gebracht zu sehen, preßte mir das Herz, und machte alle Erinnerungen der Vergangenheit, alle Schrecken für die Zukunft in mir lebendig, daß ich freylich etwas grämlich und düster ausgesehen haben mochte, als der Wucherer hinaus war. Der Prinz, den der vorhergehende Auftritt ohnehin sehr reitzbar gemacht hatte, ging mit Unmuth im Zimmer auf und nieder, die Rollen lagen noch auf dem Tische, ich stand am Fenster, und beschäftigte mich, die Scheiben in der Procuratie zu zählen, es war eine lange Stille; endlich brach er los.

„F***!" fing er an: „Ich kann keine finstern Gesichter um mich leiden."

Ich schwieg.

„Warum antworten Sie mir nicht? — Seh' ich nicht, daß es Ihnen das Herz abdrücken will, Ihren Verdruß auszugießen? Und ich will haben, daß Sie reden. Sie dürften sonst Wunder glauben, was für weise Dinge Sie verschweigen."

Wenn ich finster bin, gnädigster Herr, sagte ich, so ist es nur, weil ich sie nicht heiter sehe.

„Ich weiß," fuhr er fort, „daß ich Ihnen nicht recht bin — schon seit geraumer Zeit — daß alle meine Schritte mißbilligt werden — daß — Was schreibt der Graf von O**?"

Der Graf von O** hat mir nichts geschrieben.

„Nichts? Was wollen Sie es läugnen? Sie haben Herzensergießungen zusammen — Sie und der Graf! Ich weiß es recht gut. Aber gestehen Sie mir's immer. Ich werde mich nicht in Ihre Geheimnisse eindringen."

Der Graf von O**, sagte ich, hat mir von drey Briefen, die ich ihm schrieb, noch den ersten zu beantworten.

„Ich habe Unrecht gethan," fuhr er fort. „Nicht wahr? (eine Rolle ergreifend) Ich hätte das nicht thun sollen?"

Ich sehe wohl ein, daß dieß nothwendig war.

„Ich hätte mich nicht in die Nothwendigkeit setzen sollen?"

Ich schwieg.

„Freylich! Ich hätte mich mit meinen Wünschen nie über das hinaus wagen sollen, und darüber zum Greis werden, wie ich zum Mann geworden bin! Weil ich aus der traurigen Einförmigkeit meines bisherigen Lebens einmahl heraus gehe und herum schaue, ob sich nicht irgend anderswo eine Quelle des Genusses für mich öffnet — weil ich —"

Wenn es ein Versuch war, gnädigster Herr, dann habe ich nichts mehr zu sagen — dann sind die Erfahrungen, die er Ihnen verschafft haben wird, mit noch drey Mahl so viel nicht zu theuer erkauft. Es that mir wehe, ich gesteh' es, daß die Meinung der Welt über eine Frage, wie Sie glücklich seyn sollen, zu entscheiden haben sollte.

„Wohl Ihnen, daß Sie sie verachten können, die Meinung der Welt! Ich bin ihr Geschöpf, ich muß ihr Sclave seyn. Was sind wir anders als Meinung? Alles an uns Fürsten ist Meinung. Die Meinung ist unsre Amme und Erzieherinn in der Kindheit, unsre Gesetzgeberinn und Geliebte in männlichen Jahren, unsre Krücke im Alter. Nehmen Sie uns, was wir von der Meinung haben, und der Schlechteste aus den übrigen Classen ist besser daran als wir; denn sein Schicksal hat ihm doch zu einer Philosophie verholfen, welche ihn über dieses Schicksal tröstet. Ein Fürst, der die Meinung verlacht, hebt sich selbst auf, wie der Priester, der das Daseyn eines Gottes läugnet."

Und dennoch, gnädigster Prinz —

„Ich weiß, was Sie sagen wollen. Ich kann den Kreis überschreiten, den meine Geburt um mich gezogen hat — aber kann ich auch alle Wahnbegriffe aus meinem Gedächtniß heraus reissen, die Erziehung und frühe Gewohnheit darein gepflanzt, und hundert tausend Schwachköpfe unter euch immer fester und fester darin gegründet haben? Jeder will doch gern ganz seyn, was er ist, und unsre Existenz ist nun einmahl, glücklich scheinen. Weil wir es nicht seyn können auf Eure Weise, sollen wir es darum gar nicht seyn? Wenn wir die Freude aus ihrem reinen Quell unmittelbar nicht mehr schöpfen dürfen, sollen wir uns auch nicht mit einem künstlichen Genuß hintergehen, nicht von eben der Hand, die uns beraubte, eine schwache Entschädigung empfangen dürfen?"

Sonst fanden Sie diese in Ihrem Herzen.

„Wenn ich sie nun nicht mehr darin finde? — O wie kommen wir darauf? Warum mußten Sie diese Erinnerungen in mir aufwecken? — Wenn ich nun eben zu diesem Sinnentumult meine Zuflucht nahm, um eine innere Stimme zu betäuben, die das Unglück meines Lebens macht — um diese grübelnde Vernunft zur Ruhe zu bringen, die wie eine schneidende Sichel in meinem Gehirn hin und her fährt, und mit jeder neuen Forschung einen neuen Zweig meiner Glückseligkeit zerschneidet?"

Mein bester Prinz! — Er war aufgestanden, und ging im Zimmer herum, in ungewöhnlicher Bewegung.

„Wenn alles vor mir und hinter mir versinkt — die Vergangenheit im traurigen Einerley wie ein Reich der Versteinerung hinter mir liegt — wenn die Zukunft mir nichts biethet — wenn ich meines Daseyns ganzen Kreis im schmalen Raume der Gegenwart beschlossen sehe — wer verargt es mir, daß ich dieses magre Geschenk der Zeit, — den Augenblick — feurig und unersättlich wie einen Freund, den ich zum letzten Mahle sehe, in meine Arme schließe?"

Gnädigster Herr, sonst glaubten Sie an ein bleibenderes Gut —

„O machen Sie, daß mir das Wolkenbild halte, und ich will meine glühenden Arme darum schlagen. Was für Freude kann es mir geben, Erscheinungen zu beglücken, die morgen dahin seyn werden, wie ich? — Ist nicht alles Flucht um mich herum? Alles stößt sich und drängt seinen Nachbar weg, aus dem Quell des Daseyns einen Tropfen eilend zu trinken, und lechzend davon zu gehen. Jetzt in dem Augenblicke, wo ich meiner Kraft mich freue, ist schon ein werdendes Leben an meine Zerstörung angewiesen. Zeigen Sie mir etwas, das dauert, so will ich tugendhaft seyn."

Was hat denn die wohlthätigen Empfindungen verdrängt, die einst der Genuß und die Richtschnur Ihres Lebens waren? Saaten für die Zukunft zu pflanzen, einer hohen ewigen Ordnung zu dienen —

„Zukunft! Ewige Ordnung! — Nehmen wir

hinweg, was der Mensch aus seiner eigenen Brust genommen, und seiner eingebildeten Gottheit als Zweck, der Natur als Gesetz untergeschoben hat — was bleibt uns dann übrig? — Was mir vorherging und was mir folgen wird, sehe ich als zwey schwarze und undurchdringliche Decken an, die an beyden Gränzen des menschlichen Lebens herunter hangen, und welche noch kein Lebender aufgezogen hat. Schon viele hundert Generationen stehen mit der Fackel davor, und rathen, was etwa dahinter seyn möchte. Viele sehen ihren eigenen Schatten, die Gestalten ihrer Leidenschaft, vergrößert auf der Decke der Zukunft sich bewegen, und fahren schaudernd vor ihrem eigenen Bilde zusammen. Dichter, Philosophen und Staatenstifter haben sie mit ihren Träumen bemahlt, lachender oder finstrer, wie der Himmel über ihnen trüber oder heiterer war; und von weitem täuschte die Perspective. Auch manche Gaukler nützten diese allgemeine Neugier, und setzten durch seltsame Vermummungen die gespannten Phantasien in Erstaunen. Eine tiefe Stille herrscht hinter dieser Decke, keiner, der einmahl dahinter ist, antwortet hinter ihr hervor; alles, was man hörte, war ein hohler Wiederschall der Frage, als ob man in eine Gruft gerufen hätte. Hinter diese Decke müssen alle, und mit Schaudern fassen sie sie an, ungewiß, wer wohl dahinter stehe, und sie in Empfang nehmen werde; quid sit id, quod tantum perituri vident. Freylich gab es auch Ungläubige darunter, die behaupteten, daß diese Decke die Menschen nur narre, und daß man nichts beobachtet hätte, weil auch nichts dahinter sey, aber um sie zu überweisen, schickte man sie eilig dahinter."

Ein rascher Schluß war es immer, wenn sie keinen bessern Grund hatten, als weil sie nichts sahen.

„Sehen Sie nun, lieber Freund, ich bescheide mich gern, nicht hinter diese Decke blicken zu wollen — und das Weiseste wird doch wohl seyn, mich von aller Neugier zu entwöhnen. Aber indem ich diesen unüberschreitbaren Kreis um mich ziehe, und mein ganzes Seyn in die Schranken der Gegenwart einschließe, wird mir dieser kleine Fleck desto wichtiger, den ich schon über eiteln Eroberungsgedanken zu vernachlässigen in Gefahr war. Das, was Sie den Zweck meines Daseyns nennen, geht mich jetzt nichts mehr an. Ich kann mich ihm nicht entziehen, ich kann ihm nicht nachhelfen; ich weiß aber und glaube fest, daß ich einen solchen Zweck erfüllen muß und erfülle. Ich bin einem Bothen gleich, der einen versiegelten Brief an den Ort seiner Bestimmung trägt. Was er enthält, kann ihm einerley seyn — er hat nichts, als sein Bothenlohn dabey zu verdienen."

O wie arm lassen Sie mich stehn.

„Aber wohin haben wir uns verirret?" rief jetzt der Prinz aus, indem er lächelnd auf den Tisch sah, wo die Rollen lagen. „Und doch nicht so sehr verirret!" setzte er hinzu — „denn vielleicht werden Sie mich jetzt in dieser neuen Lebensart wieder finden Auch ich konnte mich nicht so schnell von dem eingebildeten Reichthum entwöhnen, die Stützen meiner Moralität und meiner Glückseligkeit nicht so schnell von dem lieblichen Traume ablösen, mit welchem alles, was bis jetzt in mir gelebt hatte, so fest verschlungen war. Ich sehnte mich nach dem Leichtsinne, der das Daseyn der mehresten Menschen um mich her erträglich macht. Alles, was mich mir selbst entführte, war mir willkommen. Soll ich es Ihnen gestehen? Ich wünschte zu sinken, um diese Quelle meines Leidens auch mit der Kraft dazu zu zerstören."

Hier unterbrach uns ein Besuch — Künftig werde ich Sie von einer Neuigkeit unterhalten, die Sie wohl schwerlich auf ein Gespräch, wie das heutige, erwarten dürften. Leben Sie wohl.

Baron von F*** an den Grafen von O**.

Fünfter Brief.

1. Julius.

Da unser Abschied von Venedig nunmehr mit starken Schritten herannahet, so sollte diese Woche noch dazu angewandt werden, alles Sehenswürdige an Gemählden und Gebäuden noch nachzuhohlen, was man bey einem langen Aufenthalt immer verschiebt. Besonders hatte man uns mit vieler Bewunderung von der Hochzeit zu Cana des Paul Veronese gesprochen, die auf der Insel St. Georg in einem dortigen Benedictiner-Kloster zu sehen ist. Erwarten Sie von mir keine Beschreibung dieses außerordentlichen Kunstwerks, das mir im Ganzen zwar einen sehr überraschenden, aber nicht sehr genußreichen Anblick gegeben hat. Wir hätten so viele Stunden als Minuten gebraucht, um eine Composition von hundert und zwanzig Figuren zu umfassen, die über dreyßig Fuß in der Breite hat. Welches menschliche Auge kann ein so zusammengesetztes Ganze erreichen, und die ganze Schönheit, die der Künstler darin verschwendet hat, in Einem Eindruck geniessen! Schade ist es indessen, daß ein Werk von diesem Gehalte, das an einem öffentlichen Orte glänzen und von jedermann genossen werden sollte, keine bessere Bestimmung hat, als eine Anzahl Mönche in ihrem Refectorium zu vergnügen. Auch die Kirche dieses Klosters verdient nicht weniger gesehen zu werden. Sie ist eine der schönsten in dieser Stadt.

Gegen Abend ließen wir uns in die Giudecca überfahren, um dort in den reitzenden Gärten einen schönen Abend zu verleben. Die Gesellschaft, die nicht sehr groß war, zerstreute sich bald, und mich zog Civitella, der schon den ganzen Tag über Gelegenheit gesucht hatte, mich zu sprechen, mit sich in eine Buskage.

„Sie sind der Freund des Prinzen," fing er an, „vor dem er keine Geheimnisse zu haben pflegt, wie ich von sehr guter Hand weiß. Als ich heute in sein Hotel trat, kam ein Mann heraus, dessen Gewerbe mir bekannt ist — und auf des Prinzen Stirne standen Wolken, als ich zu ihm herein trat." — Ich wollte ihn unterbrechen — „Sie können es nicht läugnen," fuhr er fort, „ich kannte meinen Mann, ich habe ihn sehr gut ins Herz gefaßt — und wäre es möglich? Der Prinz hätte Freunde in Venedig, Freunde, die ihm mit Blut und Leben verpflichtet sind, und sollte dahin gebracht seyn, in einem dringenden Falle sich solcher Kreaturen zu bedienen? Seyn Sie aufrichtig, Baron! — Ist der Prinz in Verlegenheit? — Sie bemühen sich umsonst, es zu verbergen. Was ich von Ihnen nicht erfahre, ist mir bey meinem Manne gewiß, dem jedes Geheimniß feil ist."

Herr Marchese —

„Verzeihen Sie. Ich muß indiscret scheinen, um nicht ein Undankbarer zu werden. Dem Prinzen danke ich das Leben, und was mir weit über das Leben geht, einen vernünftigen Gebrauch des Lebens. Ich sollte den Prinzen Schritte thun sehen, die ihm kosten, die unter seiner Würde sind; es stände in meiner Macht, sie ihm zu ersparen, und ich sollte mich leidend dabey verhalten?"

Der Prinz ist nicht in Verlegenheit, sagte ich. Einige Wechsel, die wir über Trient erwarteten, sind uns unvermuthet ausgeblieben. Zufällig ohne Zweifel — oder weil man, in Ungewißheit wegen seiner Abreise, noch eine nähere Weisung von ihm erwartete. Dieß ist nun geschehen, und bis dahin —

Er schüttelte den Kopf. „Verkennen Sie meine Absicht nicht," sagte er. „Es kann hier nicht davon die Rede seyn, meine Verbindlichkeit gegen den Prinzen dadurch zu vermindern — würden alle Reichthümer meines Onkels dazu hinreichen? Die Rede ist davon, ihm einen einzigen unangenehmen Augenblick zu ersparen. Mein Oheim besitzt ein großes Vermögen, worüber ich so gut als über mein Eigenthum disponiren kann. Ein glücklicher Zufall führt mir den einzigen möglichen Fall entgegen, daß dem Prinzen, von allem, was in meiner Gewalt stehet, etwas nützlich werden kann. „Ich weiß," fuhr er fort, „was die Delicatesse dem Prinzen auflegt — aber sie ist auch gegenseitig — und es wäre großmüthig von dem Prinzen gehandelt, mir diese kleine Genugthuung zu gönnen, geschäh' es auch nur zum Scheine — um mir die Last von Verbindlichkeit, die mich niederdrückt, weniger fühlbar zu machen."

Er ließ nicht nach, bis ich ihm versprochen hatte, mein Möglichstes dabey zu thun; ich kannte den Prinzen, und hoffte darum wenig. Alle Bedingungen wollte er sich von dem letztern gefallen lassen, wiewohl er gestand, daß es ihn empfindlich kränken würde, wenn ihn der Prinz auf den Fuß eines Fremden behandelte.

Wir hatten uns in der Hitze des Gesprächs weit von der übrigen Gesellschaft verloren, und waren eben auf dem Rückweg, als Z*** uns entgegen kam.

„Ich suche den Prinzen bey Ihnen — ist er nicht hier? —"

Eben wollen wir zu ihm. Wir vermutheten ihn bey der übrigen Gesellschaft zu finden.

„Die Gesellschaft ist beysammen, aber er ist nirgends anzutreffen. Ich weiß gar nicht, wie er uns aus den Augen gekommen ist."

Hier erinnerte sich Civitella, daß ihm vielleicht eingefallen seyn könnte, die anstoßende Kirche zu besuchen, auf die er ihn kurz vorher sehr aufmerksam gemacht hatte. Wir machten uns sogleich auf den Weg, ihn dort aufzusuchen. Schon von weitem entdeckten wir Biondello, der am Eingange der Kirche wartete. Als wir näher kamen, trat der Prinz etwas hastig aus einer Seitenthüre; sein Gesicht glühte, seine Augen suchten Biondello, den er herbey rief. Er schien ihm etwas sehr angelegentlich zu befehlen, wobey er immer die Augen auf die Thüre richtete, die offen geblieben war. Biondello eilte schnell von ihm in die Kirche — der Prinz, ohne uns gewahr zu werden, drückte sich an uns vorbey, durch die Menge, und eilte zur Gesellschaft zurück, wo er noch vor uns anlangte.

Es wurde beschlossen, in einem offenen Pavillon dieses Gartens das Souper einzunehmen, wozu der Marchese ohne unser Wissen ein kleines Concert veranstaltet hatte, das ganz auserlesen war. Besonders ließ sich eine junge Sängerinn dabey hören, die uns alle durch ihre liebliche Stimme, wie durch ihre reitzende Figur, entzückte. Auf den Prinzen schien nichts Eindruck zu machen; er sprach wenig, und antwortete zerstreut, seine Augen waren unruhig nach der Gegend gekehrt, woher Biondello kommen mußte; eine große Bewegung schien in seinem Innern vorzugehen. Civitella fragte, wie ihm die Kirche gefallen hätte; er wußte nichts davon zu sagen. Man sprach von einigen vorzüglichen Gemählden, die sie merkwürdig machten; er hatte keine Gemählde gesehen. Wir merkten, daß unsere Fragen ihn belästigten. Eine Stunde verging nach der andern, und Biondello kam noch immer nicht. Des Prinzen Ungeduld stieg aufs höchste; er hob die Tafel frühzeitig auf, und ging in einer abgelegenen Allee ganz allein mit starken Schritten auf und nieder. Niemand begriff, was ihm begegnet seyn mochte. Ich wagte es nicht, ihn um die Ursache einer so seltsamen Veränderung zu befragen; es ist schon lange, daß ich mir die vorigen Vertraulichkeiten nicht mehr bey ihm heraus nehme. Mit desto mehr Ungeduld erwartete ich Biondello's Zurückkunft, der mir dieses Räthsel aufklären sollte.

Es war nach zehn Uhr, als der wieder kam. Die Nachrichten, die er dem Prinzen mitbrachte, trugen nichts dazu bey, diesen gesprächiger zu machen. Mißmuthig trat er zur Gesellschaft, die Gondel wurde bestellt, und bald darauf fuhren wir nach Hause.

Den

Den ganzen Abend konnte ich keine Gelegenheit finden, Biondello zu sprechen, ich mußte mich also mit meiner unbefriedigten Neugierde schlafen legen. Der Prinz hatte uns frühzeitig entlassen; aber tausend Gedanken, die mir durch den Kopf gingen, erhielten mich munter. Lange hörte ich ihn über meinem Schlafzimmer auf und nieder gehen; endlich überwältigte mich der Schlaf. Spät nach Mitternacht erweckte mich eine Stimme — eine Hand fuhr über mein Gesicht; wie ich aufsah, war es der Prinz, der, ein Licht in der Hand, vor meinem Bette stand. Er könne nicht einschlafen, sagte er, und bath mich, ihm die Nacht verkürzen zu helfen. Ich wollte mich in meine Kleider werfen — er befahl mir zu bleiben, und setzte sich zu mir vor das Bett.

„Es ist mir heute etwas vorgekommen," fing er an, „davon der Eindruck aus meinem Gemüthe nie mehr verlöschen wird. Ich ging von Ihnen, wie Sie wissen, in die *** Kirche, worauf mich Civitella neugierig gemacht, und die schon von ferne meine Augen auf sich gezogen hatte. Weil weder Sie noch Er mir gleich zur Hand waren, so machte ich die wenigen Schritte allein; Biondello ließ ich am Eingange auf mich warten. Die Kirche war ganz leer — eine schaurigkühle Dunkelheit umfing mich, als ich aus dem schwülen, blendenden Tageslicht hinein trat. Ich sah mich einsam in dem weiten Gewölbe, worin eine feyerliche Grabstille herrschte. Ich stellte mich in die Mitte des Doms, und überließ mich der ganzen Fülle dieses Eindrucks; allmählich traten die großen Verhältnisse dieses majestätischen Baues meinen Augen bemerkbarer hervor, ich verlor mich in ernster ergetzender

Betrachtung. Die Abendglocke tönte über mir, ihr Ton verhallte sanft in diesem Gewölbe, wie in meiner Seele. Einige Altarstücke hatten von weitem meine Aufmerksamkeit erweckt; ich trat näher, sie zu betrachten; unvermerkt hatte ich diese ganze Seite der Kirche bis zum entgegen stehenden Ende durchwandert. Hier lenkt man um einen Pfeiler einige Treppen hinauf in eine Nebenkapelle, worin mehrere kleinere Altäre und Statüen von Heiligen in Nischen angebracht stehen. Wie ich in die Kapelle zur Rechten hinein trete — höre ich nahe an mir ein zartes Wispern, wie wenn jemand leise spricht — ich wende mich nach dem Tone, und — zwey Schritte von mir fällt mir eine weibliche Gestalt in die Augen — — Nein! ich kann sie nicht nachschildern, diese Gestalt! — Schrecken war meine erste Empfindung, die aber bald dem süßesten Hinstaunen Platz machte."

Und diese Gestalt, gnädigster Herr — wissen Sie auch gewiß, daß sie etwas Lebendiges war, etwas Wirkliches, kein bloßes Gemählde, kein Gesicht Ihrer Fantasie?

„Hören Sie weiter — Es war eine Dame — Nein! Ich hatte bis auf diesen Augenblick dieß Geschlecht nie gesehen! Alles war düster rings herum, nur durch ein einziges Fenster fiel der untergehende Tag in die Kapelle, die Sonne war nirgends mehr, als auf dieser Gestalt. Mit unaussprechlicher Anmuth — halb kniend, halb liegend — war sie vor einem Altar hingegossen — der gewagteste, lieblichste, gelungenste Umriß, einzig und unnachahmlich, die schönste Linie in der Natur. Schwarz war ihr Gewand, das sich spannend um den reitzendsten Leib, um die niedlichsten Arme schloß, und in weiten Falten, wie eine spanische Robe, um sie breitete; ihr langes, lichtblondes Haar, in zwey breite Flechten geschlungen, die durch ihre Schwere los gegangen und unter dem Schleyer hervorgedrungen waren, floß in reitzender Unordnung weit über den Rücken hinab — eine Hand lag an dem Crucifixe, und sanft hinsinkend ruhte sie auf der andern. Aber wo finde ich Worte, Ihnen das himmlisch schöne Angesicht zu beschreiben, wo eine Engelseele, wie auf ihrem Thronensitz, die ganze Fülle ihrer Reitze ausbreitete? Die Abendsonne spielte darauf, und ihr luftiges Gold schien es mit einer künstlichen Glorie zu umgeben. Können Sie Sich die Madonna unsers Florentiners zurück rufen — Hier war sie ganz, ganz bis auf die unregelmäßigen Eigenheiten, die ich an jenem Bilde so anziehend, so unwiderstehlich fand."

Mit der Madonna, von der der Prinz hier spricht, verhält es sich so. Kurz nachdem Sie abgereiset waren, lernte er einen florentinischen Mahler hier kennen, der nach Venedig berufen worden war, um für eine Kirche, deren ich mich nicht mehr entsinne, ein Altarblatt zu mahlen. Er hatte drey andere Gemählde mitgebracht, die er für die Gallerie im Kornarischen Pallaste bestimmt hatte. Die Gemählde waren eine Madonna, eine Heloise, und eine fast ganz unbekleidete Venus — alle drey von ausnehmender Schönheit, und am Werthe einander so gleich, daß es beynahe unmöglich war, sich für eines von den dreyen ausschließend zu entscheiden. Nur der Prinz blieb nicht einen Augenblick unschlüssig; man hatte sie kaum vor ihm ausgestellt, als das Madonnastuck seine ganze Aufmerksamkeit an sich zog; in den beyden übrigen wurde das Genie des Künst-

J 2

lers bewundert, bey diesem vergaß er den Künstler und seine Kunst, um ganz im Anschauen seines Werks zu leben. Er war ganz wunderbar davon gerührt; er konnte sich von dem Stücke kaum los reissen. Der Künstler, dem man wohl ansah, daß er das Urtheil des Prinzen im Herzen bekräftigte, hatte den Eigensinn, die drey Stücke nicht trennen zu wollen, und forderte 1500 Zechinen für alle. Die Hälfte both ihm der Prinz für dieses einzige an — der Künstler bestand auf seiner Bedingung, und wer weiß, was noch geschehen wäre, wenn sich nicht ein entschlossener Käufer gefunden hätte. Zwey Stunden darauf waren alle drey Stücke weg; wir haben sie nicht mehr gesehen. Dieses Gemählde kam dem Prinzen jetzt in Erinnerung.

„Ich stand," fuhr er fort, „ich stand in ihrem Anblick verloren. Sie bemerkte mich nicht, sie ließ sich durch meine Dazwischenkunft nicht stören, so ganz war sie in ihrer Andacht vertieft. Sie bethete zu ihrer Gottheit, und ich bethete zu ihr — Ja, ich bethete sie an — Alle diese Bilder der Heiligen, diese Altäre, diese brennenden Kerzen hatten mich nicht daran erinnert; jetzt zum ersten Mahl ergriff mich's, als ob ich in einem Heiligthum wäre. Soll ich es Ihnen gestehen? Ich glaubte in diesem Augenblick felsenfest an den, den ihre schöne Hand umfaßt hielt. Ich las ja seine Antwort in ihren Augen. Dank ihrer reitzenden Andacht! Sie machte mir ihn wirklich — ich folgte ihr nach durch alle seine Himmel."

„Sie stand auf, und jetzt erst kam ich wieder zu mir selbst. Mit schüchterner Verwirrung wich ich auf die Seite, das Geräusch, das ich machte, entdeckte mich ihr. Die unvermuthete Nähe eines Mannes muß te sie überraschen, meine Dreistigkeit konnte sie beleidigen; keines von beyden war in dem Blicke, womit sie mich ansah. Ruhe, unaussprechliche Ruhe war darin, und ein gütiges Lächeln spielte um ihre Wangen. Sie kam aus ihrem Himmel — und ich war das erste glückliche Geschöpf, das sich ihrem Wohlwollen anboth. Sie schwebte noch auf der letzten Sprosse des Gebeths — sie hatte die Erde noch nicht berührt."

„In einer andern Ecke der Kapelle regte es sich nun auch. Eine ältliche Dame war es, die dicht hinter mir von einem Kirchstuhle aufstand. Ich hatte sie bis jetzt nicht wahrgenommen. Sie war nur wenige Schritte von mir, sie hatte alle meine Bewegungen gesehen. Dieß bestürzte mich — ich schlug die Augen zu Boden, und man rauschte an mir vorüber."

„Ich sah sie den langen Kirchgang hinunter gehen. Die schöne Gestalt ist aufgerichtet — Welche liebliche Majestät! Welcher Adel im Gange! Das vorige Wesen ist es nicht mehr — neue Grazien — eine ganz neue Erscheinung. Langsam gehen sie hinab. Ich folge von weitem und schüchtern, ungewiß, ob ich es wagen soll, sie einzuhohlen? ob ich es nicht soll? Wird sie mir keinen Blick mehr schenken? Schenkte sie mir einen Blick, da sie an mir vorüber ging, und ich die Augen nicht zu ihr aufschlagen konnte? — O wie marterte mich dieser Zweifel!"

„Sie stehen stille, und ich — kann keinen Fuß von der Stelle setzen. Die ältliche Dame, ihre Mutter, oder was sie ihr sonst war, bemerkt die Unordnung in den schönen Haaren, und ist geschäftig, sie zu verbessern, indem sie ihr den Sonnenschirm zu halten gibt. O wie viel Unordnung wünschte ich diesen Haaren, wie viel Ungeschicklichkeit diesen Händen!"

„Die Toilette ist gemacht, und man nähert sich der Thür. Ich beschleunige meine Schritte — Eine Hälfte der Gestalt verschwindet — und wieder eine — nur noch der Schatten ihres zurück fliegenden Kleides — Sie ist weg — Nein, sie kommt wieder. Eine Blume entfiel ihr, sie bückt sich nieder, sie aufzuheben — sie sieht noch einmahl zurück und — nach mir? — Wen sonst kann ihr Auge in diesen todten Mauern suchen? Also war ich ihr kein fremdes Wesen mehr — auch mich hat sie zurück gelassen, wie ihre Blume — Lieber F***, ich schäme mich, es Ihnen zu sagen, wie kindisch ich diesen Blick auslegte, der — vielleicht nicht einmahl mein war!"

Über das Letzte glaubte ich den Prinzen beruhigen zu können.

„Sonderbar, fuhr der Prinz nach einem tiefen Stillschweigen fort, kann man etwas nie gekannt, nie vermißt haben, und einige Augenblicke später nur in diesem Einzigen leben? Kann ein einziger Moment den Menschen in zwey so ungleichartige Wesen zertrennen? Es wäre mir eben so unmöglich, zu den Freuden und Wünschen des gestrigen Morgens, als zu den Spielen meiner Kindheit zurück zu kehren, seit ich das sah, seitdem dieses Bild hier wohnet — dieses lebendige, mächtige Gefühl in mir: Du kannst nichts mehr lieben als das, und in dieser Welt wird nichts anders mehr auf dich wirken!"

Denken Sie nach, gnädigster Herr, in welcher reitzbaren Stimmung Sie waren, als diese Erscheinung Sie überraschte, und wie vieles zusammen kam,

Ihre Einbildungskraft zu spannen. Aus dem hellen blendenden Tageslicht, aus dem Gewühle der Straße plötzlich in diese stille Dunkelheit versetzt — ganz den Empfindungen hingegeben, die, wie Sie selbst gestehen, die Stille, die Majestät dieses Orts in Ihnen rege machte — durch Betrachtung schöner Kunstwerke für Schönheit überhaupt empfänglicher gemacht — zugleich allein und einsam Ihrer Meinung nach — und nun auf einmahl — in der Nähe — von einer Mädchengestalt überrascht, wo Sie Sich keines Zeugen versahen — von einer Schönheit, wie ich Ihnen gerne zugebe, die durch eine vortheilhafte Beleuchtung, eine glückliche Stellung, einen Ausdruck begeisterter Andacht noch mehr erhoben ward — was war natürlicher, als daß ihre entzündete Fantasie sich etwas Idealisches, etwas überirdisch Vollkommenes daraus zusammen setzte?

„Kann die Fantasie etwas geben, was sie nie empfangen hat? — und im ganzen Gebiethe meiner Darstellung ist nichts, was ich mit diesem Bilde zusammen stellen könnte. Ganz und unverändert, wie im Augenblicke des Schauens, liegt es in meiner Erinnerung; ich habe nichts als dieses Bild — aber Sie könnten mir eine Welt dafür biethen!"

Gnädigster Prinz, das ist Liebe.

„Muß es denn nothwendig ein Nahme seyn, unter welchem ich glücklich bin? Liebe! — Erniedrigen Sie meine Empfindung nicht mit einem Nahmen, den tausend schwache Seelen mißbrauchen! Welcher andere hat gefühlt, was ich fühle? Ein solches Wesen war noch nicht vorhanden, wie kann der Nahme früher da seyn, als die Empfindung? Es ist ein neues einziges Gefühl, neu entstanden mit diesem neuen einzigen Wesen, und für dieses Wesen nur möglich! — Liebe! Vor der Liebe bin ich sicher!"

Sie verschickten Biondello — ohne Zweifel, um die Spur Ihrer Unbekannten zu verfolgen, um Erkundigungen von ihr einzuziehen? Was für Nachrichten brachte er Ihnen zurück?

„Biondello hat nichts entdeckt — so viel als gar nichts. Er fand sie noch an der Kirchthür. Ein bejahrter, anständig gekleideter Mann, der eher einem hiesigen Bürger als einem Bedienten gleich sah, erschien, sie nach der Gondel zu begleiten. Eine Anzahl Armer stellte sich in Reihen, wie sie vorüber ging, und verließ sie mit sehr vergnügter Miene. Bey dieser Gelegenheit, sagt Biondello, wurde eine Hand sichtbar, woran einige kostbare Steine blitzten. Mit ihrer Begleiterinn sprach sie Einiges, das Biondello nicht verstand; er behauptet, es sey griechisch gewesen. Da sie eine ziemliche Strecke nach dem Canal zu gehen hatten, so fing schon etwas Volk an, sich zu sammeln; das Außerordentliche des Anblicks brachte alle Vorübergehende zum Stehen. Niemand kannte sie — Aber die Schönheit ist eine geborne Königinn. Alles machte ihr ehrerbiethig Platz. Sie ließ einen schwarzen Schleyer über das Gesicht fallen, der das halbe Gewand bedeckte, und eilte in die Gondel. Längs dem ganzen Canal der Giudecca behielt Biondello das Fahrzeug im Gesicht, aber es weiter zu verfolgen, hinderte ihn das Gedränge."

Aber den Gondolier hat er sich doch gemerkt, um diesen wenigstens wieder zu erkennen?

„Den Gondolier getraut er sich ausfindig zu machen; doch ist es keiner von denen, mit denen er Verkehr hat. Die Armen, die er ausfragte, konnten ihm weiter keinen Bescheid geben, als daß Signora sich schon seit einigen Wochen und immer Sonnabends hier zeige, und noch allemahl ein Goldstück unter sie vertheilt habe. Es war ein holländischer Ducaten, den er eingewechselt, und mir überbracht hat."

Eine Griechinn also, und von Stande, wie es scheint, von Vermögen wenigstens, und wohlthätig. Das wäre für's erste genug, gnädigster Herr — genug und fast zu viel! Aber eine Griechinn und in einer katholischen Kirche!

„Warum nicht? Sie kann ihren Glauben verlassen haben. Überdieß — etwas Geheimnißvolles ist es immer — Warum die Woche nur ein Mahl? Warum nur Sonnabends in dieser Kirche, wo diese gewöhnlich verlassen seyn soll, wie mir Biondello sagt? — Spätestens der kommende Sonnabend muß dieß entscheiden. Aber bis dahin, lieber Freund, helfen Sie mir diese Kluft von Zeit überspringen! Aber umsonst! Tage und Stunden gehen ihren gelassenen Schritt, und mein Verlangen hat Flügel."

Und wenn dieser Tag nun erscheint — was dann, gnädigster Herr? Was soll dann geschehen?

„Was geschehen soll? — Ich werde sie sehen. Ich werde ihren Aufenthalt erforschen. Ich werde erfahren, wer sie ist. — Wer sie ist? — Was kann mich dieses bekümmern? Was ich sah, machte mich glücklich, also weiß ich ja schon alles, was mich glücklich machen kann!"

Und unsere Abreise aus Venedig, die auf den Anfang kommenden Monaths festgesetzt ist?

„Konnte ich im voraus wissen, daß Venedig noch einen solchen Schatz für mich einschließe? — Sie fragen mich aus meinem gestrigen Leben. Ich sage Ihnen, daß ich nur von heute an bin und seyn will."

Jetzt glaubte ich die Gelegenheit gefunden zu haben, dem Marchese Wort zu halten. Ich machte dem Prinzen begreiflich, daß sein längeres Bleiben in Venedig mit dem geschwächten Zustande seiner Casse durchaus nicht bestehen könne, und daß, im Fall er seinen Aufenthalt über den zugestandenen Termin verlängerte, auch von seinem Hofe nicht sehr auf Unterstützung würde zu rechnen seyn. Bey dieser Gelegenheit erfuhr ich, was mir bis jetzt ein Geheimniß gewesen, daß ihm von seiner Schwester, der regierenden *** von ***, ausschließend vor seinen übrigen Brüdern, und heimlich, ansehnliche Zuschüsse bezahlt werden, die sie gerne bereit sey, zu verdoppeln, wenn sein Hof ihn im Stiche ließe. Diese Schwester, eine fromme Schwärmerinn, wie Sie wissen, glaubt die großen Ersparnisse, die sie bey einem sehr eingeschränkten Hofe macht, nirgends besser aufgehoben, als bey einem Bruder, dessen weise Wohlthätigkeit sie kennt, und den sie enthusiastisch verehrt. Ich wußte zwar schon längst, daß zwischen beyden ein sehr genaues Verhältniß Statt findet, auch viele Briefe gewechselt werden; aber weil sich der bisherige Aufwand des Prinzen aus den bekannten Quellen hinlänglich bestreiten ließ, so war ich auf die verborgene Hülfsquelle nie gefallen. Es ist also klar, daß der Prinz Ausgaben gehabt hat, die mir ein Geheimniß waren, und es noch jetzt sind; und wenn ich aus seinem übrigen Charakter schließen darf, so sind es gewiß keine andere, als die ihm zur

Ehre gereichen. Und ich konnte mir einbilden, ihn ergründet zu haben? — Um so weniger glaubte ich nach dieser Entdeckung anstehen zu dürfen, ihm das Anerbiethen des Marchese zu offenbaren — welches zu meiner nicht geringen Verwunderung ohne alle Schwierigkeit angenommen wurde. Er gab mir Vollmacht, diese Sache mit dem Marchese auf die Art, welche ich für die beste hielt, abzuthun, und dann sogleich mit dem Wucherer aufzuheben. An seine Schwester sollte unverzüglich geschrieben werden.

Es war Morgen, als wir aus einander gingen. So unangenehm mir dieser Vorfall aus mehr als Einer Ursache ist und seyn muß, so ist doch das Allerverdrießlichste daran, daß er unsern Aufenthalt in Venedig zu verlängern droht. Von dieser anfangenden Leidenschaft erwarte ich vielmehr Gutes als Schlimmes. Sie ist vielleicht das kräftigste Mittel, den Prinzen von seinen metaphysischen Träumereyen wieder zur ordinären Menschheit herab zu ziehen: sie wird, hoffe ich, die gewöhnliche Krise haben, und, wie eine künstliche Krankheit, auch die alte mit sich hinweg nehmen.

Leben Sie wohl, liebster Freund. Ich habe Ihnen alles dieß nach frischer That hingeschrieben. Die Post geht sogleich; Sie werden diesen Brief mit dem vorhergehenden an Einem Tage erhalten.

Baron von F*** an den Grafen von O**.

Sechster Brief.

20. Julius.

Dieser Civitella ist doch der dienstfertigste Mensch von der Welt. Der Prinz hatte mich neulich kaum verlassen, als schon ein Billet von dem Marchese erschien, worin mir die Sache aufs dringendste empfohlen wurde. Ich schickte ihm sogleich eine Verschreibung in des Prinzen Nahmen auf 6000 Zechinen; in weniger als einer halben Stunde folgte sie zurück, nebst der doppelten Summe, in Wechseln sowohl als barem Gelde. In diese Erhöhung der Summe willigte endlich auch der Prinz; die Verschreibung aber, die nur auf sechs Wochen gestellt war, mußte angenommen werden.

Diese ganze Woche ging in Erkundigungen nach der geheimnißvollen Griechinn hin. Biondello setzte alle seine Maschinen in Bewegung, bis jetzt aber war alles vergeblich. Den Gondolier machte er zwar ausfindig; aus diesem war aber nichts weiter heraus zu bringen, als daß er beyde Damen auf der Insel Murano ausgesetzt habe, wo zwey Sänften auf sie gewartet hätten, in die sie gestiegen seyen. Er machte sie zu Engländerinnen, weil sie eine fremde Sprache gesprochen und ihn mit Gold bezahlt hätten. Auch ihren Begleiter kenne er nicht; er komme ihm vor, wie ein Spiegelfabrikant aus Murano. Nun wußten wir wenigstens, daß wir sie nicht in der Giudecca zu suchen hätten, und daß sie aller Wahrscheinlichkeit nach auf der Insel Murano zu Hause sey; aber das Unglück war, daß die Beschreibung, welche der Prinz von ihr machte, schlechterdings nicht dazu taugte, sie einem Dritten kenntlich zu machen. Gerade die leidenschaftliche Aufmerksamkeit, womit er ihren Anblick gleichsam verschlang, hatte ihn gehindert, sie zu sehen; für alles das, worauf andere Menschen ihr Augenmerk vorzüglich würden gerichtet haben, war er ganz blind gewesen; nach seiner Schilderung war man eher versucht, sie im Ariost oder Tasso, als auf einer venetianischen Insel zu suchen. Außerdem mußte diese Nachfrage mit größter Vorsicht geschehen, um kein anstößiges Aufsehen zu erregen. Weil Biondello außer dem Prinzen der einzige war, der sie, durch den Schleyer wenigstens, gesehen hatte, und also wieder erkennen konnte, so suchte er, wo möglich, an allen Orten, wo sie vermuthet werden konnte, zu gleicher Zeit zu seyn; das Leben des armen Menschen war diese ganze Woche über nichts, als ein beständiges Rennen durch alle Straßen von Venedig. In der griechischen Kirche besonders wurde keine Nachforschung gespart, aber alles mit gleich schlechtem Erfolge; und der Prinz, dessen Ungeduld mit jeder fehlgeschlagenen Erwartung stieg, mußte sich endlich doch noch auf den nächsten Sonnabend vertrösten.

Seine Unruhe war schrecklich. Nichts zerstreute ihn, nichts vermochte ihn zu fesseln. Sein ganzes Wesen war in fieberischer Bewegung, für alle Gesellschaft war er verloren, und das Übel wuchs in der Einsamkeit. Nun wurde er gerade nie mehr von Besuchen belagert, als eben in dieser Woche. Sein naher Abschied war angekündigt, alles drängte sich herbey. Man mußte diese Menschen beschäftigen, um ihre argwöhnische Aufmerksamkeit von ihm abzuziehen; man mußte ihn beschäftigen, um seinen Geist zu zerstreuen. In diesem Bedrängniß verfiel Civitella auf das Spiel, um die Menge wenigstens zu entfernen, sollte hoch gespielt werden. Zugleich hoffte er, bey dem Prinzen einen vorübergehenden Geschmack an dem Spiele zu erwecken, der diesen romanhaften Schwung seiner Leidenschaften bald ersticken, und den man immer in der Gewalt haben würde, ihm wieder zu benehmen. „Die Karten," sagte Civitella, „haben mich vor mancher Thorheit bewahrt, die ich im Begriff war zu begehen, manche wieder gut gemacht, die schon begangen war. Die Ruhe, die Vernunft, um die mich ein Paar schöne Augen brachten, habe ich oft am Farotisch wieder gefunden, und nie hatten die Weiber mehr Gewalt über mich, als wenn mir's an Geld gebrach, um zu spielen."

Ich lasse dahin gestellt seyn, in wie weit Civitella Recht hatte — aber das Mittel, worauf wir gefallen waren, fing bald an, noch gefährlicher zu werden, als das Übel, dem es abhelfen sollte. Der Prinz, der dem Spiel nur allein durch hohes Wagen einen flüchtigen Reitz zu geben wußte, fand bald keine Gränzen mehr darin. Er war einmahl aus seiner Ordnung. Alles, was er that, nahm eine leidenschaftliche Gestalt an; alles geschah mit der ungeduldigen Heftigkeit, die jetzt in ihm herrschte. Sie kennen seine Gleichgültigkeit gegen das Geld; hier wurde sie zur gänzlichen

Unempfindlichkeit. Goldstücke zerrannen wie Wassertropfen in seinen Händen. Er verlor fast ununterbrochen, weil er ganz und gar ohne Aufmerksamkeit spielte. Er verlor ungeheure Summen, weil er wie ein verzweifelter Spieler wagte. — Liebster O**, mit Herzklopfen schreibe ich es nieder — in vier Tagen waren die zwölf tausend Zechinen — und noch darüber verloren.

Machen Sie mir keine Vorwürfe. Ich klage mich selbst genug an. Aber konnt' ich es hindern? Hörte mich der Prinz? Konnte ich etwas anders, als ihm Vorstellung thun? Ich that, was in meinem Vermögen stand. Ich kann mich nicht schuldig finden.

Auch Civitella verlor beträchtlich; ich gewann gegen sechshundert Zechinen. Das beyspiellose Unglück des Prinzen machte Aufsehen; um so weniger konnte er jetzt das Spiel verlassen. Civitella, dem man die Freude ansieht, ihn zu verbinden, streckte ihm sogleich die Summe vor. Die Lücke ist zugestopft; aber der Prinz ist dem Marchese 24,000 Zechinen schuldig. O wie sehne ich mich nach dem Spargelde der frommen Schwester! — Sind alle Fürsten so, liebster Freund? Der Prinz beträgt sich nicht anders, als wenn er dem Marchese noch eine große Ehre erwiesen hätte, und dieser — spielt seine Rolle wenigstens gut.

Civitella suchte mich damit zu beruhigen, daß gerade diese Übertreibung, dieses außerordentliche Unglück, das kräftigste Mittel sey, den Prinzen wieder zur Vernunft zu bringen. Mit dem Gelde habe es keine Noth. Er selbst fühle diese Lücke gar nicht, und stehe dem Prinzen jeden Augenblick mit noch drey Mahl so viel zu Diensten. Auch der Cardinal gab mir die Versicherung, daß die Gesinnung seines Neffen aufrichtig sey, und daß er selbst bereit stehe, für ihn zu gewähren.

Das Traurigste war, daß diese ungeheuern Aufopferungen ihre Wirkung nicht einmahl erreichten. Man sollte meinen, der Prinz habe wenigstens mit Theilnehmung gespielt. Nichts weniger. Seine Gedanken waren weit weg, und die Leidenschaft, die wir unterdrücken wollten, schien von seinem Unglück im Spiele nur mehr Nahrung zu erhalten. Wenn ein entscheidender Streich geschehen sollte, und alles sich voll Erwartung um seinen Spieltisch herum drängte, suchten seine Augen Biondello, um ihm die Neuigkeit, die er etwa mitbrächte, von dem Angesicht zu stehlen. Biondello brachte immer nichts — und das Blatt verlor immer.

Das Geld kam übrigens in sehr bedürftige Hände. Einige Excellenza, die, wie die böse Welt ihnen nachsagt, ihr frugales Mittagsmahl in der Senatormütze selbst von dem Markte nach Hause tragen, traten als Bettler in unser Haus, und verließen es als wohlhabende Leute. Civitella zeigte sie mir. „Sehen Sie," sagte er, „wie vielen armen Teufeln es zu gute kommt, daß es einem gescheiden Kopf einfällt, nicht bey sich selbst zu seyn! Aber das gefällt mir. Das ist fürstlich und königlich! Ein großer Mensch muß auch in seinen Verirrungen noch Glückliche machen, und wie ein übertretender Strom die benachbarten Felder befruchten."

Civitella denkt brav und edel — aber der Prinz ist ihm 24,000 Zechinen schuldig!

Der so sehnlich erwartete Sonnabend erschien endlich, und mein Herr ließ sich nicht abhalten, sich gleich nach Mittag in der *** Kirche einzufinden. Der Platz

wurde

wurde in eben der Kapelle genommen, wo er seine Unbekannte das erste Mahl gesehen hatte, doch so, daß er ihr nicht sogleich in die Augen fallen konnte. Biondello hatte Befehl, an der Kirchthür Wache zu stehen, und dort mit dem Begleiter der Dame Bekanntschaft anzuknüpfen. Ich hatte auf mich genommen, als ein unverdächtiger Vorübergehender bey der Rückfahrt in derselben Gondel Platz zu nehmen, um die Spur der Unbekannten weiter zu verfolgen, wenn das Übrige mißlingen sollte. An demselben Orte, wo sie sich nach des Gondoliers Aussage das vorige Mahl hatte aussetzen lassen, wurden zwey Sänften gemiethet; zum Überfluß hieß der Prinz noch den Kammerjunker von Z*** in einer besondern Gondel nachfolgen. Der Prinz selbst wollte ganz ihrem Anblick leben, und wenn es anginge, sein Glück in der Kirche versuchen. Civitella blieb ganz weg, weil er bey dem Frauenzimmer in Venedig in zu üblem Rufe steht, um durch seine Einmischung die Dame nicht mißtrauisch zu machen. Sie sehen, liebster Graf, daß es an unsern Anstalten nicht lag, wenn die schöne Unbekannte uns entging.

Nie sind wohl in einer Kirche wärmere Wünsche gethan worden, als in dieser, und nie wurden sie grausamer getäuscht. Bis nach Sonnenuntergang harrte der Prinz aus, von jedem Geräusche, das seiner Kapelle nahe kam, von jedem Knarren der Kirchthür in Erwartung gesetzt — sieben volle Stunden — und keine Griechinn. Ich sage Ihnen nichts von seiner Gemüthslage. Sie wissen, was eine fehlgeschlagene Hoffnung ist — und eine Hoffnung, von der man sieben Tage und sieben Nächte fast einzig gelebt hat.

Baron von F*** an den Grafen von O**.

Siebenter Brief.

Julius.

Die geheimnißvolle Unbekannte des Prinzen erinnerte den Marchese Civitella an eine romantische Erscheinung, die ihm selbst vor einiger Zeit vorgekommen war, und um den Prinzen zu zerstreuen, ließ er sich bereit finden, sie uns mitzutheilen. Ich erzähle sie Ihnen mit seinen eigenen Worten. Aber der muntre Geist, womit er alles, was er spricht, zu beleben weiß, geht freylich in meinem Vortrage verloren.

„Voriges Frühjahr," erzählte Civitella, „hatte ich das Unglück, den spanischen Ambassadeur gegen mich aufzubringen, der in seinem siebenzigsten Jahr die Thorheit begangen hatte, eine achtzehnjährige Römerinn für sich allein heirathen zu wollen. Seine Rache verfolgte mich, und meine Freunde riethen mir an, mich durch eine zeitige Flucht den Wirkungen derselben zu entziehen, bis mich entweder die Hand der Natur oder eine gütliche Beylegung von diesem gefährlichen Feind befreyt haben würden. Weil es mir aber doch zu schwer fiel, Venedig ganz zu entsagen, so nahm ich meinen Aufenthalt in einem entlegenen Quartier von Murano, wo ich unter einem fremden Nahmen ein einsames Haus bewohnte, den Tag über mich verborgen hielt, und die Nacht meinen Freunden und dem Vergnügen lebte."

„Meine Fenster wiesen auf einen Garten, der von der Abendseite an die Ringmauer eines Klosters stieß, gegen Morgen aber wie eine kleine Halbinsel in die Laguna hineinlag. Der Garten hatte die reitzendste Anlage, ward aber wenig besucht. Des Morgens, wenn mich meine Freunde verließen, hatte ich die Gewohnheit, ehe ich mich schlafen legte, noch einige Augenblicke am Fenster zuzubringen, die Sonne über dem Golf aufsteigen zu sehen, und ihr dann gute Nacht zu sagen. Wenn Sie Sich diese Lust noch nicht gemacht haben, gnädigster Prinz, so empfehle ich Ihnen diesen Standort, den ausgesuchtesten vielleicht in ganz Venedig, diese herrliche Erscheinung zu genießen. Eine purpurne Nacht liegt über der Tiefe, und ein goldener Rauch verkündigt sie von fern am Saum der Laguna. Erwartungsvoll ruhen Himmel und Meer. Zwey Winke, so steht sie da, ganz und vollkommen, und alle Wellen brennen — es ist ein entzückendes Schauspiel!"

„Eines Morgens, als ich mich nach Gewohnheit der Lust dieses Anblicks überlasse, entdecke ich auf einmahl, daß ich nicht der einzige Zeuge desselben bin. Ich glaube Menschenstimmen im Garten zu vernehmen, und als ich mich nach dem Schall wende, nehme ich eine Gondel wahr, die an der Wasserseite landet. Wenige Augenblicke, so sehe ich Menschen im Garten hervor kommen, und mit langsamen Schritten, Spatziergehenden gleich, die Allee herauf wandeln. Ich erkenne, daß es eine Mannsperson und ein Frauenzim-

K 2

mer ist, die einen kleinen Neger bey sich haben. Das Frauenzimmer ist weiß gekleidet, und ein Brillant spielt an ihrem Finger; mehr läßt mich die Dämmerung noch nicht unterscheiden."

„Meine Neugier wird rege. Ganz gewiß ein Rendezvous und ein liebendes Paar — aber an diesem Ort und zu einer so ganz ungewöhnlichen Stunde! — denn kaum war es drey Uhr, und alles lag noch in trübe Dämmerung verschleyert. Der Einfall schien mir neu, und zu einem Roman die Anlage gemacht. Ich wollte das Ende erwarten."

„In den Laubgewölben des Gartens verliere ich sie bald aus dem Gesicht, und es wird lange, bis sie wieder erscheinen. Ein angenehmer Gesang erfüllt unterdessen die Gegend. Er kam von dem Gondolier, der sich auf diese Weise die Zeit in seiner Gondel verkürzte, und dem von einem Cameraden aus der Nachbarschaft geantwortet wurde. Es waren Stanzen aus dem Tasso; Zeit und Ort stimmten harmonisch dazu, und die Melodie verklang lieblich in der allgemeinen Stille."

„Mittlerweile war der Tag angebrochen, und die Gegenstände ließen sich deutlicher erkennen. Ich suche meine Leute. Hand in Hand gehen sie jetzt eine breite Allee hinauf, und bleiben öfters stehen, aber sie haben den Rücken gegen mich gekehrt, und ihr Weg entfernt sie von meiner Wohnung. Der Anstand ihres Ganges läßt mich auf einen vornehmen Stand, und ein edler engelschöner Wuchs auf eine ungewöhnliche Schönheit schließen. Sie sprachen wenig, wie mir schien; die Dame jedoch mehr als ihr Begleiter. An dem Schauspiel des Sonnenaufgangs, das sich jetzt eben in höchster Pracht über ihnen verbreitete, schienen sie gar keinen Antheil zu nehmen."

„Indem ich meinen Tubus herbeyhohle und richte, um mir diese sonderbare Erscheinung so nahe zu bringen als möglich, verschwinden sie plötzlich wieder in einem Seitenweg, und eine lange Zeit vergeht, ehe ich sie wieder erblicke. Die Sonne ist nun ganz aufgegangen, sie kommen dicht unter mir vor und sehen mir gerade entgegen. — — — Welche himmlische Gestalt erblicke ich! — War es das Spiel meiner Einbildung, war es die Magie der Beleuchtung? Ich glaubte ein überirdisches Wesen zu sehen, und mein Auge floh zurück, geschlagen von dem blendenden Licht. — So viel Anmuth bey so viel Majestät! So viel Geist und Adel bey so viel blühender Jugend! — Umsonst versuch' ich es Ihnen zu beschreiben. Ich kannte keine Schönheit vor diesem Augenblick."

„Das Interesse des Gesprächs verweilt sie in meiner Nähe, und ich habe volle Muse, mich in dem wundervollen Anblick zu verlieren. Kaum aber sind meine Blicke auf ihren Begleiter gefallen, so ist selbst diese Schönheit nicht mehr im Stande, sie zurück zu rufen. Er schien mir ein Mann zu seyn in seinen besten Jahren, etwas hager und von großer, edler Statur — aber von keiner Menschenstirne strahlte mir noch so viel Geist, so viel Hohes, so viel Göttliches entgegen. Ich selbst, obgleich vor aller Entdeckung gesichert, vermochte es nicht, dem durchbohrenden Blick Stand zu halten, der unter den finstern Augenbraunen blitzewerfend hervorschoß. Um seine Augen lag eine stille rührende Traurigkeit, und ein Zug des Wohlwollens um die Lippen milderte den trüben Ernst, der das ganze Gesicht überschattete. Aber ein gewisser Schnitt des Gesichts, der nicht europäisch war, verbunden mit einer Kleidung, die aus den verschiedensten Trachten, aber mit einem Geschmacke, den niemand ihm nachahmen wird, kühn und glücklich gewählt war, gaben ihm eine Miene von Sonderbarkeit, die den außerordentlichen Eindruck seines ganzen Wesens nicht wenig erhöhte. Etwas Irres in seinem Blicke konnte einen Schwärmer vermuthen lassen, aber Gebärden und äußerer Anstand verkündigten einen Mann, den die Welt ausgebildet hat."

Z***, der, wie Sie wissen, alles heraus sagen muß, was er denkt, konnte hier nicht länger an sich halten. Unser Armenier! rief er aus. Unser ganzer Armenier, niemand anders!

Was für ein Armenier, wenn man fragen darf? sagte Civitella.

Hat man Ihnen die Farce noch nicht erzählt? sagte der Prinz. Aber keine Unterbrechung! Ich fange an, mich für Ihren Mann zu interessiren. Fahren Sie fort in Ihrer Erzählung.

„Etwas Unbegreifliches war in seinem Betragen. Seine Blicke ruhten mit Bedeutung, mit Leidenschaft auf ihr, wenn sie weg sah, und sie fielen zu Boden, wenn sie auf die ihrigen trafen. Ist dieser Mensch von Sinnen? dachte ich. Eine Ewigkeit wollt' ich stehen und nichts anders betrachten."

„Das Gebüsche raubte sie mir wieder. Ich wartete lange, lange, sie wieder hervor kommen zu sehen, aber vergebens. Aus einem andern Fenster endlich entdeck' ich sie aufs neue."

„Vor einem Bassin standen sie, in einer gewissen

Entfernung von einander, beyde in tiefes Schweigen verloren. Sie mochten schon ziemlich lange in dieser Stellung gestanden haben. Ihr offnes seelenvolles Auge ruhte forschend auf ihm, und schien jeden aufkeimenden Gedanken von seiner Stirne zu nehmen. Er, als ob er nicht Muth genug in sich fühlte, es aus der ersten Hand zu empfangen, suchte verstohlen Ihr Bild in der spiegelnden Fluth, oder blickte starr auf den Delphin, der das Wasser in das Becken spritzte. Wer weiß, wie lange dieses stumme Spiel noch gedauert haben würde, wenn die Dame es hätte aushalten können? Mit der liebenswürdigsten Holdseligkeit ging das schöne Geschöpf auf ihn zu, faßte, den Arm um seinen Nacken flechtend, eine seiner Hände, und führte sie zum Munde. Gelassen ließ der kalte Mensch es geschehen, und ihre Liebkosung blieb unerwiedert."

„Aber es war etwas an diesem Auftritt, was mich rührte. Der Mann war es, was mich rührte. Ein heftiger Affect schien in seiner Brust zu arbeiten, eine unwiderstehliche Gewalt ihn zu ihr hinzuziehen, ein verborgener Arm ihn zurück zu reissen. Still aber schmerzhaft war dieser Kampf, und die Gefahr so schön an seiner Seite. Nein, dachte ich, er unternimmt zu viel. Er wird, er muß unterliegen."

„Auf einen heimlichen Wink von ihm verschwindet der kleine Neger. Ich erwarte nun einen Auftritt von empfindsamer Art, eine kniende Abbitte, eine mit tausend Küssen besiegelte Versöhnung. Nichts von dem allen. Der unbegreifliche Mensch nimmt aus einem Portefeuille ein versiegeltes Paquet, und gibt es in die Hände der Dame. Trauer überzieht ihr Gesicht, da sie es ansieht, und eine Thräne schimmert in ihrem Auge."

„Nach einem kurzen Stillschweigen brechen sie auf. Aus einer Seitenallee tritt eine bejahrte Dame zu ihnen, die sich die ganze Zeit über entfernt gehalten hatte, und die ich jetzt erst entdecke. Langsam gehen sie hinab, beyde Frauenzimmer im Gespräch mit einander, während dessen er der Gelegenheit wahrnimmt, unvermerkt hinter ihnen zurück zu bleiben. Unschlüssig und mit starrem Blick nach ihr hingewendet, steht er, und geht, und steht wieder. Auf einmahl ist er weg im Gebüsche."

„Vorn sieht man sich endlich um. Man scheint unruhig, ihn nicht mehr zu finden, und steht stille, wie es scheint, ihn zu erwarten. Er kommt nicht. Die Blicke irren ängstlich umher, die Schritte verdoppeln sich. Meine Augen helfen den ganzen Garten durchsuchen. Er bleibt aus. Er ist nirgends."

„Auf einmahl hör' ich am Canal etwas rauschen, und eine Gondel stößt vom Ufer. Er ists, und mit Mühe enthalt' ich mich, es ihr zuzuschreyen. Jetzt also wars am Tage — Es war eine Abschiedsscene."

„Sie schien zu ahnen, was ich wußte. Schneller, als die andre ihr folgen kann, eilt sie nach dem Ufer. Zu spät. Pfeilschnell fliegt die Gondel dahin, und nur ein weißes Tuch flattert noch fern in den Lüften. Bald darauf seh' ich auch die Frauenzimmer überfahren."

„Als ich von einem kurzen Schlummer erwachte, mußte ich über meine Verblendung lachen. Meine Phantasie hatte diese Begebenheit im Traum fortgesetzt, und nun wurde mir auch die Wahrheit zum

Traume. Ein Mädchen, reitzend wie eine Houri, die vor Tagesanbruch in einem abgelegenen Garten vor meinem Fenster mit ihrem Liebhaber lustwandelt, ein Liebhaber, der von einer solchen Stunde keinen bessern Gebrauch zu machen weiß, dieß schien mir eine Composition zu seyn, welche höchstens die Phantasie eines Träumenden wagen und entschuldigen konnte. Aber der Traum war zu schön gewesen, um ihn nicht so oft als möglich zu erneuern, und auch der Garten war mir jetzt lieber geworden, seitdem ihn meine Phantasie mit so reitzenden Gestalten bevölkert hatte. Einige unfreundliche Tage, die auf diesen Morgen folgten, verscheuchten mich von dem Fenster, aber der erste heitre Abend zog mich unwillkührlich dahin. Urtheilen Sie von meinem Erstaunen, als mir nach kurzem Suchen das weiße Gewand meiner Unbekannten entgegen schimmerte. Sie war es selbst. Sie war wirklich. Ich hatte nicht bloß geträumt."

„Die vorige Matrone war bey ihr, die einen kleinen Knaben führte; sie selbst aber ging in sich gekehrt und seitwärts. Alle Plätze wurden besucht, die ihr noch vom vorigen Mahle her durch ihren Begleiter merkwürdig waren. Besonders lange verweilte sie an dem Bassin, und ihr starr hingeheftetes Auge schien das geliebte Bild vergebens zu suchen."

„Hatte mich diese hohe Schönheit das erste Mahl hingerissen, so wirkte sie heute mit einer sanftern Gewalt auf mich, die nicht weniger stark war. Ich hatte jetzt vollkommene Freyheit, das himmlische Bild zu betrachten; das Erstaunen des ersten Anblicks machte unvermerkt einer süßen Empfindung Platz. Die Glorie um sie verschwindet, und ich sehe in ihr nichts mehr, als das schönste aller Weiber, das meine Sinne in Gluth setzt. In diesem Augenblick ist es beschlossen. Sie muß mein seyn."

„Indem ich bey mir selbst überlege, ob ich hinunter gehe, und mich ihr nähere, oder eh' ich dieses wage, erst Erkundigungen von ihr einziehe, öffnet sich eine kleine Pforte an der Klostermauer, und ein Karmelitermönch tritt aus derselben. Auf das Geräusch, das er macht, verläßt die Dame ihren Platz, und ich sehe sie mit lebhaften Schritten auf ihn zu gehen. Er zieht ein Papier aus dem Busen, wornach sie begierig hascht, und eine lebhafte Freude scheint in ihr Angesicht zu fliegen."

„In eben diesem Augenblick treibt mich mein gewöhnlicher Abendbesuch von dem Fenster. Ich vermeide es sorgfältig, weil ich keinem andern diese Eroberung gönne. Eine ganze Stunde muß ich in dieser peinlichen Ungeduld aushalten, bis es mir endlich gelingt, diese Überlästigen zu entfernen. Ich eile an mein Fenster zurück, aber verschwunden ist alles!"

„Der Garten ist ganz leer, als ich hinunter gehe. Kein Fahrzeug mehr im Canal. Nirgends eine Spur von Menschen. Ich weiß weder, aus welcher Gegend sie kam, noch wohin sie gegangen ist. Indem ich die Augen aller Orten herum gewandt, vor mich hinwandle, schimmert mir von fern etwas Weißes im Sand entgegen. Wie ich hinzutrete, ist es ein Papier in Form eines Briefs geschlagen. Was konnte es anders seyn als der Brief, den der Karmeliter ihr überbracht hatte? Glücklicher Fund, rief ich aus. Dieser Brief wird mir das ganze Geheimniß aufschließen, er wird mich zum Herrn ihres Schicksals machen!"

„Der Brief war mit einer Sphinx gesiegelt, ohne Überschrift, und in Chiffern verfaßt; dieß schreckte mich aber nicht ab, weil ich mich auf das Dechiffriren verstehe. Ich copiere ihn geschwind; denn es war zu erwarten, daß sie ihn bald vermissen, und zurück kommen würde, ihn zu suchen. Fand sie ihn nicht mehr, so mußte ihr dieß ein Beweis seyn, daß der Garten von mehrern Menschen besucht würde, und diese Entdeckung konnte sie leicht auf immer daraus verscheuchen. Was konnte meiner Hoffnung Schlimmeres begegnen?"

„Was ich vermuthet hatte, geschah. Ich war mit meiner Copie kaum zu Ende, so erschien sie wieder mit ihrer vorigen Begleiterinn, beyde ängstlich suchend. Ich befestige den Brief an einem Schiefer, den ich vom Dache los mache, und lasse ihn an einen Ort herab fallen, an dem sie vorbey muß. Ihre schöne Freude, als sie ihn findet, belohnt mich für meine Großmuth. Mit scharfem prüfendem Blick, als wollte sie die unheilige Hand daran ausspähen, die ihn berührt haben konnte, musterte sie ihn von allen Seiten; aber die zufriedene Miene, mit der sie ihn einsteckte, bewies, daß sie ganz ohne Arges war. Sie ging, und ein zurückfallender Blick ihres Auges nahm einen dankbaren Abschied von den Schutzgöttern des Gartens, die das Geheimniß ihres Herzens so treu gehüthet hatten."

„Jetzt eilte ich, den Brief zu entziffern. Ich versuchte es mit mehrern Sprachen; endlich gelang es mir mit der Englischen. Sein Inhalt war mir so merkwürdig, daß ich ihn auswendig behalten habe."

Ich werde unterbrochen. Den Schluß ein ander Mahl.

Baron von F*** an den Grafen von O**.

Achter Brief.

August.

Nein, liebster Freund! Sie thun dem guten Biondello Unrecht. Gewiß, Sie hägen einen falschen Verdacht. Ich gebe Ihnen alle Italiäner Preis, aber dieser ist ehrlich.

Sie finden es sonderbar, daß ein Mensch von so glänzenden Talenten und einer so exemplarischen Aufführung sich zum Dienen herab setze, wenn er nicht geheime Absichten dabey habe; und daraus ziehen Sie den Schluß, daß diese Absichten verdächtig seyn müssen. Wie? Ist es denn so etwas Neues, daß ein Mensch von Kopf und Verdiensten sich einem Fürsten gefällig zu machen sucht, der es in der Gewalt hat, sein Glück zu machen? Ist es etwa entehrend, ihm zu dienen? Läßt Biondello nicht deutlich genug merken, daß seine Anhänglichkeit an den Prinzen persönlich sey? Er hat ihm ja gestanden, daß er eine Bitte an ihn auf dem Herzen habe. Diese Bitte wird uns ohne Zweifel das ganze Geheimniß erklären. Geheime Absichten mag er immer haben; aber können diese nicht unschuldig seyn?

Es befremdet Sie, daß dieser Biondello in den

ersten Monathen, und das waren die, in denen Sie uns Ihre Gegenwart noch schenkten, alle die großen Talente, die er jetzt an den Tag kommen lasse, verborgen gehalten, und durch gar nichts die Aufmerksamkeit auf sich gezogen habe. Das ist wahr; aber wo hätte er damahls die Gelegenheit gehabt, sich auszuzeichnen? Der Prinz bedurfte seiner ja noch nicht, und seine übrigen Talente mußte der Zufall uns entdecken.

Aber er hat uns ganz kürzlich einen Beweis seiner Ergebenheit und Redlichkeit gegeben, der alle Ihre Zweifel zu Boden schlagen wird. Man beobachtet den Prinzen. Man sucht geheime Erkundigungen von seiner Lebensart, von seinen Bekanntschaften und Verhältnissen einzuziehen. Ich weiß nicht, wer diese Neugierde hat. Aber hören Sie an.

Es ist hier in St. Georg ein öffentliches Haus, wo Biondello öfters aus- und eingeht; er mag da etwas Liebes haben, ich weiß es nicht. Vor einigen Tagen ist er auch da; er findet eine Gesellschaft beysammen, Advocaten und Officianten der Regierung, lustige Brüder und Bekannte von sich. Man verwundert sich, man ist erfreut, ihn wieder zu sehen. Die alte Bekanntschaft wird erneuert, jeder erzählt seine Geschichte bis auf diesen Augenblick, Biondello soll auch die seinige zum Besten geben. Er thut es in wenig Worten. Man wünscht ihm Glück zu seinem neuen Etablissement, man hat von der glänzenden Lebensart des Prinzen von *** schon erzählen hören, von seiner Freygebigkeit gegen Leute besonders, die ein Geheimniß zu bewahren wissen, seine Verbindung mit dem Cardinal A***i ist weltbekannt, er liebt das Spiel, u. s. w. Biondello stutzt — Man scherzt mit ihm, daß er den Geheimnißvollen mache, man wisse doch, daß er der Geschäftsträger des Prinzen von*** sey; die beyden Advocaten nehmen ihn in die Mitte; die Flasche leert sich fleißig — man nöthigt ihn zu trinken; er entschuldigt sich, weil er keinen Wein vertrage, trinkt aber doch, um sich zum Schein zu betrinken.

„Ja, sagte endlich der eine Advocat, Biondello versteht sein Handwerk; aber ausgelernt hat er noch nicht, er ist nur ein Halber."

Was fehlt mir noch? fragte Biondello.

„Er versteht die Kunst, sagte der andere, ein Geheimniß bey sich zu behalten, aber die andere noch nicht, es mit Vortheil wieder los zu werden."

Sollte sich ein Käufer dazu finden? fragte Biondello.

Die übrigen Gäste zogen sich hier aus dem Zimmer, er blieb Tete a Tete mit seinen beyden Leuten; die nun mit der Sprache heraus gingen. Daß ich es kurz mache, er sollte ihnen über den Umgang des Prinzen mit dem Cardinal und seinem Neffen Aufschlüsse verschaffen, ihnen die Quelle angeben, woraus der Prinz Geld schöpfe, und ihnen die Briefe, die an den Grafen von O** geschrieben würden, in die Hände spielen. Biondello beschied sie auf ein ander Mahl; aber wer sie angestellt habe, konnte er nicht aus ihnen heraus bringen. Nach den glänzenden Anerbiethungen, die ihm gemacht wurden, zu schließen, mußte die Nachfrage von einem sehr reichen Manne herrühren.

Gestern Abend entdeckte er meinem Herrn den ganzen Vorfall. Dieser war Anfangs Willens, die

Unterhändler kurz und gut beym Kopf nehmen zu lassen; aber Biondello machte Einwendungen. Auf freyen Fuß würde man sie doch wieder stellen müssen, und dann habe er seinen ganzen Credit unter dieser Classe, vielleicht sein Leben selbst in Gefahr gesetzt. Alles dieses Volk hange unter sich zusammen, alle stehen für Einen; er wolle lieber den hohen Rath in Venedig zum Feinde haben, als unter ihnen für einen Verräther verschrien werden; er würde dem Prinzen auch nicht mehr nützlich seyn können, wenn er das Vertrauen dieser Volksclasse verloren hätte.

Wir haben hin und her gerathen, von wem dieß wohl kommen möchte. Wer ist in Venedig, dem daran liegen kann, zu wissen, was mein Herr einnimmt und ausgibt, was er mit dem Cardinal A***i zu thun hat, und was ich Ihnen schreibe? Sollte es gar noch ein Vermächtniß von dem Prinzen von **d** seyn? Oder regt sich etwa der Armenier wieder?

Baron von F*** an den Grafen von O**.

Neunter Brief.

August.

Der Prinz schwimmt in Wonne und Liebe. Er hat seine Griechinn wieder. Hören Sie, wie dieß zugegangen ist.

Ein Fremder, der über Chiozza gekommen war, und von der schönen Lage dieser Stadt am Golf zu erzählen wußte, machte den Prinzen neugierig, sie zu sehen. Gestern wurde dieß ausgeführt, und um allen Zwang und Aufwand zu vermeiden, sollte niemand ihn begleiten als Z*** und ich, nebst Biondello, und mein Herr wollte unbekannt bleiben. Wir fanden ein Fahrzeug, das eben dahin abging, und mietheten uns darauf ein. Die Gesellschaft war sehr gemischt, aber unbedeutend, und die Hinreise hatte nichts Merkwürdiges.

Chiozza ist auf eingerammten Pfählen gebaut, wie Venedig, und soll gegen vierzig tausend Einwohner zählen. Adel findet man wenig, aber bey jedem Tritte stößt man auf Fischer oder Matrosen. Wer eine Perücke und einen Mantel trägt, heißt ein Reicher; Mütze und Überschlag sind das Zeichen eines Armen.

Die

Die Lage der Stadt ist schön, doch darf man Venedig nicht gesehen haben.

Wir verweilten uns nicht lange. Der Patron, der noch mehr Passagiere hatte, mußte zeitig wieder in Venedig seyn, und den Prinzen fesselte nichts in Chiozza. Alles hatte seinen Platz schon im Schiffe genommen, als wir ankamen. Weil sich die Gesellschaft auf der Herfahrt so beschwerlich gemacht hatte, so nahmen wir dießmahl ein Zimmer für uns allein. Der Prinz erkundigte sich, wer noch mehr da sey? Ein Dominikaner war die Antwort, und einige Damen, die retour nach Venedig gingen. Mein Herr war nicht neugierig, sie zu sehen, und nahm sogleich sein Zimmer ein.

Die Griechinn war der Gegenstand unsers Gesprächs auf der Herfahrt gewesen, und sie war es auch auf der Rückfahrt. Der Prinz wiederhohlte sich ihre Erscheinung in der Kirche mit Feuer; Plane wurden gemacht und verworfen; die Zeit verstrich wie ein Augenblick; ehe wir es uns versahen, lag Venedig vor uns. Einige von den Passagiers stiegen aus, der Dominikaner war unter diesen. Der Patron ging zu den Damen, die, wie wir jetzt erst erfuhren, nur durch ein dünnes Bret von uns geschieden waren, und fragte sie, wo er anlegen sollte. Auf der Insel Murano, war die Antwort, und das Haus wurde genannt. — Insel Murano! rief der Prinz, und ein Schauer der Ahnung schien durch seine Seele zu fliegen. Eh' ich ihm antworten konnte, stürzte Biondello herein. „Wissen Sie auch, in welcher Gesellschaft wir reisen?" — Der Prinz sprang auf — „Sie ist hier! Sie selbst! fuhr Biondello fort. Ich komme eben von ihrem Begleiter."

Der Prinz drang hinaus. Das Zimmer ward ihm zu enge, die ganze Welt wär' es ihm in diesem Augenblick gewesen. Tausend Empfindungen stürmten in ihm, seine Knie zitterten, Röthe und Bläße wechselten in seinem Gesichte. Ich zitterte erwartungsvoll mit ihm. Ich kann Ihnen diesen Zustand nicht beschreiben.

In Murano ward angehalten. Der Prinz sprang an's Ufer. Sie kam. Ich las im Gesicht des Prinzen, daß sie's war. Ihr Anblick ließ mir keinen Zweifel übrig. Eine schönere Gestalt hab' ich nie gesehen; alle Beschreibungen des Prinzen waren unter der Wirklichkeit geblieben. Eine glühende Röthe überzog ihr Gesicht, als sie den Prinzen ansichtig wurde. Sie hatte unser ganzes Gespräch hören müssen, sie konnte auch nicht zweifeln, daß sie der Gegenstand desselben gewesen sey. Mit einem bedeutenden Blicke sah sie ihre Begleiterinn an, als wollte sie sagen: das ist er! und mit Verwirrung schlug sie ihre Augen nieder. Ein schmales Bret ward vom Schiff an das Ufer gelegt, über welches sie zu gehen hatte. Sie schien ängstlich, es zu betreten — aber weniger, wie mir vorkam, weil sie auszugleiten fürchtete, als weils sie es ohne fremde Hülfe nicht konnte, und der Prinz schon den Arm ausstreckte, ihr beyzustehen. Die Noth siegte über diese Bedenklichkeit. Sie nahm seine Hand an, und war am Ufer. Die heftige Gemüthsbewegung, in der der Prinz war, machte ihn unhöflich; die andere Dame, die auf den nähmlichen Dienst wartete, vergaß er — was hätte er in diesem Augenblick nicht vergessen? Ich erwies ihr endlich diesen Dienst, und dieß brachte mich um das Vorspiel einer Unterredung, die sich zwischen meinem Herrn und der Dame angefangen hatte.

Er hielt noch immer ihre Hand in der seinigen — aus Zerstreuung, denke ich, und ohne daß er es selbst wußte.

„Es ist nicht das erste Mahl, Signora, daß — — daß — — Er konnte es nicht heraus sagen.

„„Ich sollte mich erinnern, lispelte sie —

„In der *** Kirche, sagte er —

„„In der *** Kirche war es, sagte sie —

„Und konnte ich mir heute vermuthen — — Ihnen so nahe —

Hier zog sie ihre Hand leise aus der seinigen — Er verwirrte sich augenscheinlich. Biondello, der indeß mit dem Bedienten gesprochen hatte, kam ihm zu Hülfe.

Signor, fing er an, die Damen haben Sänften hieher bestellt; aber wir sind früher zurück gekommen, als sie sich's vermutheten. Es ist hier ein Garten in der Nähe, wo Sie so lange eintreten können, um dem Gedränge auszuweichen.

Der Vorschlag ward angenommen, und Sie können denken, mit welcher Bereitwilligkeit von Seiten des Prinzen. Man blieb in dem Garten, bis es Abend wurde. Es gelang uns, Z*** und mir, die Matrone zu beschäftigen, daß der Prinz sich mit der jungen Dame ungestört unterhalten konnte. Daß er diese Augenblicke gut zu benutzen gewußt habe, können Sie daraus abnehmen, daß er die Erlaubniß empfangen hat, sie zu besuchen. Eben jetzt, da ich Ihnen schreibe, ist er dort. Wenn er zurück kommt, werde ich mehr erfahren.

L 2

Gestern, als wir nach Hause kamen, fanden wir auch die erwarteten Wechsel von unserm Hofe, aber von einem Briefe begleitet, der meinen Herrn sehr in Flammen setzte. Man ruft ihn zurück und in einem Tone, wie er ihn gar nicht gewohnt ist. Er hat sogleich in einem ähnlichen geantwortet, und wird bleiben. Die Wechsel sind eben hinreichend, um die Zinsen von dem Capitale zu bezahlen, das er schuldig ist. Einer Antwort von seiner Schwester sehen wir mit Verlangen entgegen.

Baron von F*** an den Grafen von O**.

Zehnter Brief.

September.

Der Prinz ist mit seinem Hofe zerfallen, alle unsere Ressourcen von daher abgeschnitten.

Die sechs Wochen, nach deren Verfluß mein Herr den Marchese bezahlen sollte, waren schon um einige Tage verstrichen, und noch keine Wechsel weder von seinem Cousin, von dem er auf's neue und auf's dringendste Vorschuß verlangt hatte, noch von seiner Schwester. Sie können wohl denken, daß Civitella nicht mahnte; ein desto treueres Gedächtniß aber hatte der Prinz. Gestern Mittag kam eine Antwort vom regierenden Hofe.

Wir hatten kurz vorher einen neuen Contract unsers Hotels wegen abgeschlossen, und der Prinz hatte sein längeres Bleiben schon öffentlich declarirt. Ohne ein Wort zu sagen, gab mir mein Herr den Brief. Seine Augen funkelten; ich las den Inhalt schon auf seiner Stirne.

Können Sie Sich vorstellen, lieber O**? Man ist in **** von allen hiesigen Verhältnissen meines Herrn unterrichtet, und die Verläumdung hat ein abscheuliches Gewebe von Lügen daraus gesponnen. „Man habe mißfällig vernommen, heißt es unter andern, daß der Prinz seit einiger Zeit angefangen habe, seinen vorigen Charakter zu verläugnen, und ein Betragen anzunehmen, das seiner bisherigen lobenswürdigen Art zu denken ganz entgegen gesetzt sey. Man wisse, daß er sich dem Frauenzimmer und dem Spiel auf's ausschweifendste ergebe, sich in Schulden stürze, Visionärs und Geisterbannern sein Ohr leihe, mit katholischen Prälaten in verdächtigen Verhältnissen stehe, und einen Hofstaat führe, der seinen Rang sowohl, als seine Einkünfte überschreite. Es heiße sogar, daß er im Begriff stehe, dieses höchst anstößige Betragen durch eine Apostasie zur römischen Kirche vollkommen zu machen. Um sich von der letztern Beschuldigung zu reinigen, erwarte man von ihm eine ungesäumte Zurückkunft. Ein Banquier in Venedig, dem er den Etat seiner Schulden übergeben solle, habe Anweisung, sogleich nach seiner Abreise seine Gläubiger zu befriedigen; denn unter diesen Umständen finde man nicht für gut, das Geld in seine Hände zu geben."

Was für Beschuldigungen und in welchem Tone! Ich nahm den Brief, durchlas ihn noch ein Mahl, ich wollte etwas darin aufsuchen, das ihn mildern könnte; ich fand nichts, es war mir ganz unbegreiflich.

Z*** erinnerte mich jetzt an die geheime Nachfrage, die vor einiger Zeit an Biondello ergangen war. Die Zeit, der Inhalt, alle Umstände kamen überein. Wir hatten sie fälschlich dem Armenier zugeschrieben. Jetzt war's am Tage, von wem sie herrührte. Apostasie! — Aber wessen Interesse kann es seyn, meinen Herrn so abscheulich und so platt zu verläumden? Ich fürchte, es ist ein Stückchen von dem Prinzen von ** d**, der es durchsetzen will, unsern Herrn aus Venedig zu entfernen.

Dieser schwieg noch immer, die Augen starr vor sich hingeworfen. Sein Stillschweigen ängstigte mich. Ich warf mich zu seinen Füßen. „Um Gottes willen, gnädigster Prinz," rief ich aus, „beschließen Sie nichts Gewaltsames. Sie sollen, Sie werden die vollständigste Genugthuung haben. Überlassen Sie mir diese Sache. Senden Sie mich hin. Es ist unter Ihrer Würde, Sich gegen solche Beschuldigungen zu verantworten; aber mir erlauben Sie, es zu thun. Der Verläumder muß genannt, und dem *** die Augen geöffnet werden."

In dieser Lage fand uns Civitella, der sich mit Erstaunen nach der Ursache unserer Bestürzung erkundigte. Z*** und ich schwiegen. Der Prinz aber, der zwischen ihm und uns schon lange keinen Unterschied mehr zu machen gewohnt ist, auch noch in zu heftiger Wallung war, um in diesem Augenblick der Klugheit Gehör zu geben, befahl uns, ihm den Brief mitzutheilen. Ich wollte zögern, aber der Prinz riß ihn mir aus der Hand, und gab ihn selbst dem Marchese.

„Ich bin Ihr Schuldner, Herr Marchese," fing der Prinz an, nachdem dieser den Brief mit Erstaunen durchlesen hatte, „aber lassen Sie Sich das keine Unruhe machen. Geben Sie mir nur noch zwanzig Tage Frist, und Sie sollen befriedigt werden."

Gnädigster Prinz, rief Civitella heftig bewegt, verdien' ich dieses?

„Sie haben mich nicht erinnern wollen; ich erkenne Ihre Delicatesse, und danke Ihnen. In zwanzig Tagen, wie gesagt, sollen Sie völlig befriedigt werden."

Was ist das? fragte Civitella mich voll Bestürzung. Wie hängt dieß zusammen? Ich fass' es nicht.

Wir erklärten ihm, was wir wußten. Er kam außer sich. Der Prinz, sagte er, müsse auf Genugthuung dringen; die Beleidigung sey unerhört. Unterdessen beschwöre er ihn, sich seines ganzen Vermögens und Credits unumschränkt zu bedienen.

Der Marchese hatte uns verlassen, und der Prinz noch immer kein Wort gesprochen. Er ging mit starken Schritten im Zimmer auf und nieder; etwas Außerordentliches arbeitete in ihm. Endlich stand er still, und murmelte vor sich zwischen den Zähnen: „Wünschen Sie Sich Glück — sagte er — Um neun Uhr ist er gestorben."

Wir sahen ihn erschrocken an.

„Wünschen Sie Sich Glück," fuhr er fort; „Glück — Ich soll mir Glück wünschen — Sagte er nicht so? Was wollte er damit sagen?"

Wie kommen Sie jetzt darauf? rief ich. Was soll das hier?

„Ich habe damahls nicht verstanden, was der Mensch wollte. Jetzt verstehe ich ihn — O es ist unerträglich hart, einen Herrn über sich haben!"

Mein theuerster Prinz!

„Der es uns fühlen lassen kann! — Ha! Es muß süß seyn!"

Er hielt wieder inne. Seine Miene erschreckte mich. Ich hatte sie nie an ihm gesehen.

„Der Elendeste unter dem Volk," fing er wieder an, „oder der nächste Prinz am Throne! Das ist ganz dasselbe. Es gibt nur Einen Unterschied unter den Menschen — Gehorchen oder Herrschen!"

Er sah noch ein Mahl in den Brief.

„Sie haben den Menschen gesehen," fuhr er fort, „der sich unterstehen darf, mir dieses zu schreiben. Würden Sie ihn auf der Straße grüßen, wenn ihn das Schicksal nicht zu Ihrem Herrn gemacht hätte? Bey Gott! Es ist etwas Großes um eine Krone!"

In diesem Ton ging es weiter, und es fielen Reden, die ich keinem Brief anvertrauen darf. Aber bey dieser Gelegenheit entdeckte mir der Prinz einen Umstand, der mich in nicht geringes Erstaunen und Schrecken setzte, und der die gefährlichsten Folgen haben kann. Über die Familienverhältnisse am *** Hofe sind wir bisher in einem großen Irrthum gewesen.

Der Prinz beantwortete den Brief auf der Stelle, so sehr ich mich dagegen setzte, und die Art, wie er es gethan hat, läßt keine gütliche Beylegung mehr hoffen.

Sie werden nun auch begierig seyn, liebster O**, von der Griechinn endlich etwas Positives zu erfahren; aber eben dieß ist es, worüber ich Ihnen noch immer keinen befriedigenden Aufschluß geben kann. Aus dem Prinzen ist nichts heraus zu bringen, weil er in das Geheimniß gezogen ist, und sich, wie ich vermuthe, hat verpflichten müssen, es zu bewahren. Daß sie aber die Griechinn nicht ist, für die wir sie hielten, ist heraus. Sie ist eine Deutsche, und von der edelsten

Abkunft. Ein gewisses Gerücht, dem ich auf die Spur gekommen bin, gibt ihr eine sehr hohe Mutter, und macht sie zu der Frucht einer unglücklichen Liebe, wovon in Europa viel gesprochen worden ist. Heimliche Nachstellungen von mächtiger Hand haben sie, laut dieser Sage, gezwungen, in Venedig Schutz zu suchen, und eben diese sind auch die Ursache ihrer Verborgenheit, die es dem Prinzen unmöglich gemacht hat, ihren Aufenthalt zu erforschen. Die Ehrerbiethung, womit der Prinz von ihr spricht, und gewisse Rücksichten, die er gegen sie beobachtet, scheinen dieser Vermuthung Kraft zu geben.

Er ist mit einer fürchterlichen Leidenschaft an sie gebunden, die mit jedem Tage wächst. In der ersten Zeit wurden die Besuche sparsam zugestanden; doch schon in der zweyten Woche verkürzte man die Trennungen, und jetzt vergeht kein Tag, wo der Prinz nicht dort wäre. Ganze Abende verschwinden, ohne daß wir ihn zu Gesichte bekommen, und ist er auch nicht in ihrer Gesellschaft, so ist s i e es doch allein, was ihn beschäftigt. Sein ganzes Wesen scheint verwandelt. Er geht wie ein Träumender umher, und nichts von allem, was ihn sonst interessirt hatte, kann ihm jetzt nur eine flüchtige Aufmerksamkeit abgewinnen.

Wohin wird das noch kommen, liebster Freund? Ich zittre für die Zukunft. Der Bruch mit seinem Hofe hat meinen Herrn in eine erniedrigende Abhängigkeit von einem einzigen Menschen, von dem Marchese Civitella, gesetzt. Dieser ist jetzt Herr unsrer Geheimnisse, unsers ganzen Schicksals. Wird er immer so edel denken, als er sich uns jetzt noch zeigt? Wird dieses gute Vernehmen auf die Dauer bestehen, und ist es wohl gethan, einem Menschen, auch dem Vortrefflichsten, so viel Wichtigkeit und Macht einzuräumen?

An die Schwester des Prinzen ist ein neuer Brief abgegangen. Den Erfolg hoffe ich Ihnen in meinem nächsten Briefe melden zu können.

Der Graf von O** zur Fortsetzung.

Aber dieser nächste Brief blieb aus. Drey ganze Monathe vergingen, ehe ich Nachricht aus Venedig erhielt — eine Unterbrechung, deren Ursache sich in der Folge nur zu sehr aufklärte. Alle Briefe meines Freundes an mich waren zurück behalten und unterdrückt worden. Man urtheile von meiner Bestürzung, als ich endlich im December dieses Jahrs folgendes Schreiben erhielt, das bloß ein glücklicher Zufall (weil Biondello, der es zu bestellen hatte, plötzlich krank wurde) in meine Hände brachte.

„Sie schreiben nicht. Sie antworten nicht — Kommen Sie — o kommen Sie auf Flügeln der Freundschaft. Unsre Hoffnung ist dahin. Lesen Sie diesen Einschluß. Alle unsre Hoffnung ist dahin.

Die Wunde des Marchese soll tödtlich seyn. Der Cardinal brütet Rache, und seine Meuchelmörder suchen den Prinzen. Mein Herr — o mein unglücklicher Herr! — Ist es dahin gekommen? Unwürdiges, entsetzliches Schicksal! Wie Nichtswürdige müssen wir uns vor Mördern und Räubern verbergen.

Ich schreibe Ihnen aus dem *** Kloster, wo der Prinz eine Zuflucht gefunden hat. Eben ruht er auf einem harten Lager neben mir und schläft — ach den Schlummer der tödtlichsten Erschöpfung, der ihn nur zu neuem Gefühl seiner Leiden stärken wird. Die zehn Tage, daß sie krank war, kam kein Schlaf in seine Augen. Ich war bey der Leichenöffnung. Man fand Spuren von Vergiftung. Heute wird man sie begraben.

Ach liebster O**, mein Herz ist zerrissen. Ich habe einen Auftritt erlebt, der nie aus meinem Gedächtniß verlöschen wird. Ich stand vor ihrem Sterbebette. Wie eine Heilige schied sie dahin, und ihre letzte sterbende Beredsamkeit erschöpfte sich, ihren Geliebten auf den Weg zu leiten, den sie zum Himmel wandelte. — Alle unsere Standhaftigkeit war erschüttert, der Prinz allein stand fest, und ob er gleich ihren Tod dreyfach mit erlitt, so behielt er doch Stärke des Geistes genug, der frommen Schwärmerinn ihre letzte Bitte zu verweigern.

In diesem lag folgender Einschluß:

An den Prinzen von *** von seiner Schwester.

„Die allein seligmachende Kirche, die an dem Prinzen von *** eine so glänzende Eroberung gemacht hat, wird es ihm auch nicht an Mitteln fehlen lassen, die Lebensart fortzusetzen, der sie diese Eroberung verdankt. Ich habe Thränen und Gebeth für einen Verirrten, aber keine Wohlthaten mehr für einen Unwürdigen."

Henriette ***.

Ich nahm sogleich Post, reisete Tag und Nacht, und in der dritten Woche war ich in Venedig. Meine Eilfertigkeit nützte mir nichts mehr. Ich war gekommen, einem Unglücklichen Trost und Hülfe zu bringen; ich fand einen Glücklichen, der meines schwachen Beystandes nicht mehr benöthigt war. F*** lag krank, und war nicht zu sprechen, als ich anlangte; folgendes Billet überbrachte man mir von seiner Hand. „Reisen Sie zurück, liebster O**, wo Sie hergekommen sind. Der Prinz bedarf Ihrer nicht mehr, auch nicht meiner. Seine Schulden sind bezahlt, der Cardinal versöhnt, der Marchese wieder hergestellt. Erinnern Sie sich des Armeniers, der uns voriges Jahr so zu verwirren wußte? In seinen Armen finden Sie den Prinzen, der seit fünf Tagen — die erste Messe hörte."

Ich drängte mich nichts desto weniger zum Prinzen, ward aber abgewiesen. An dem Bette meines Freundes erfuhr ich endlich die unerhörte Geschichte.

(Die Fortsetzung erschien nicht mehr von Schiller.)

II.

Briefe über Don Carlos.

Erster Brief.

Sie sagen mir, lieber Freund, daß Ihnen die bisherigen Beurtheilungen des Don Carlos noch wenig Befriedigung gegeben, und halten dafür, daß der größte Theil derselben den eigentlichen Gesichtspunct des Verfassers fehlgegangen sey. Es däucht Ihnen noch wohl möglich, gewisse gewagte Stellen zu retten, welche die Kritik für unhaltbar erklärte; manche Zweifel, die dagegen rege gemacht worden, finden Sie in dem Zusammenhange des Stücks — wo nicht völlig beantwortet, doch vorhergesehen und in Anschlag gebracht. Bey den meisten Einwürfen fänden Sie weit weniger die Sagacität der Beurtheiler, als die Selbstzufriedenheit zu bewundern, mit der sie solche als hohe Entdeckungen vortragen, ohne sich durch den natürlichsten Gedanken stören zu lassen, daß Übertretungen, die dem Blödsichtigsten sogleich ins Auge fallen, auch wohl dem Verfasser, der unter seinen Lesern selten der am wenigsten Unterrichtete ist, dürften sichtbar gewesen seyn, und daß sie es also weniger mit der Sache selbst, als mit den Gründen zu thun haben, die ihn dabey bestimmten. Diese Gründe können allerdings unzulänglich seyn, können auf einer einseitigen Vorstellungsart beruhen: aber die Sache des Beurtheilers wäre es gewesen, diese Unzulänglichkeit, diese Einseitigkeit zu zeigen, wenn er anders in den Augen desjenigen, dem er sich zum Richter aufdringt, oder zum Rathgeber anbiethet, einen Werth erlangen will.

Aber, lieber Freund, was geht es am Ende den Autor an, ob sein Beurtheiler Beruf gehabt hat, oder nicht? Wie viel oder wenig Scharfsinn er bewiesen hat? Mag er das mit sich selbst ausmachen. Schlimm für den Autor und sein Werk, wenn er die Wirkung desselben auf die Divinationsgabe und Billigkeit seiner Kritiker ankommen ließ, wenn er den Eindruck desselben von Eigenschaften abhängig machte, die sich nur in sehr wenigen Köpfen vereinigen. Es ist einer der fehlerhaftesten Zustände, in welchen sich ein Kunstwerk befinden kann, wenn es in die Willkühr des Betrachters gestellt worden, welche Auslegung er davon machen will, und wenn es einer Nachhülfe bedarf, ihn in den rechten Standpunct zu rücken. Wollten Sie mir andeuten, daß das meinige sich in diesem Falle befände, so haben Sie etwas sehr Schlimmes davon gesagt, und Sie veranlassen mich, es aus diesem Gesichtspunct noch einmahl genauer zu prüfen. Es käme also, däucht mir, vorzüglich darauf an, zu untersuchen, ob in dem Stücke alles enthalten ist, was zum Verständniß desselben dienet, und ob es in so klaren Ausdrücken angegeben ist, daß es dem Leser leicht war, es zu erkennen. Lassen Sie sichs also gefallen, lieber Freund, daß ich Sie eine Zeitlang von diesem Gegen-

stand

stand unterhalte. Das Stück ist mir fremder geworden, ich finde mich jetzt gleichsam in der Mitte zwischen dem Künstler und seinem Betrachter, wodurch es mir vielleicht möglich wird, des erstern vertraute Bekanntschaft mit seinem Gegenstand, mit der Unbefangenheit des letztern zu verbinden.

Es kann mir überhaupt — und ich finde nöthig, dieses voraus zu schicken — es kann mir begegnet seyn, daß ich in den ersten Acten andere Erwartungen erregt habe, als ich in den letzten erfüllte. S. Reals Novelle, vielleicht auch meine eigene Äußerungen darüber im ersten Stück der Thalia, mögen dem Leser einen Standpunct angewiesen haben, aus dem es jetzt nicht mehr betrachtet werden kann. Während der Zeit nähmlich, daß ich es ausarbeitete, welches mancher Unterbrechungen wegen eine ziemlich lange Zeit war, hat sich — in mir selbst vieles verändert. An den verschiedenen Schicksalen, die während dieser Zeit über meine Art zu denken und zu empfinden ergangen sind, mußte nothwendig auch dieses Werk Theil nehmen. Was mich zu Anfang vorzüglich in demselben gefesselt hatte, that diese Wirkung in der Folge schon schwächer, und am Ende nur kaum noch. Neue Ideen, die indeß bey mir aufkamen, verdrängten die frühern; Carlos selbst war in meiner Gunst gefallen, vielleicht aus keinem andern Grunde, als weil ich ihm in Jahren zu weit voraus gesprungen war, und aus der entgegengesetzten Ursache hatte Marquis Posa seinen Platz eingenommen. So kam es denn, daß ich zu dem vierten und fünften Acte ein ganz anderes Herz mitbrachte. Aber die ersten drey Acte waren in den Händen des Publicums, die Anlage des Ganzen war nicht mehr umzustoßen — ich hätte also das Stück entweder ganz unterdrücken müssen, (und das hätte mir doch wohl der kleinste Theil meiner Leser gedankt) oder ich mußte die zweyte Hälfte der ersten so gut anpassen, als ich konnte. Wenn dieß nicht überall auf die glücklichste Art geschehen ist, so dient mir zu einiger Beruhigung, daß es einer geschicktern Hand, als der meinigen, nicht viel besser würde gelungen seyn. Der Hauptfehler war, ich hatte mich zu lange mit dem Stücke getragen, ein dramatisches Werk aber kann und soll nur die Blüthe eines einzigen Sommers seyn. Auch der Plan war für die Gränzen und Regeln eines dramatischen Werks zu weitläuftig angelegt. Dieser Plan z. B. forderte, daß Marquis Posa das uneingeschränkteste Vertrauen Philipps davon trug; aber zu dieser außerordentlichen Wirkung erlaubte mir die Ökonomie des Stücks nur eine einzige Scene.

Bey meinem Freunde werden mich diese Aufschlüsse vielleicht rechtfertigen, aber nicht bey der Kunst. Möchten sie indessen doch nur die vielen Declamationen beschließen, womit von dieser Seite her von den Kritikern gegen mich ist Sturm gelaufen worden.

Zweyter Brief.

Der Charakter des Marquis Posa ist fast durchgängig für zu idealisch gehalten worden; in wie fern diese Behauptung Grund hat, wird sich dann am besten ergeben, wenn man die eigenthümliche Handlungsart dieses Menschen auf ihren wahren Gehalt zurück geführt hat. Ich habe es hier, wie Sie sehen, mit zwey entgegengesetzten Parteyen zu thun. Denen, welche ihn aus der Classe natürlicher Wesen schlechterdings verwiesen haben wollen, müßte also dargethan werden, in wie fern er mit der Menschennatur zusammen hängt, in wie fern seine Gesinnungen wie seine Handlungen aus sehr menschlichen Trieben fließen, und in der Verkettung äußerlicher Umstände gegründet sind; diejenigen, welche ihm den Nahmen eines göttlichen Menschen geben, brauche ich nur auf einige Blößen an ihm aufmerksam zu machen, die gar sehr menschlich sind. Die Gesinnungen, die der Marquis äußert, die Philosophie, die ihn leitet, die Lieblingsgefühle, die ihn beseelen, so sehr sie sich auch über das tägliche Leben erheben, können, als bloße Vorstellungen betrachtet, es nicht wohl seyn, was ihn mit Recht aus der Classe natürlicher Wesen verbannte. Denn was kann in einem menschlichen Kopf nicht Daseyn empfangen, und welche Geburt des Gehirnes kann in einem glühenden

M 2

Herzen nicht zur Leidenschaft reifen? Auch seine Handlungen können es nicht seyn, die, so selten dieß auch geschehen mag, in der Geschichte selbst ihres Gleichen gefunden haben; denn die Aufopferung des Marquis für seinen Freund hat wenig oder nichts vor dem Heldentode eines Curtius, Regulus und anderer voraus. Das Unrichtige und Unmögliche müßte also entweder in dem Widerspruch dieser Gesinnungen mit dem damahligen Zeitalter, oder in ihrer Ohnmacht und ihrem Mangel an Lebendigkeit liegen, zu solchen Handlungen wirklich zu entzünden. Ich kann also die Einwendungen, welche gegen die Natürlichkeit dieses Charakters gemacht werden, nicht anders verstehen, als daß in Philipps des Zweyten Jahrhundert kein Mensch so wie Marquis Posa gedacht haben konnte, — daß Gedanken dieser Art nicht so leicht, wie hier geschieht, in den Willen und in die That übergehen, — und daß eine idealische Schwärmerey nicht mit solcher Consequenz realisirt, nicht von solcher Energie im Handeln begleitet zu werden pflege.

Was man gegen diesen Charakter aus dem Zeitalter einwendet, in welchen ich ihn auftreten lasse, dünkt mir vielmehr, für als wider ihn zu sprechen. Nach dem Beyspiel aller großen Köpfe entsteht er zwischen Finsterniß und Licht, eine hervorragende isolirte Erscheinung. Der Zeitpunct, wo er sich bildet, ist allgemeine Gährung der Köpfe, Kampf der Vorurtheile mit der Vernunft, Anarchie der Meinungen, Morgendämmerung der Wahrheit — von jeher die Geburtsstunde außerordentlicher Menschen. Die Ideen von Freyheit und Menschenadel, die ein glücklicher Zufall, vielleicht eine günstige Erziehung in diese rein organisirte empfängliche Seele warf, machen sie durch ihre Neuheit erstaunen, und wirken mit aller Kraft des Ungewohnten und Überraschenden auf sie; selbst das Geheimniß, unter welchem sie ihr wahrscheinlich mitgetheilt wurden, mußte die Stärke ihres Eindrucks erhöhen. Sie haben durch einen langen abnützenden Gebrauch das Triviale noch nicht, das heut zu Tage ihren Eindruck so stumpf macht; ihren großen Stämpel hat weder das Geschwätz der Schulen, noch der Witz der Weltleute abgerieben. Seine Seele fühlt sich in diesen Ideen gleichsam wie in einer neuen und schönen Region, die mit allem ihrem blendenden Licht auf sie wirkt, und sie in den lieblichsten Traum entzückt. Das entgegengesetzte Elend der Sclaverey und des Aberglaubens zieht sie immer fester und fester an diese Lieblingswelt; die schönsten Träume von Freyheit werden ja im Kerker geträumt. Sagen Sie selbst, mein Freund — das kühnste Ideal einer Menschenrepublik, allgemeiner Duldung und Gewissensfreyheit, wo konnte es besser und wo natürlicher zur Welt geboren werden, als in der Nähe Philipps II. und seiner Inquisition?

Alle Grundsätze und Lieblingsgefühle des Marquis drehen sich um republikanische Tugend. Selbst seine Aufopferung für seinen Freund beweist dieses; denn Aufopferungsfähigkeit ist der Inbegriff aller republikanischen Tugend.

Der Zeitpunct, worin er auftrat, war gerade derjenige, worin stärker, als je, von Menschenrechten und Gewissensfreyheit die Rede war. Die vorhergehende Reformation hatte diese Ideen zuerst in Umlauf gebracht, und die Flandrischen Unruhen erhielten sie in Übung. Seine Unabhängigkeit von aussen, sein Stand als

Malthefer-Ritter selbst, schenkten ihm die glückliche Muße, diese speculative Schwärmerey zur Reife zu brüten.

In dem Zeitalter und in dem Staat, worin der Marquis auftritt, und in den Aussendingen, die ihn umgeben, liegt also der Grund nicht, warum er dieser Philosophie nicht hätte fähig seyn, nicht mit schwärmerischer Anhänglichkeit ihr hätte ergeben seyn können.

Wenn die Geschichte reich an Beyspielen ist, daß man für Meinungen alles Irdische hintansetzen kann, wenn man dem grundlosesten Wahn die Kraft beylegt, die Gemüther der Menschen auf einen solchen Grad einzunehmen, daß sie aller Aufopferungen fähig gemacht werden; so wäre es sonderbar, der Wahrheit diese Kraft abzustreiten. In einem Zeitpunct vollends, der so reich wie jener an Beyspielen ist, daß Menschen Gut und Leben um Lehrsätze wagen, die an sich so wenig Begeisterndes haben, sollte, däucht mir, ein Charakter nicht auffallen, der für die erhabenste aller Ideen etwas Ähnliches wagt; man müßte denn annehmen, daß Wahrheit minder fähig sey, das Menschenherz zu rühren, als der Wahn. Der Marquis ist außerdem als Held angekündigt. Schon in früher Jugend hat er mit seinem Schwerte Proben eines Muths abgelegt, den er nachher für eine ernsthaftere Angelegenheit äußern soll. Begeisternde Wahrheiten und eine seelenerhebende Philosophie müßten, däucht mir, in einer Heldenseele zu etwas ganz Anderm werden, als in dem Gehirn eines Schulgelehrten, oder in dem abgenützten Herzen eines weichlichen Weltmannes.

Zwey Handlungen des Marquis sind es vorzüglich, an denen man, wie Sie mir sagen, Anstoß genommen hat. Sein Verhalten gegen den König in der zehnten

Scene des dritten Aufzugs, und die Aufopferung für seinen Freund. Aber es könnte seyn, daß die Freymüthigkeit, mit der er dem Könige seine Gesinnungen vorträgt, weniger auf Rechnung seines Muths, als seiner genauen Kenntniß von Jenes Charakter käme, und mit aufgehobener Gefahr würde sonach auch der Haupteinwurf gegen diese Scene gehoben. Darüber ein anderes Mahl, wenn ich Sie von Philipp II. unterhalte; jetzt hatte ich es bloß mit Posas Aufopferung für den Prinzen zu thun, worüber ich Ihnen im nächsten Briefe einige Gedanken mittheilen will.

Dritter Brief.

Sie wollten neulich im Don Carlos den Beweis gefunden haben, daß leidenschaftliche Freundschaft ein eben so rührender Gegenstand für die Tragödie seyn könne, als leidenschaftliche Liebe, und meine Antwort, daß ich mir das Gemählde einer solchen Freundschaft für die Zukunft zurück gelegt hätte, befremdete Sie. Also auch Sie nehmen es, wie die meisten meiner Leser, als ausgemacht an, daß es schwärmerische Freundschaft gewesen, was ich mir in dem Verhältniß zwischen Carlos und Marquis Posa zum Ziel gesetzt habe? Und aus diesem Standpunct haben Sie folglich diese beyden Charaktere und vielleicht das ganze Drama bisher betrachtet? Wie aber, lieber Freund, wenn Sie mir mit dieser Freundschaft wirklich zu viel gethan hätten? Wenn es aus dem ganzen Zusammenhang deutlich erhellte, daß sie dieses Ziel nicht gewesen, und auch schlechterdings nicht seyn konnte? Wenn sich der Charakter des Marquis, so wie er aus dem Total seiner Handlungen hervorgeht, mit einer solchen Freundschaft durchaus nicht vertrüge, und wenn sich gerade aus seinen schönsten Handlungen, die man auf ihre Rechnung schreibt, der beste Beweis für das Gegentheil führen ließe?

Die erste Ankündigung des Verhältnisses zwischen

diesen beyden konnte irre geführt haben; aber dieß auch nur scheinbar, und eine geringe Aufmerksamkeit auf das abstechende Benehmen beyder hätte hingereicht, den Irrthum zu heben. Dadurch, daß der Dichter von ihrer Jugendfreundschaft ausgeht, hat er sich nichts von seinem höhern Plane vergeben; im Gegentheil konnte dieser aus keinem bessern Faden gesponnen werden. Das Verhältniß, in welchem beyde zusammen auftreten, war Reminiscenz ihrer früheren akademischen Jahre. Harmonie der Gefühle, eine gleiche Liebhaberey für das Große und Schöne, ein gleicher Enthusiasmus für Wahrheit, Freyheit und Tugend hatte sie damahls an einander geknüpft. Ein Charakter wie Posa's, der sich nachher so, wie es in dem Stücke geschieht, entfaltet, mußte frühe angefangen haben, diese lebhafte Empfindungskraft an einem fruchtbaren Gegenstande zu üben: ein Wohlwollen, das sich in der Folge über die ganze Menschheit erstrecken sollte, mußte von einem engern Bande ausgegangen seyn. Dieser schöpferische und feurige Geist mußte bald einen Stoff haben, auf den er wirkte; konnte sich ihm ein schönerer anbiethen, als ein zart und lebendig fühlender, seiner Ergießungen empfänglicher, ihm freywillig entgegeneilender Fürstensohn? Aber auch schon in diesen frühern Zeiten ist der Ernst dieses Charakters in einigen Zügen sichtbar; schon hier ist Posa der kältere, der spätere Freund, und sein Herz, jetzt schon zu weit umfassend, um sich für ein einziges Wesen zusammen zu ziehen, muß durch ein schweres Opfer errungen werden. S. 14. 15.

„Da fing ich an mit Zärtlichkeiten
„Und inniger Bruderliebe dich zu quälen:
„Du stolzes Herz gabst sie mir kalt zurück.
„— Verschmähen konntest du mein Herz, doch nie
„Von dir entfernen. Drey Mahl wiesest du
„den Fürsten von dir, drey Mahl stand er wieder
„als Bettler da, um Liebe dich zu flehn, u. s. f.
„— — — — Mein königliches Blut
„floß schändlich unter unbarmherzigen Streichen.
„So hoch kam mir der Eigensinn zu stehn,
„von Rodrigo geliebt zu seyn."

Hier schon sind einige Winke gegeben, wie wenig die Anhänglichkeit des Marquis an den Prinzen auf persönliche Übereinstimmung sich gründet. Frühe denkt er sich ihn als Königssohn, frühe drängt sich diese Idee zwischen sein Herz und seinen bittenden Freund. Carlos öffnet ihm seine Arme; der junge Weltbürger kniet vor ihm nieder. Gefühle für Freyheit und Menschenadel waren früher in seiner Seele reif, als Freundschaft für Carlos; dieser Zweig wurde erst nachher auf diesen stärkern Stamm gepfropft. Selbst in dem Augenblick, wo sein Stolz durch das große Opfer seines Freundes bezwungen ist, verliert er den Fürstensohn nicht aus den Augen. „Ich will bezahlen," sagt er, „wenn Du — König bist." Ist es möglich, daß sich in einem so jungen Herzen, bey diesem lebendigen und immer gegenwärtigen Gefühl der Ungleichheit ihres Standes, Freundschaft erzeugen konnte, deren wesentliche Bedingung doch Gleichheit ist? Also auch damahls schon war es weniger Liebe als Dankbarkeit, weniger Freundschaft als Mitleid, was den Marquis dem Prinzen gewann. Die Gefühle, Ahnungen, Träume, Entschlüsse, die sich dunkel und verworren in dieser Knabenseele drängten, mußten mitgetheilt, in einer andern Seele angeschaut werden, und Carlos war der einzige, der sie mit ahnen, mit träumen konnte, und der sie erwiederte. Ein Geist wie Posa's mußte seine Überlegenheit frühzeitig zu genießen streben, und der liebevolle Carl schmiegte sich so unterwürfig, so gelehrig an ihn an! Posa sah in diesem schönen Spiegel sich selbst, und freute sich seines Bildes. So entstand diese akademische Freundschaft.

Aber jetzt werden sie von einander getrennt, und alles wird anders. Carlos kommt an den Hof seines Vaters, und Posa wirft sich in die Welt. Jener, durch seine frühe Anhänglichkeit an den edelsten und feurigsten Jüngling verwöhnt, findet in dem ganzen Umkreis eines Despotenhofes nichts, was sein Herz befriedigte. Alles um ihn her ist leer und unfruchtbar. Mitten im Gewühl so vieler Höflinge einsam, von der Gegenwart gedrückt, labt er sich an süßen Rückerinnerungen der Vergangenheit. Bey ihm also dauern diese frühen Eindrücke warm und lebendig fort, und sein zum Wohlwollen gebildetes Herz, dem ein würdiger Gegenstand mangelt, verzehrt sich in nie befriedigten Träumen. So versinkt er allmählig in einen Zustand müßiger Schwärmerey, unthätiger Betrachtung. In dem fortwährenden Kampfe mit seiner Lage nützen sich seine Kräfte ab, die unfreundlichen Begegnungen eines ihm so ungleichen Vaters verbreiten eine düstre Schwermuth über sein Wesen — den zehrenden Wurm jeder Geistesblüthe, den Tod der Begeisterung. Zusammengedrückt, ohne Energie, geschäftlos, hinbrütend in sich selbst, von schweren fruchtlosen Kämpfen ermattet, zwischen schreckhaften Extremen herum gescheucht, keines eigenen Aufschwungs mehr mächtig — so findet ihn die erste Liebe. In diesem Zustand kann er ihr keine Kraft mehr entgegen setzen; alle jene früheren Ideen, die ihr allein das Gleichgewicht hätten halten können, sind seiner Seele fremder geworden; sie beherrscht ihn mit despotischer Gewalt; so versinkt er in einen schmerzhaft wollüstigen Zustand des Leidens. Auf einen einzigen Gegenstand sind jetzt alle seine Kräfte zusammen gezogen. Ein nie gestilltes Verlangen hält seine Seele innerhalb ihrer selbst gefesselt. — Wie sollte sie ins Universum ausströmen? Unfähig diesen Wunsch zu befriedigen, unfähiger noch, ihn durch innere Kraft zu besiegen, schwindet er halb lebend, halb sterbend, in sichtbarer Zehrung hin, keine Zerstreuung für den brennenden Schmerz seines Busens, kein mitfühlendes, sich ihm öffnendes Herz, in das er ihn ausströmen könnte. S. 13.

„Ich habe niemand — niemand,
„auf dieser großen weiten Erde, niemand.
„So weit das Scepter meines Vaters reicht,
„so weit die Schiffahrt unsre Flaggen sendet,
„ist keine Stelle, keine, keine, wo
„ich meiner Thränen mich entlaßen kann."

Hülflosigkeit und Armuth des Herzens führen ihn jezt auf eben den Punct zurück, wo Fülle des Herzens ihn hatte ausgehen lassen. Heftiger fühlt er das Bedürfniß der Sympathie, weil er allein ist, und unglücklich. So findet ihn sein zurückkommender Freund.

Ganz anders ist es unterdessen diesem ergangen. Mit offnen Sinnen, mit allen Kräften der Jugend, allem Drange des Genies, aller Wärme des Herzens in das weite Universum geworfen; sieht er den Menschen im Großen, wie im Kleinen handeln; er findet Gelegenheit, sein mitgebrachtes Ideal an den wirkenden Kräften der ganzen Gattung zu prüfen. Alles, was er hört, was er sieht, wird mit lebendigem Enthusiasmus von ihm verschlungen, alles in Beziehung auf jenes Ideal empfunden, gedacht und verarbeitet. Der Mensch zeigt sich ihm in mehrern Varietäten; in mehrern Himmelsstrichen, Verfassungen, Graden der Bildung und Stufen des Glückes, lernt er ihn kennen. So erzeugt sich in ihm allmählig eine zusammengesetzte und erhabene Vorstellung des Menschen im Großen und Ganzen, gegen welche jedes einengende kleinere Verhältniß verschwindet. Aus sich selbst tritt er jetzt heraus, im großen Weltraum dehnt sich seine Seele ins Weite. — Merkwürdige Menschen, die sich in seine Bahn werfen, zerstreuen seine Aufmerksamkeit, theilen sich in seine Achtung und Liebe — An die Stelle eines Individuums tritt bey ihm jetzt das ganze Geschlecht; ein vorübergehender jugendlicher Affect erweitert sich in eine allumfassende unendliche Philantropie. Aus einem müßigen Enthusiasten ist ein thätiger handelnder Mensch geworden. Jene ehemahligen Träume und Ahnungen, die noch dunkel und unentwickelt in seiner Seele lagen, haben sich zu klaren Begriffen geläutert, müßige Entwürfe in Handkung gesetzt, ein allgemeiner unbestimmter Drang zu wirken ist in zweckmäßige Thätigkeit übergegangen. Der Geist der Völker wird von ihm studiert, ihre Kräfte, ihre Hülfsmittel abgewogen, ihre Verfassungen geprüft; im Umgange mit verwandten Geistern gewinnen seine Ideen Vielseitigkeit und Form; geprüfte Weltleute, wie ein Wilhelm von Oranien, Coligny u. a. nehmen ihnen das Romantische, und stimmen sie allmählig zu pragmatischer Brauchbarkeit herunter.

Bereichert mit tausend neuen fruchtbaren Begriffen, voll strebender Kräfte, schöpferischer Triebe, kühner und weit umfassender Entwürfe, mit geschäftigem Kopf, glühendem Herzen, von den großen begeisternden Ideen*) allgemeiner menschlicher Kraft und mensch-

*) In seiner nachherigen Unterredung mit dem König kommen diese Lieblingsideen an den Tag. Ein Federzug von ihrer Hand, sagt er ihm, und neuerschaffen wird die Erde. Geben sie Gedankenfreyheit! Lassen sie

„großmüthig wie der Starke, Menschenglück
„aus ihrem Füllhorn strömen, Geister reifen
„in ihrem Weltgebäude.
„Stellen sie der Menschheit
„verlornen Adel wieder her. Der Bürger
„sey wiederum, was er zuvor gewesen,
„der Krone Zweck, ihn binde keine Pflicht,
„als seiner Brüder gleichehrwürd'ge Rechte.
„Der Landmann rühme sich des Pflugs, und gönne
„dem König, der nicht Landmann ist, die Krone.
„In seiner Werkstatt träume sich der Künstler
„zum Bildner einer schönern Welt. Den Flug
„des Denkers hemme keine Schranke mehr,
„als die Bedingung endlicher Naturen."

lichen Adels durchdrungen, und feuriger für die Glückseligkeit dieses großen Ganzen entzündet, das ihm in so vielen Individuen vergegenwärtigt war, so kommt er jetzt von der großen Ernte zurück, brennend von Sehnsucht, einen Schauplatz zu finden, auf welchem er diese Ideale realisiren, diese gesammelten Schätze in Anwendung bringen könnte. Flanderns Zustand biethet sich ihm dar. Alles findet er hier zu einer Revolution zubereitet. Mit dem Geiste, den Kräften und Hülfsquellen dieses Volks bekannt, die er gegen die Macht seines Unterdrückers berechnet, sieht er das große Unternehmen schon als geendigt an. Sein Ideal republikanischer Freyheit kann kein günstigeres Moment und keinen empfänglichern Boden finden.

„So viele reiche blühende Provinzen!
„Ein kräftiges und großes Volk, und auch
„ein gutes Volk, und Vater dieses Volks
„das, dacht' ich, das muß göttlich seyn."

Je elender er dieses Volk findet, desto näher drängt sich dieses Verlangen an sein Herz, desto mehr eilt er, es in Erfüllung zu bringen. Hier, und hier erst, erinnert er sich lebhaft des Freundes, den er mit glühenden Gefühlen für Menschenglück in Alkala verließ. Ihn denkt er sich jetzt als Retter der unterdrückten Nation, als das Werkzeug seiner hohen Entwürfe. Voll unaussprechlicher Liebe, weil er ihn mit der Lieblingsangelegenheit seines Herzens zusammendenkt, eilt er nach Madrid in seine Arme, jene Samenkörner von Humanität und heroischer Tugend, die er einst in seine Seele gestreut, jetzt in vollen Saaten zu finden, und in ihm den Befreyer der Niederlande, den künftigen Schöpfer seines geträumten Staats zu umarmen.

Leidenschaftlicher als jemahls, mit fiebrischer Heftigkeit stürzt ihm dieser entgegen. S. 11.

> „Ich drück' an meine Seele dich, ich fühle
> „die deinige allmächtig an mir schlagen.
> „O, jetzt ist alles wieder gut. Ich liege
> „am Halse meines Rodrigo!

Der Empfang ist der feurigste: aber wie beantwortet ihn Posa? Er, der seinen Freund in voller Blüthe der Jugend verließ, und ihn jetzt einer wandelnden Leiche gleich wieder findet, verweilt er bey dieser traurigen Veränderung? Forscht er lange und ängstlich nach ihren Quellen? Steigt er zu den kleinern Angelegenheiten seines Freundes herunter? Bestürzt und ernsthaft erwiedert er diesen unwillkommenen Empfang. S. 12.

> „So war es nicht, wie ich Don Philipps Sohn
> „erwartete — — „Das ist
> „der löwenkühne Jüngling nicht, zu dem
> „ein unterdrücktes Heldenvolk mich sendet —
> „denn jetzt steh' ich als Rodrigo nicht hier,
> „nicht als des Knaben Carlos Spielgeselle —
> „ein Abgeordneter der ganzen Menschheit
> „umarm' ich Sie — es sind die flandrischen
> „Provinzen, die an Ihrem Halse weinen u. s. f."

Unfreywillig entwischt ihm seine herrschende Idee gleich in den ersten Augenblicken des so lang entbehrten Wie-

Wiedersehens, wo man sich doch sonst so viel wichtigere Kleinigkeiten zu sagen hat, und Carlos muß alles Rührende seiner Lage aufbiethen, muß die entlegensten Scenen der Kindheit hervorrufen, um diese Lieblings-Idee seines Freundes zu verdrängen, sein Mitgefühl zu wecken, und ihn auf seinen eigenen traurigen Zustand zu heften. (S. 13 bis 17.) Schrecklich sieht sich Posa in den Hoffnungen getäuscht, mit denen er seinem Freunde zueilte. Einen Heldencharakter hatte er erwartet, der sich nach Thaten sehnte, wozu er ihm jetzt den Schauplatz eröffnen wollte. Er rechnete auf jenen Vorrath von erhabener Menschenliebe, auf das Gelübde, das er ihm in jenen schwärmerischen Tagen auf die entzweygebrochene Hostie gethan, und findet die Leidenschaft für die Gemahlinn seines Vaters. —

„Das ist der Carl nicht mehr,
„der in Alkala von dir Abschied nahm.
„Der Carl nicht mehr, der sich beherzt getraute,
„das Paradies dem Schöpfer abzusehen,
„und dermahleinst als unumschränkter Fürst
„in Spanien zu pflanzen. O! der Einfall
„war kindisch, aber göttlich schön. Vorbey
„sind diese Träume!“

Eine hoffnungslose Leidenschaft, die alle seine Kräfte verzehrt, die sein Leben selbst in Gefahr setzt. Wie würde ein sorgsamer Freund des Prinzen, der aber ganz nur Freund allein, und mehr nicht gewesen wäre, in dieser Lage gehandelt haben? und wie hat Posa der Weltbürger gehandelt? Posa, des Prinzen Freund und Vertrauter, hätte viel zu sehr für die Sicherheit seines Carlos gezittert, als daß er es hätte wagen sollen, zu einer gefährlichen Zusammenkunft mit seiner Königinn die Hand zu biethen. Des Freundes Pflicht wäre es gewesen, auf Erstickung dieser Leidenschaft, und keineswegs auf ihre Befriedigung zu denken. Posa, der Sachwalter Flanderns, handelt ganz anders. Ihm ist nichts wichtiger, als diesen hoffnungslosen Zustand, in welchem die thätigen Kräfte seines Freundes versinken, auf das schnellste zu endigen, sollte es auch ein kleines Wagestück kosten. So lang sein Freund in unbefriedigten Wünschen verschmachtet, kann er fremdes Leiden nicht fühlen; so lang seine Kräfte von Schwermuth niedergedrückt sind, kann er sich zu keinem heroischen Entschlusse erheben. Von dem unglücklichen Carlos hat Flandern nichts zu hoffen, aber vielleicht von dem glücklichen. Er eilt also, seinen heißesten Wunsch zu befriedigen, er selbst führt ihn zu den Füßen seiner Königinn; und dabey allein bleibt er nicht stehen. Er findet in des Prinzen Gemüth die Motive nicht mehr, die ihn sonst zu heroischen Entschlüssen erhoben hatten: was kann er anders thun, als diesen erloschnen Heldengeist an fremdem Feuer entzünden, und die einzige Leidenschaft nutzen, die in der Seele des Prinzen vorhanden ist? An diese muß er die neuen Ideen anknüpfen, die er jetzt bey ihr herrschend machen will. Ein Blick in der Königinn Herz überzeugt ihn, daß er von ihrer Mitwirkung alles erwarten darf. Nur der erste Enthusiasmus ist es, den er von dieser Leidenschaft entlehnen will. Hat sie dazu geholfen, seinem Freunde diesen heilsamen Schwung zu geben, so bedarf er ihrer nicht mehr, und er kann gewiß seyn, daß sie durch ihre eigene Wirkung zerstört werden wird. Also selbst dieses

Hinderniß, das sich seiner großen Angelegenheit entgegen warf, selbst diese unglückliche Liebe wird jetzt in ein Werkzeug zu jenem wichtigeren Zwecke umgeschaffen, und Flanderns Schicksal muß durch den Mund der Liebe an das Herz seines Freundes reden.

„— In dieser hoffnungslosen Flamme
„erkannt' ich früh der Hoffnung goldnen Strahl.
„Ich wollt' ihn führen zum Vortrefflichen;
„die stolze königliche Frucht, woran
„nur Menschenalter langsam pflanzen, sollte
„ein schneller Lenz der wunderthät'gen Liebe
„beschleunigen. Mir sollte seine Tugend
„an diesem kräft'gen Sonnenblicke reifen."

Aus den Händen der Königinn empfängt jetzt Carlos die Briefe, welche Posa aus Flandern für ihn mitbrachte. Die Königinn ruft seinen entflohenen Genius zurück.

Noch sichtbarer zeigt sich diese Unterordnung der Freundschaft unter das wichtigere Interesse bey der Zusammenkunft im Kloster. Ein Entwurf des Prinzen auf den König ist fehlgeschlagen; dieses und eine Entdeckung, welche er zum Vortheil seiner Leidenschaft glaubt gemacht zu haben, stürzen ihn heftiger in diese zurück, und Posa glaubt zu bemerken, daß sich Sinnlichkeit in diese Leidenschaft mische. Nichts konnte sich weniger mit seinem höhern Plane vertragen. Alle Hoffnungen, die er auf Carlos Liebe zur Königinn für seine Niederlande gegründet hat, stürzten dahin, wenn diese Liebe von ihrer Höhe herunter sank. Der Unwille, den er darüber empfindet, bringt seine Gesinnungen an den Tag: S. 125.

N 2

„O, ich fühle,
„wovon ich mich entwöhnen muß. Ja, einst,
„einst wars ganz anders. Da warst du so reich,
„so warm, so reich! ein ganzer Weltkreis hatte
„in deinem weiten Busen Raum. Das alles
„ist nun dahin, von Einer Leidenschaft,
„von einem kleinen Eigennutz verschlungen.
„Dein Herz ist ausgestorben. Keine Thräne,
„dem ungeheuern Schicksal der Provinzen
„nicht einmahl eine Thräne mehr! O, Carl,
„wie arm bist du, wie bettelarm geworden,
„seitdem du niemand liebst, als dich!"

Bang vor einem ähnlichen Rückfall glaubt er einen gewaltsamen Schritt wagen zu müssen. So lange Carl in der Nähe der Königinn bleibt, ist er für die Angelegenheit Flanderns verloren. Seine Gegenwart in den Niederlanden kann dort den Dingen eine ganz andere Wendung geben; er steht also keinen Augenblick an, ihn auf die gewaltsamste Art dahin zu bringen.

„Er soll
„dem König ungehorsam werden, soll
„nach Brüssel heimlich sich begeben, wo
„mit offnen Armen die Flamänder ihn
„erwarten. Alle Niederlande stehen
„auf seine Losung auf. Die gute Sache
„wird stark durch einen Königssohn."

Würde der Freund des Carlos es über sich vermocht haben, so verwegen mit dem guten Nahmen, ja selbst mit dem Leben seines Freundes zu spielen? Aber Posa, dem die Befreyung eines unterdrückten Volks eine weit dringendere Aufforderung war, als die kleinen Angelegenheiten eines Freundes, Posa, der Weltbürger, mußte gerade so und nicht anders handeln. Alle Schritte, die im Verlauf des Stücks von ihm unternommen werden, verrathen eine wagende Kühnheit, die ein heroischer Zweck allein einzuflößen im Stand ist; Freundschaft ist oft verzagt, und immer besorglich. Wo ist bis jetzt im Charakter des Marquis auch nur eine Spur dieser ängstlichen Pflege eines isolirten Geschöpfs, dieser alles ausschließenden Neigung, worin doch allein der eigenthümliche Charakter der leidenschaftlichen Freundschaft bestehet? Wo ist bey ihm das Interesse für den Prinzen nicht dem höhern Interesse für die Menschheit untergeordnet? Fest und beharrlich geht der Marquis seinen großen kosmopolitischen Gang, und alles, was um ihn herum vorgeht, wird ihm nur durch die Verbindung wichtig, in der es mit diesem höhern Gegenstande steht.

Vierter Brief.

Um einen großen Theil seiner Bewunderer dürfte ihn dieses Geständniß bringen, aber er wird sich mit dem kleinen Theil der neuen Verehrer trösten, die es ihm zuwendet, und zum allgemeinen Beyfall überhaupt konnte sich ein Charakter, wie der seinige, niemahls Hoffnung machen. Hohes, wirkendes Wohlwollen gegen das Ganze schließt keineswegs die zärtliche Theilnahme an den Freuden und Leiden eines einzelnen Wesens aus. Daß er das Menschengeschlecht mehr liebt als Carln, thut seiner Freundschaft für ihn keinen Eintrag. Immer würde er ihn, hätte ihn auch das Schicksal auf keinen Thron gerufen, durch eine besondere zärtliche Bekümmerniß vor allen übrigen unterschieden haben; im Herzen seines Herzens würde er ihn getragen haben, wie Hamlet seinen Horatio. Man hält dafür, daß das Wohlwollen um so schwächer und laulichter werde, je mehr sich seine Gegenstände häufen: aber dieser Fall kann auf den Marquis nicht angewandt werden. Der Gegenstand seiner Liebe zeigt sich ihm im vollesten Lichte der Begeisterung; herrlich und verklärt steht dieses Bild vor seiner Seele, wie die Gestalt einer Geliebten. Da es Carlos ist, der dieses Ideal von

Menschenglück wirklich machen soll, so trägt er es auf ihn über, so faßt er zuletzt beydes in Einem Gefühl unzertrennlich zusammen. In Carlos allein schaut er seine feurig geliebte Menschheit jetzt an; sein Freund ist der Brennpunct, in welchem alle seine Vorstellungen von jenem zusammengesetzten Ganzen sich sammeln. Es wirkt also doch nur in Einem Gegenstand auf ihn, den er mit allem Enthusiasmus und allen Kräften seiner Seele umfaßt:

„Mein Herz,
„nur einem Einzigen geweiht, umschloß
„die ganze Welt. In meines Carlos Seele
„schuf ich ein Paradies für Millionen.

Hier ist also Liebe zu Einem Wesen, ohne Hintansetzung der allgemeinen — sorgsamen Pflege der Freundschaft, ohne das Unbillige, das Ausschließende dieser Leidenschaft. Hier allgemeine, alles umfassende Philanthropie, in einen einzigen Feuerstrahl zusammengedrängt.

Und sollte eben das dem Interesse geschadet haben, was es veredelt hat? Dieses Gemählde von Freundschaft sollte an Rührung und Anmuth verlieren, was es an Umfang gewann? Der Freund des Carlos sollte darum weniger Anspruch auf unsre Thränen und unsre Bewunderung haben, weil er mit der beschränktesten Äußerung des wohlwollenden Affects seine weiteste Ausdehnung verbindet, und das Göttliche der universellen Liebe durch ihre menschlichste Anwendung mildert?

Mit der neunten Scene des dritten Aufzugs öffnet sich ein ganz neuer Spielraum für diesen Charakter.

Fünfter Brief.

Leidenschaft für die Königinn hat endlich den Prinzen bis an den Rand des Verderbens geführt. Beweise seiner Schuld sind in den Händen seines Vaters, und seine unbesonnene Hitze ließ ihn dem lauernden Argwohn seiner Feinde die gefährlichsten Blößen geben; er schwebt in augenscheinlicher Gefahr, ein Opfer seiner wahnsinnigen Liebe, der väterlichen Eifersucht, des Priesterhasses, der Rachgier eines beleidigten Feindes, und einer verschmähten Buhlerinn zu werden. Seine Lage von außen fordert die dringendste Hülfe, noch mehr aber fordert sie der innere Zustand seines Gemüths, der alle Erwartungen und Entwürfe des Marquis zu vereiteln droht. Von jener Gefahr muß der Prinz befreyt, aus diesem Seelenzustand muß er gerissen werden, wenn jene Entwürfe zu Flanderns Befreyung in Erfüllung gehen sollen; und der Marquis ist es, von dem wir beydes erwarten, der uns auch S. 127 selbst dazu Hoffnung macht.

Aber auf eben dem Wege, woher dem Prinzen Gefahr kommt, ist auch bey dem König ein Seelenzustand hervorgebracht worden, der ihn das Bedürfniß der Mittheilung zum ersten Mahl fühlen läßt. Die

Schmerzen der Eifersucht haben ihn aus dem unnatürlichen Zwang seines Standes in den ursprünglichen Stand der Menschheit zurück versetzt, haben ihn das Leere und Gekünstelte seiner Despotengröße fühlen, und Wünsche in ihm aufsteigen lassen, die weder Macht noch Hoheit befriedigen kann.

„König! König nur,
„und wieder König! — Keine beßre Antwort.
„als leeren hohlen Wiederhall! Ich schlage
„an diesen Felsen, und will Wasser, Wasser
„für meinen heißen Fieberdurst. Er gibt
„mir — glühend Gold —

Gerade ein Gang der Begebenheiten, wie der bisherige, däucht mir, oder keiner, konnte bey einem Monarchen, wie Philipp II. war, einen solchen Zustand erzeugen; und gerade so ein Zustand mußte in ihm erzeugt werden, um die nachfolgende Handlung vorzubereiten und den Marquis ihm nahe bringen zu können. Vater und Sohn sind auf ganz verschiedenen Wegen auf den Punct geführt worden, wo der Dichter sie haben muß; auf ganz verschiedenen Wegen wurden beyde zu dem Marquis von Posa hingezogen, in welchem Einzigen das bisher getrennte Interesse sich nunmehr zusammendrängt. Durch Carlos Leidenschaft für die Königinn und deren unausbleibliche Folgen bey dem König wurde dem Marquis seine ganze Laufbahn geschaffen: darum war es nöthig, daß auch das ganze Stück mit jener eröffnet wurde. Gegen sie mußte der Marquis selbst so lange im Schatten gestellt werden, und sich, bis er von der ganzen Handlung Besitz nehmen konnte, mit einem untergeordneten Interesse begnügen, weil er von ihr allein alle Materialien zu seiner künftigen Thätigkeit empfangen konnte. Die Aufmerksamkeit des Zuschauers durfte also durchaus nicht vor der Zeit davon abgezogen werden, und darum war es nöthig, daß sie bis hieher als Haupthandlung beschäftigte, das Interesse hingegen, das nachher das herrschende werden sollte, nur durch Winke von ferne angekündigt wurde. Aber sobald das Gebäude steht, fällt das Gerüste. Die Geschichte von Carlos Liebe, als die bloß vorbereitende Handlung, weicht zurück, um derjenigen Platz zu machen, für welche allein sie gearbeitet hatte.

Nähmlich jene verborgnen Motive des Marquis, welche keine andre sind, als Flanderns Befreyung und das künftige Schicksal der Nation, Motive, die man unter der Hülle seiner Freundschaft bloß geahnet hat, treten jetzt sichtbar hervor, und fangen an, sich der ganzen Aufmerksamkeit zu bemächtigen. Carlos, wie aus dem Bisherigen zur Genüge erhellet, wurde von ihm nur als das einzige unentbehrliche Werkzeug zu jenem feurig und standhaft verfolgten Zwecke betrachtet, und als ein solches mit eben dem Enthusiasmus, wie der Zweck, selbst umfaßt. Aus diesem universelleren Motive mußte eben der ängstliche Antheil an den Wohl und Weh seines Freundes, eben die zärtliche Sorgfalt für dieses Werkzeug seiner Liebe fließen, als nur immer die stärkste persönliche Sympathie hätte hervor bringen können. Carls Freundschaft gewährt ihm den vollständigsten Genuß seines Ideals. Sie ist der Vereinigungspunct aller seiner Wünsche und Thätigkeiten. Noch kennt er keinen andern und kürzern Weg, sein hohes Ideal von Freyheit und Menschenglück wirklich zu machen, als der ihm in Carlos geöffnet wird. Es fiel ihm gar nicht ein, dieß auf einem andern Wege zu suchen; am allerwenigsten fiel es ihm ein, diesen Weg unmittelbar durch den König zu nehmen. Als er daher S. 155. zu diesem geführt wird, zeigt er die höchste Gleichgültigkeit.

„Mich will er haben? — Mich? — Ich bin ihm nichts.
„Ich wahrlich nichts! — Mich hier in diesen Zimmern!
„Wie zwecklos und wie ungereimt! — Was kann
„ihm viel dran liegen, ob ich bin? — Sie sehen,
„es führt zu nichts.

Aber nicht lange überläßt er sich dieser müßigen, dieser kindischen Verwunderung. Einem Geiste, gewohnt, wie es dieser ist, jedem Umstande seine Nutzbarkeit abzumerken, auch den Zufall mit bildender Hand zum Plan zu gestalten, jedes Ereigniß in Beziehung auf seinen herrschenden Lieblingszweck sich zu denken, bleibt der hohe Gebrauch nicht lange verborgen, der sich von dem jetzigen Augenblick machen läßt. Auch das kleinste Element der Zeit ist ihm ein heilig anvertrautes Pfund, womit gewuchert werden muß. Noch ist es nicht klarer zusammenhängender Plan, was er sich denkt; bloße dunkle Ahnung, und auch diese kaum, bloß flüchtig aufsteigender Einfall ist es, ob hier vielleicht gelegenheitlich etwas zu wirken seyn möchte? Er soll vor denjenigen treten, der das Schicksal so vieler Millionen in der Hand hat. Man muß den Augenblick nutzen, sagt er zu sich selbst, der nur einmahl kommt. Wär's auch nur ein Feuerfunke Wahrheit, in die Seele dieses Menschen geworfen, der noch keine Wahrheit gehört hat! Wer weiß, wie wichtig ihn die Vorsicht bey ihm verarbeiten kann? — Mehr denkt er sich nicht dabey, als einen zufälligen Umstand auf die beste Art, die er kennet, zu benutzen. In dieser Stimmung erwartet er den König.

Sechster Brief.

Ich behalte mir auf eine andere Gelegenheit vor, mich über den Ton, auf welchen sich Posa gleich zu Anfang mit dem Könige stimmt, wie überhaupt über sein ganzes Verfahren in dieser Scene, und die Art, wie dieses von dem Könige aufgenommen wird, näher gegen Sie zu erklären, wenn Sie Lust haben, mich zu hören. Jetzt begnüge ich mich blos, bey demjenigen stehen zu bleiben, was mit dem Charakter des Marquis in der unmittelbarsten Verbindung steht.

Alles, was der Marquis, nach seinem Begriffe von dem König, vernünftiger Weise hoffen konnte, bey ihm hervorzubringen — war ein mit Demüthigung verbundenes Erstaunen, daß seine große Idee von sich selbst, und seine geringe Meinung von Menschen, doch wohl einige Ausnahmen leiden dürfte; alsdann die natürliche, unausbleibliche Verlegenheit eines kleinen Geistes vor einem großen Geist. Diese Wirkung konnte wohlthätig seyn, wenn sie auch blos dazu diente, die Vorurtheile dieses Menschen auf einen Augenblick zu erschüttern; wenn sie ihn fühlen ließ, daß es noch jenseits seines gezogenen Kreises Wirkungen gebe, von denen er sich nichts hätte träumen lassen. Dieser einzige Laut konnte noch lange nachhallen in seinem Leben, und dieser Eindruck mußte desto länger bey ihm haften, je mehr er ohne Beyspiel war.

Aber Posa hatte den König wirklich zu flach, zu obenhin beurtheilt, oder wenn er ihn auch gekannt hätte, so war er doch von der damahligen Gemüthslage desselben zu wenig unterrichtet, um sie mit in Berechnung zu bringen. Diese Gemüthslage war äußerst günstig für ihn, und bereitete seinen hingeworfenen Reden eine Aufnahme, die er mit keinem Grund der Wahrscheinlichkeit hatte erwarten können. Diese unerwartete Entdeckung gibt ihm einen lebhaftern Schwung, und dem Stücke selbst eine ganz neue Wendung. Kühn gemacht durch einen Erfolg, der all sein Hoffen übertraf, und durch einige Spuren von Humanität, die ihn an dem Könige überraschen, in Feuer gesetzt, verirrt er sich, auf einen Augenblick, bis zu der ausschweifenden Idee, sein herrschendes Ideal von Flanderns Glück u. s. w. unmittelbar an die Person des Königs anzuknüpfen, es unmittelbar durch diesen in Erfüllung zu bringen. Diese Voraussetzung setzt ihn in eine Leidenschaft, die den ganzen Grund seiner Seele eröffnet, alle Geburten seiner Phantasie, alle Resultate seines stillen Denkens ans Licht bringt, und deutlich zu erkennen gibt, wie sehr ihn diese Ideale beherrschen. Jetzt in diesem Zustand der Leidenschaft werden alle die Triebfedern sichtbar, die ihn bis jetzt in Handlung gesetzt haben; jetzt ergeht es ihm, wie jedem Schwärmer, der von seiner herrschenden Idee überwältigt wird. Er kennt keine Gränzen mehr, im Feuer seiner Begeisterung veredelt er sich den König, der mit Erstaunen ihm zuhört, und vergißt sich so weit, Hoffnungen auf ihn zu gründen, worüber er in den nächsten ruhigen Augenblicken erröthen wird. An Carlos wird jetzt nicht mehr gedacht. Was für ein langer Umweg, erst auf diesen zu warten! Der König biethet ihm eine weit nähere und schnellere Befriedigung dar. Warum das Glück der Menschheit bis auf seinen Erben verschieben?

Würde sich Carlos Busenfreund so weit vergessen, würde eine andere Leidenschaft als die herrschende den Marquis so weit hingerissen haben? Ist das Interesse der Freundschaft so beweglich, daß man es mit so weniger Schwierigkeit auf einen andern Gegenstand übertragen kann? Aber alles ist erklärt, so bald man die Freundschaft jener herrschenden Leidenschaft unterordnet. Dann ist es natürlich, daß diese bey dem nächsten Anlaß ihre Rechte reclamirt, und sich nicht lange bedenkt, ihre Mittel und Werkzeuge umzutauschen.

Das Feuer und die Freymüthigkeit, womit Posa seine Lieblingsgefühle, die bis jetzt zwischen Carlos und ihm Geheimnisse waren, dem Könige vortrug; und der Wahn, daß dieser sie verstehen, ja gar in Erfüllung bringen könnte, war eine offenbare Untreue, deren er sich gegen seinen Freund Carl schuldig machte. Posa, der Weltbürger, durfte so handeln, und ihm allein kann es vergeben werden; an dem Busenfreunde Carls wäre es eben so verdammlich, als es unbegreiflich seyn würde.

Länger als Augenblicke freylich sollte diese Verblendung nicht dauern. Der ersten Überraschung, der Leidenschaft, vergibt man sie leicht: aber wenn er auch noch nüchtern fortführe, daran zu glauben, so würde er billig in unsern Augen zum Träumer herabsinken.

Daß sie aber wirklich Eingang bey ihm gefunden, erhellt aus einigen Stellen, wo er darüber scherzt, oder sich ernsthaft davon reinigt. „Gesetzt," sagt er der Königinn S. 178. „ich ginge damit um, meinen Glauben auf den Thron zu setzen?"

Königinn.

„Nein, Marquis,
„auch nicht einmahl im Scherze möcht' ich dieser
„unreifen Einbildung Sie zeihen. Sie sind
„der Träumer nicht, der etwas unternähme,
„was nicht geendigt werden kann."

Marquis.

„Das eben
„wär' noch die Frage, denk' ich."

Carlos selbst hat tief genug in die Seele seines Freundes gesehen, um einen solchen Entschluß in seiner Vorstellungsart gegründet zu finden, und das, was er selbst bey dieser Gelegenheit über ihn sagt, könnte allein hinreichen, den Gesichtspunct des Verfassers außer Zweifel zu setzen. S. 256. 257. „Du selbst," sagt er ihm, noch immer im Wahn, daß der Marquis ihn aufgeopfert,

„Du selbst wirst jetzt vollenden,
„was ich gesollt und nicht gekonnt — Du wirst
„den Spaniern die goldnen Tage schenken,
„die sie von mir umsonst gehofft. Mit mir
„ist es ja aus. Auf immer aus. Das hast
„du eingesehn. O diese fürchterliche Liebe
„hat alle frühen Blüthen meines Geists
„unwiederbringlich hingerafft. Ich bin
„für deine großen Hoffnungen gestorben.

„Vorsehung oder Zufall führen dir
„den König zu — Es kostet mein Geheimniß,
„und er ist dein! Du kannst sein Engel werden,
„für mich ist keine Rettung mehr. Vielleicht
„für Spanien!" u. s. f.

Und an einem andern Orte sagt er zum Grafen von Lerma, um die vermeintliche Treulosigkeit seines Freundes zu entschuldigen. S. 217.

„— Er hat
„mich lieb gehabt. Sehr lieb. Ich war ihm theuer,
„wie seine eigne Seele. O, das weiß ich!
„das haben tausend Proben mir erwiesen.
„Doch sollen Millionen ihm, soll ihm
„das Vaterland nicht theurer seyn, als Einer?
„Sein Busen war für einen Freund zu groß,
„und Carlos Glück zu klein für seine Liebe.
„Er opferte mich seiner Tugend."

Siebenter Brief.

Posa empfand es recht gut, wie viel seinem Freunde Carlos dadurch entzogen worden, daß er den König zum Vertrauten seiner Lieblingsgefühle gemacht, und einen Versuch auf dessen Herz gethan hatte. Eben weil er fühlte, daß diese Lieblingsgefühle das eigentliche Band ihrer Freundschaft waren, so wußte er auch nicht anders, als daß er diese in eben dem Augenblicke gebrochen hatte, wo er jene bey dem Könige profanirte. Das wußte Carlos nicht, aber Posa wußte es recht gut, daß diese Philosophie und diese Entwürfe für die Zukunft das heilige Palladium ihrer Freundschaft und der wichtige Titel waren, unter welchem Carlos sein Herz besaß; eben weil er das wußte, und im Herzen voraussetzte, daß es auch Carl nicht unbekannt seyn könnte — wie konnte er es wagen, ihm zu bekennen, daß er dieses Palladium veruntreut hätte? Ihm gestehen, was zwischen ihm und dem König vorgegangen war, mußte in seinen Gedanken eben so viel heißen, als ihm ankündigen, daß es eine Zeit gegeben, wo er ihm nichts mehr war. Hatte aber Carlos künftiger Beruf zum Thron, hatte der Königsohn keinen Antheil an dieser Freundschaft, war sie etwas für sich Bestehendes, und durchaus nur Persönliches, so konnte sie durch jene Vertraulichkeit gegen den König zwar beleidigt, aber nicht verrathen, nicht zerrissen worden seyn; so konnte dieser zufällige Umstand ihrem Wesen nichts anhaben. Es war Delicatesse, es war Mitleid, daß Posa, der Weltbürger, dem künftigen Monarchen die Erwartungen verschwieg, die er auf den Jetzigen gegründet hatte; aber Posa, Carlos Freund, konnte sich durch nichts schwerer vergehen, als durch diese Zurückhaltung selbst.

Zwar sind die Gründe, welche Posa sowohl sich selbst, als nachher seinem Freunde, von dieser Zurückhaltung, der einzigen Quelle aller nachfolgenden Verwirrungen, angibt, von ganz andrer Art. IV. Act. 6. Auftritt. S. 195.

„Der König glaubte dem Gefäß, dem er
„sein heiliges Geheimniß übergeben,
„und Glauben fordert Dankbarkeit. Was wäre
„Geschwätzigkeit, wenn mein Verstummen dir
„nicht Leiden bringt? vielleicht erspart? — Warum
„dem Schlafenden die Wetterwolke zeigen,
„die über seinem Scheitel hängt?“

Und in der 3. Scene des V. Acts. S. 264.

„— — Doch ich von falscher Zärtlichkeit bestochen,
„von stolzem Wahn geblendet, ohne dich
„das Wagestück zu enden, unterschlage
„der Freundschaft mein gefährliches Geheimniß.“

Aber jedem, der nur wenige Blicke in das Menschenherz gethan, wird es einleuchten, daß sich der Marquis mit diesen eben angeführten Gründen, (die an sich selbst bey weitem zu schwach sind, um einen so wichtigen Schritt zu motiviren,) nur selbst zu hintergehen sucht — weil er sich die eigentliche Ursache nicht zu gestehen wagt. Einen weit wahreren Aufschluß über den damaligen Zustand seines Gemüths gibt eine andre Stelle, woraus deutlich erhellt, daß es Augenblicke müsse gegeben haben, in denen er mit sich zu Rathe ging, ob er seinen Freund nicht geradezu aufopfern sollte? „Es stand bey mir," sagt er zu der Königinn:

„— einen neuen Morgen
„herauf zu führen über diese Reiche.
„Der König schenkte mir sein Herz. Er nannte
„mich seinen Sohn. Ich führe seine Siegel,
„und seine Alba sind nicht mehr, u. s. f."

„Doch geb' ich
„den König auf. In diesem starren Boden
„blüht keine meiner Rosen mehr. Das waren
„nur Gaukelspiele kindischer Vernunft,
„vom reifen Manne schamroth widerrufen.
„Den nahen hoffnungsvollen Lenz sollt' ich
„vertilgen, einen lauen Sonnenblick
„im Norden zu erkünsteln? Eines müden
„Tyrannen letzten Ruthenstreich zu mildern,
„die grosse Freyheit des Jahrhunderts wagen?
„Elender Ruhm! Ich mag ihn nicht. Europens
„Verhängniß reift in meinem grossen Freunde.
„Auf ihn verweis' ich Spanien. Doch wehe!
„Weh mir und ihm, wenn ich bereuen sollte!
„Wenn ich das Schlimmere gewählt? Wenn ich
„den großen Wink der Vorsicht mißverstanden,
„der mich, nicht ihn, auf diesem Thron gewollt." —

Also hat er doch gewählt, und um zu wählen, mußte er also ja den Gegensatz sich als möglich gedacht haben. Aus allen diesen angeführten Fällen erkennt man offenbar, daß das Interesse der Freundschaft einem höheren nachsteht, und daß ihr nur durch dieses letztere ihre Richtung bestimmt wird. Niemand im ganzen Stück hat dieses Verhältniß zwischen beyden Freunden richtiger beurtheilt, als Philipp selbst, von dem es auch am ersten zu erwarten war. Im Munde dieses Menschenkenners legte ich meine Apologie und mein eignes Urtheil von dem Helden des Stückes nieder, und mit seinen Worten möge denn auch diese Untersuchung beschlossen werden.

„Und wem bracht' er dieß Opfer?
„Dem Knaben, meinem Sohne? Nimmermehr.
„Ich glaub' es nicht. Für einen Knaben stirbt
„ein Posa nicht. Der Freundschaft arme Flamme
„füllt eines Posa Herz nicht aus. Das schlug
„der ganzen Menschheit. Seine Neigung war
„die Welt, mit allen kommenden Geschlechtern."

Achter Brief.

Aber, werden Sie sagen, wozu diese ganze Untersuchung? Gleichviel, ob es unfreywilliger Zug des Herzens, Harmonie der Charaktere, wechselseitige persönliche Nothwendigkeit für einander, oder von aussen hinzu gekommene Verhältnisse und freye Wahl gewesen, was das Band der Freundschaft zwischen diesen Beyden geknüpft hat — die Wirkungen bleiben dieselben, und im Gange des Stücks selbst wird dadurch nichts verändert. Wozu daher diese weitausgehohlte Mühe, den Leser aus einem Irrthum zu reissen, der ihm vielleicht angenehmer als die Wahrheit ist? Wie würde es um den Reitz der meisten moralischen Erscheinungen stehen, wenn man jedes Mahl in die innerste Tiefe des Menschenherzens hinein leuchten, und sie gleichsam werden sehen müßte? Genug für uns, daß alles, was Marquis Posa liebt, in dem Prinzen versammelt ist, durch ihn repräsentirt wird, oder wenigstens durch ihn allein zu erhalten steht, daß er dieses zufällige, bedingte, seinem Freund nur geliehene Interesse mit dem Wesen desselben zuletzt unzertrennlich zusammenfaßt, und daß alles, was er für ihn empfindet, sich in einer persönlichen Neigung äußert. Wir genießen dann die reine Schönheit dieses Freundschaftsgemähldes, als ein einfaches moralisches Element, unbekümmert, in wie viel Theile es auch der Philosoph noch zergliedern mag.

Wie aber, wenn die Berichtigung dieses Unterschieds für das ganze Stück wichtig wäre? — Wird nähmlich das letzte Ziel von Posa's Bestrebungen über den Prinzen hinaus gerückt, ist ihm dieser nur als Werkzeug zu einem höhern Zwecke so wichtig, befriedigt er durch seine Freundschaft für ihn einen andern Trieb als nur diese Freundschaft, so kann dem Stücke selbst nicht wohl eine engere Gränze gesteckt seyn — so muß der letzte Endzweck des Stückes mit dem Zwecke des Marquis wenigstens zusammenfallen. Das große Schicksal eines ganzen Staats, das Glück des menschlichen Geschlechts auf viele Generationen hinunter, worauf alle Bestrebungen des Marquis, wie wir gesehen haben, hinauslaufen, kann nicht wohl Episode zu einer Handlung seyn, die den Ausgang einer Liebesgeschichte zum Zweck hat. Haben wir einander also über Posa's Freundschaft mißverstanden, so fürchte ich, wir haben es auch über den letzten Zweck der ganzen Tragödie. Lassen Sie mich sie Ihnen aus diesem neuen Standpuncte zeigen, vielleicht, daß manche Mißverhältnisse, an denen Sie bisher Anstoß genommen, sich unter dieser neuen Ansicht verlieren.

Und was wäre also die so genannte Einheit des Stückes, wenn es Liebe nicht seyn soll, und Freundschaft nie seyn konnte? Von jener handeln die drey ersten Acte; von dieser die zwey übrigen, aber keine von beyden beschäftigt das Ganze. Die Freundschaft opfert sich auf, und die Liebe wird aufgeopfert, aber weder diese, noch jene ist es, der dieses Opfer von der andern gebracht wird. Also muß noch etwas Drittes vorhanden seyn, das verschieden ist von Freundschaft und Liebe, für welches beyde gewirkt haben, und welchem beyde aufgeopfert worden — und wenn das Stück eine Einheit hat, wo anders als in diesem Dritten könnte sie liegen?

Rufen Sie sich, lieber Freund, eine gewisse Unterredung zurück, die über einen Lieblingsgegenstand unsers Jahrzehends — über Verbreitung reinerer sanfterer Humanität, über die höchstmögliche Freyheit der Individuen bey des Staats höchster Blüthe, kurz, über den vollendetesten Zustand der Menschheit, wie er in ihrer Natur und ihren Kräften als erreichbar angegeben liegt — unter uns lebhaft wurde, und unsere Phantasie in einen der lieblichsten Träume entzückte, in denen das Herz so angenehm schwelgt. Wir schlossen damahls mit dem romanhaften Wunsche, daß es dem Zufall, der wohl größere Wunder schon gethan, in dem nächsten Julianischen Cyclus, gefallen möchte, unsre Gedankenreihe, unsere Träume und Überzeugungen mit eben dieser Lebendigkeit, und mit eben so gutem Willen befruchtet, in dem erstgebornen Sohn eines künftigen Beherrschers von — oder von — auf dieser oder der andern Hemisphäre wieder zu erwecken. Was bey einem ernsthaften Gespräche bloßes Spielwerk war, dürfte sich, wie mir vorkam, bey einem solchen Spielwerk, als die Tragödie ist, zu der Würde des Ernstes und der Wahrheit erheben lassen. Was ist der Phantasie nicht möglich? Was ist einem Dichter nicht erlaubt? Unsere Unterredung war längst vergessen, als ich unterdessen die Bekanntschaft des Prinzen von Spanien machte; und bald merkte ich diesem geistvollen

Jüngling an, daß er wohl gar derjenige seyn dürfte, mit dem wir unsern Entwurf zur Ausführung bringen könnten. Gedacht, gethan! Alles fand ich mir, wie durch einen dienstbaren Geist, dabey in die Hände gearbeitet; Freyheitssinn mit Despotismus im Kampfe, die Fesseln der Dummheit zerbrochen, tausendjährige Vorurtheile erschüttert, eine Nation, die ihre Menschenrechte wieder fordert, republikanische Tugenden in Ausübung gebracht, hellere Begriffe im Umlauf, die Köpfe in Gährung, die Gemüther von einem begeisterten Interesse gehoben — und nun, um die glückliche Constellation zu vollenden, eine schön organisirte Jünglingsseele am Thron, in einsamer unangefochtener Blüthe unter Druck und Leiden hervorgegangen. Unglücklich — so machten wir aus — müßte der Königssohn seyn, an dem wir unser Ideal in Erfüllung bringen wollten.

„Seyn Sie
„ein Mensch auf König Philipps Thron! Sie haben
„auch Leiden kennen lernen" —

Aus dem Schooße der Sinnlichkeit und des Glücks durfte er nicht genommen werden; die Kunst durfte noch nicht Hand an seine Bildung gelegt, die damahlige Welt ihm ihren Stempel noch nicht aufgedrückt haben. Aber wie sollte ein königlicher Prinz aus dem sechszehnten Jahrhundert — Philipp des Zweyten Sohn — ein Zögling des Mönchvolks, dessen kaum aufwachende Vernunft von so strengen und so scharfsichtigen Hüthern bewacht wird, zu dieser liberalen Philosophie gelangen? Sehen Sie, auch dafür war gesorgt. Das Schicksal schenkte ihm einen Freund —

einen Freund in den entscheidenden Jahren, wo des Geistes Blume sich entfaltet, Ideale empfangen werden, und die moralische Empfindung sich läutert — einen geistreichen gefühlvollen Jüngling, über dessen Bildung selbst, was hindert mich, dieses anzunehmen? ein günstiger Stern gewacht, ungewöhnliche Glücksfälle sich ins Mittel geschlagen, und den irgend ein verborgner Weiser seines Jahrhunderts diesem schönen Geschäfte zugebildet hat. Eine Geburt der Freundschaft also ist diese heitre menschliche Philosophie, die der Prinz auf dem Throne in Ausübung bringen will. Sie kleidet sich in alle Reitze der Jugend, in die ganze Anmuth der Dichtung; mit Licht und Wärme wird sie in seinem Herzen niedergelegt, sie ist die erste Blüthe seines Wesens, sie ist seine erste Liebe. Dem Marquis liegt äußerst viel daran, ihr diese jugendliche Lebendigkeit zu erhalten, sie als einen Gegenstand der Leidenschaft bey ihm fortdauern zu lassen, weil nur Leidenschaft ihm die Schwierigkeiten besiegen helfen kann, die sich ihrer Ausübung entgegen setzen werden. Sagen sie ihm, trägt er der Königinn auf:

„Daß er für die Träume seiner Jugend
„soll Achtung tragen, wenn er Mann seyn wird,
„nicht öffnen soll dem tödtenden Insecte
„gerühmter besserer Vernunft das Herz
„der zarten Götterblume; daß er nicht
„soll irre werden, wenn des Staubes Weisheit
„Begeisterung, die Himmelstochter, lästert.
„Ich hab' es ihm zuvor gesagt" —

Unter beyden Freunden bildet sich also ein enthusiastischer Entwurf, den glücklichsten

Zustand hervor zu bringen, der der menschlichen Gesellschaft erreichbar ist, und von diesem enthusiastischen Entwurfe, wie er nähmlich in Conflict mit der Leidenschaft erscheint, handelt das gegenwärtige Drama. Die Rede war also davon, einen Fürsten aufzustellen, der das höchste mögliche Ideal bürgerlicher Glückseligkeit für sein Zeitalter wirklich machen sollte — nicht diesen Fürsten erst zu diesem Zwecke zu erziehen; denn dieses mußte längst vorher gegangen seyn, und konnte auch nicht wohl zum Gegenstand eines solchen Kunstwerks gemacht werden; noch weniger ihn zu diesem Werke wirklich Hand anlegen zu lassen, denn wie sehr würde dieses die engen Gränzen eines Trauerspiels überschritten haben? — Die Rede war davon, diesen Fürsten nur zu zeigen, den Gemüthszustand in ihm herrschend zu machen, der einer solchen Wirkung zum Grunde liegen muß, und ihre subjective Möglichkeit auf einen hohen Grad der Wahrscheinlichkeit zu erheben, unbekümmert, ob Glück und Zufall sie wirklich machen wollen?

Neunter Brief.

Ich will mich über das Vorige näher erklären.

Der Jüngling nähmlich, zu dem wir uns dieser außerordentlichen Wirkung versehen sollen, mußte zuvor Begierden übermeistert haben, die einem solchen Unternehmen gefährlich werden können; gleich jenem Römer mußte er seine Hand über Flammen halten, um uns zu überführen, daß er Manns genug sey, über den Schmerz zu siegen; er mußte durch das Feuer einer fürchterlichen Prüfung gehen, und in diesem Feuer sich bewähren. Dann nur, wenn wir ihn glücklich mit einem innerlichen Feind haben ringen sehen, können wir ihm den Sieg über die äußerlichen Hindernisse zusagen, die sich ihm auf der kühnen Reformantenbahn entgegen werfen werden; denn nur, wenn wir ihn in den Jahren der Sinnlichkeit, bey dem heftigen Blut der Jugend, der Versuchung haben Trotz biethen sehen, können wir ganz sicher seyn, daß sie dem reifen Manne nicht gefährlich mehr seyn wird. Und welche Leidenschaft konnte mir diese Wirkung in größerem Maße leisten, als die mächtigste von allen, die Liebe?

Alle Leidenschaften, von denen für den großen Zweck, wozu ich ihn aufsparte, zu fürchten seyn könn=

te, diese einzige ausgenommen, sind aus seinem Herzen hinweggeträumt, oder haben nie darin gewohnt. An einem verderbten sittenlosen Hofe hat er die Reinigkeit der ersten Unschuld erhalten; nicht seine Liebe, auch nicht Anstrengung durch Grundsätze, ganz allein sein moralischer Instinct hat ihn vor dieser Befleckung bewahrt.

„Der Wollust Pfeil zerbrach an dieser Brust,
„lang ehe noch Elisabeth hier herrschte.“

Der Prinzessinn von Eboli gegenüber, die sich aus Leidenschaft und Plan so oft gegen ihn vergißt, zeigt er eine Unschuld, die der Einfalt sehr nahe kommt; wie viele, die diese Scene lesen, würden die Prinzessinn weit schneller verstanden haben. Meine Absicht war, in seine Natur eine Reinigkeit zu legen, der keine Verführung etwas anhaben kann. Der Kuß, den er der Prinzessinn gibt, war, wie er selbst sagt, der erste seines Lebens, und dieß war doch gewiß ein sehr tugendhafter Kuß! Aber auch über eine feinere Verführung sollte man ihn erhaben sehen; daher die ganze Episode der Prinzessinn von Eboli, deren buhlerische Künste zu seiner besseren Liebe scheitern. Mit dieser Liebe allein hätte er es also zu thun, und ganz wird ihn die Tugend haben, wenn es ihm gelungen seyn wird, auch noch diese Liebe zu besiegen; und davon handelt nun das Stück. Sie begreifen nun auch, warum der Prinz gerade so und nicht anders gezeichnet worden; warum ich es zugelassen habe, daß die edle Schönheit dieses Charakters durch so viel Heftigkeit, so viel unstäte Hitze, wie ein klares Wasser durch Wallungen, getrübt wird. Ein weiches wohlwollendes Herz, Enthusiasmus für das Große und Schöne, Delicatesse, Muth, Standhaftigkeit, uneigennützige Großmuth, sollte er besitzen, schöne und helle Blicke des Geistes sollte er zeigen, aber weise sollte er nicht seyn. Der künftige große Mann sollte in ihm schlummern, aber ein feuriges Blut sollte ihm jetzt noch nicht erlauben, es wirklich zu seyn. Alles, was den trefflichen Regenten macht, alles, was die Erwartungen seines Freundes und die Hoffnungen einer auf ihn harrenden Welt rechtfertigen kann, alles was sich vereinigen muß, sein vorgesetztes Ideal von einem künftigen Staat auszuführen, sollte sich in diesem Charakter beysammen finden: aber entwickelt sollte es noch nicht seyn, noch nicht von Leidenschaft geschieden, noch nicht zu reinem Golde geläutert. Darauf kam es ja eigentlich erst an, ihn dieser Vollkommenheit näher zu bringen, die ihm jetzt noch mangelt; ein mehr vollendeter Charakter des Prinzen hätte mich des ganzen Stücks überhoben. Eben so begreifen Sie nunmehr, warum es nöthig war, den Charakteren Philipps und seiner Geistesverwandten einen so großen Spielraum zu geben — ein nicht zu entschuldigender Fehler, wenn diese Charaktere weiter nichts als die Maschinen hätten seyn sollen, eine Liebesgeschichte zu verwickeln und aufzulösen — und warum überhaupt dem geistlichen, politischen und häuslichen Despotismus ein so weites Feld gelassen worden. Da aber mein eigentlicher Vorwurf war, den künftigen Schöpfer des Menschenglücks aus dem Stücke gleichsam hervorgehen zu lassen; so war es sehr an seinem Orte, den Schöpfer des Elends neben ihm aufzuführen, und durch ein vollständiges schauderhaftes Gemählde des Despotismus sein reitzendes Gegentheil destomehr zu erheben. Wir sehen den Despoten auf seinem traurigen Thon, sehen ihn mitten unter seinen Schätzen darben; wir erfahren aus seinem Munde, daß er unter allen seinen Millionen allein ist, daß die Furien des Argwohns seinen Schlaf anfallen, daß ihm seine Creaturen geschmolzenes Gold statt eines Labetrunks biethen; wir folgen ihm in sein einsames Gemach, sehen da den Beherrscher einer halben Welt um ein — menschliches Wesen bitten, und ihn dann, wenn das Schicksal ihm diesen Wunsch gewährt hat, gleich einem Rasenden, selbst das Geschenk zerstören, dessen er nicht mehr würdig war. Wir sehen ihn unwissend den niedrigsten Leidenschaften seiner Sclaven dienen; sind Augenzeugen, wie sie die Seile drehen, woran sie den, der sich einbildet, der alleinige Urheber seiner Thaten zu seyn, einem Knaben gleich lenken. Ihn, vor welchem man in fernen Welttheilen zittert, sehen wir vor einem herrischen Priester eine erniedrigende Rechenschaft ablegen, und eine leichte Übertretung mit einer schimpflichen Züchtigung büßen. Wir sehen ihn gegen Natur und Menschheit ankämpfen, die er nicht ganz besiegen kann, zu stolz ihre Macht zu erkennen, zu ohnmächtig sich ihr zu entziehen; von allen ihren Genüßen geflohen, aber von ihren Schwächen und Schrecknissen verfolgt; herausgetreten aus seiner Gattung, um als ein Mittelding von Geschöpf und Schöpfer — unser Mitleiden zu erregen. Wir verachten diese Größe, aber wir trauern über seinen Mißverstand, weil wir auch selbst aus dieser Verzerrung noch Züge von Menschheit herauslesen, die ihn zu einem der unsrigen machen, weil er auch bloß durch die übrig gebliebenen Reste der Menschheit elend ist. Je mehr uns aber dieses schreckhafte Gemählde zurück stößt, desto stärker werden wir von dem Bilde sanfter Humanität angezogen, die sich in Carlos, in seines Freundes, und in der Königinn Gestalt vor unsern Augen verklärt.

Und nun, lieber Freund, übersehen Sie das Stück aus diesem neuen Standort noch einmahl. Was Sie für Überladung gehalten, wird es jetzt vielleicht weniger seyn; in der Einheit, worüber wir uns jetzt verständigt haben, werden sich alle einzelnen Bestandtheile desselben auflösen lassen. Ich könnte den angefangenen Faden noch weiter fortführen, aber es sey mir genug, Ihnen durch einige Winke angedeutet zu haben, worüber in dem Stücke selbst die beste Auskunft enthalten ist. Es ist möglich, daß, um die Haupt-Idee des Stückes heraus zu finden, mehr ruhiges Nachdenken erfordert wird, als sich mit der Eilfertigkeit verträgt, womit man gewohnt ist, dergleichen Schriften zu durchlaufen; aber der Zweck, worauf der Künstler gearbeitet hat, muß sich ja am Ende des Kunstwerks erfüllt zeigen. Womit die Tragödie beschlossen wird, damit muß sie sich beschäftigt haben, und nun höre man, wie Carlos von uns und seiner Königinn scheidet.

„— Ich habe
„in einem langen schweren Traume gelegen.
„Ich liebte — jetzt bin ich erwacht. Vergessen
„sey das Vergangne. Endlich seh' ich ein, es gibt
„ein höher, wünschenswerther Gut, als dich
„besitzen — Hier sind Ihre Briefe
„zurück. Vernichten Sie die Meinen. Fürchten

Sie

„Sie keine Wallung mehr von mir. Es ist
„vorbey. Ein reiner Feuer hat mein Wesen
„geläutert — Einen Leichenstein will ich
„ihm setzen, wie noch keinem Könige zu Theil
„geworden — Ueber seiner Asche blühe
„ein Paradies!“

Königinn.

„— — So hab ich Sie gewellt!
„Das war die große Meinung seines Todes.“

Zehnter Brief.

Ich bin weder Illuminat noch Maurer, aber wenn beyde Verbrüderungen einen moralischen Zweck mit einander gemein haben, und wenn dieser Zweck für die menschliche Gesellschaft der wichtigste ist, so muß er mit demjenigen, den Marquis Posa sich vorsetzte, wenigstens sehr nahe verwandt seyn. Was jene durch eine geheime Verbindung mehrerer durch die Welt zerstreuter thätiger Glieder zu bewirken suchen, will der Letztere, vollständiger und kürzer, durch ein einziges Subject ausführen: durch einen Fürsten nähmlich, der Anwartschaft hat, den größten Thron der Welt zu besteigen, und durch diesen erhabenen Standpunct zu einem solchen Werke fähig gemacht wird. In diesem einzigen Subjecte macht er die Ideenreihe und Empfindungsart herrschend, woraus jene wohlthätige Wirkung als eine nothwendige Folge fließen muß. Vielen dürfte dieser Gegenstand für die dramatische Behandlung zu abstract und zu ernsthaft scheinen, und wenn sie sich auf nichts als das Gemählde einer Leidenschaft gefaßt gemacht haben, so hätte ich freylich ihre Erwartung getäuscht; aber es schien mir eines Versuchs nicht ganz unwerth: „Wahrheiten, die jedem,

„der es gut mit seiner Gattung meint, die heilig-
„sten seyn müssen, und die bis jetzt nur das Eigen-
„thum der Wissenschaften waren, in das Gebieth der
„schönen Künste herüber zu ziehen, mit Licht und Wär-
„me zu beseelen, und, als lebendig wirkende Motive
„in das Menschenherz gepflanzt, in einem kraftvollen
„Kampfe mit der Leidenschaft zu zeigen." Hat sich der
Genius der Tragödie für diese Gränzenverletzung an
mir gerochen, so sind deswegen einige nicht ganz un-
wichtige Ideen, die hier niedergelegt sind, für — den
redlichen Finder nicht verloren, den es vielleicht nicht
unangenehm überraschen wird, Bemerkungen, deren
er sich aus seinem Montesquieu erinnert, in einem
Trauerspiel angewandt und bestätigt zu sehen.

P 2

Eilfter Brief.

Ehe ich mich auf immer von unserm Freunde Posa verabschiede, noch ein paar Worte über sein räthselhaftes Benehmen gegen den Prinzen, und über seinen Tod.

Viele nähmlich haben ihm vorgeworfen, daß er, der von der Freyheit so hohe Begriffe hegt, und sie unaufhörlich im Munde führt, sich doch selbst einer despotischen Willkühr über seinen Freund anmaße, daß er ihn blind, wie einen Unmündigen leite, und ihn eben dadurch an den Rand des Untergangs führe. Womit, sagen Sie, läßt es sich entschuldigen, daß Marquis Posa, anstatt dem Prinzen gerade heraus das Verhältniß zu entdecken, worinn er jetzt mit dem Könige steht, anstatt sich auf eine vernünftige Art mit ihm über die nöthigen Maßregeln zu bereden, und, indem er ihn zum Mitwisser seines Planes macht, auf einmahl allen Übereilungen vorzubeugen, wozu Unwissenheit, Mißtrauen, Furcht und unbesonnene Hitze den Prinzen sonst hinreißen könnten, und auch wirklich nachher hingerissen haben, daß er, anstatt diesen so unschuldigen, so natürlichen Weg einzuschlagen, lieber die äußerste Gefahr läuft, lieber diese so leicht zu verhüthenden Folgen erwartet, und sie alsdann, wenn sie wirklich eingetroffen, durch ein Mittel zu verbessern sucht, das eben so unglücklich ausschlagen kann, als es brutal und unnatürlich ist, nähmlich durch die Verhaftnehmung des Prinzen? Er kannte das lenksame Herz seines Freundes. Noch kürzlich ließ ihn der Dichter eine Probe der Gewalt ablegen, mit der er solches beherrschte. Zwey Worte hätten ihm diesen widrigen Behelf erspart. Warum nimmt er seine Zuflucht zur Intrigue, wo er durch ein gerades Verfahren ungleich schneller und ungleich sicherer zum Ziele würde gekommen seyn?

Weil dieses gewaltthätige und fehlerhafte Betragen des Malthesers alle nachfolgende Situationen und vorzüglich seine Aufopferung herbeygeführt hat, so setzte man, ein wenig rasch, voraus, daß sich der Dichter von diesem unbedeutenden Gewinn habe hinreissen lassen, der inneren Wahrheit dieses Charakters Gewalt anzuthun, und den natürlichen Lauf der Handlung zu verlenken. Da dieses allerdings der bequemste und kürzeste Weg war, sich in dieses seltsame Betragen des Malthesers zu finden, so suchte man in dem ganzen Zusammenhang dieses Charakters keinen nähern Aufschluß mehr; denn das wäre zu viel von einem Kritiker verlangt, mit seinem Urtheil bloß darum zurück zu halten, weil der Schriftsteller übel dabey fährt. Aber einiges Recht glaubte ich mir doch auf diese Billigkeit erworben zu haben, weil in dem Stücke mehr als ein Mahl die glänzendere Situation der Wahrheit nachgesetzt worden ist.

Unstreitig! der Charakter des Marquis von Posa hätte an Schönheit und Reinigkeit gewonnen, wenn er durchaus gerader gehandelt hätte, und über die unedeln Hülfsmittel der Intrigue immer erhaben geblieben wäre. Auch gestehe ich, dieser Charakter ging mir nahe, aber, was ich für Wahrheit hielt, ging mir näher. Ich halte für Wahrheit, „daß Liebe zu „einem wirklichen Gegenstande und Liebe zu ei„nem Ideal sich in ihren Wirkungen eben so ungleich „seyn müssen, als sie in ihrem Wesen von einander „verschieden sind — daß der uneigennützigste, reinste „und edelste Mensch aus enthusiastischer Anhänglichkeit „an seine Vorstellung von Tugend und hervor„zubringendem Glück sehr oft ausgesetzt ist, eben so „willkührlich mit den Individuen zu schalten, als nur „immer der selbstsüchtigste Despot, weil der Gegen„stand von beyder Bestrebungen in ihnen, nicht au„ßer ihnen wohnt, und weil Jener, der seine Hand„lungen nach einem innern Geistesbilde modelt, mit „der Freyheit anderer beynahe eben so im Streit liegt, „als dieser, dessen letztes Ziel sein eigenes Ich „ist." Wahre Größe des Gemüths führt oft nicht weniger zu Verletzungen fremder Freyheit, als der Egoismus, und die Herrschsucht, weil sie um der Handlung, nicht um des einzelnen Subjects willen handelt. Eben weil sie in steter Hinsicht auf das Ganze wirkt, verschwindet nur allzuleicht das kleinere Interesse des Individuums in diesem weiten Prospecte. Die Tugend handelt groß, um des Gesetzes willen; die Schwärmerey um ihres Ideales willen; die Liebe um des Gegenstandes willen. Aus der ersten Classe wollen wir uns Gesetzgeber, Richter, Könige, aus der zweyten Helden, aber nur aus der dritten unsern Freund erwählen. Die erste verehren, die zweyte bewundern, die dritte lieben wir. Carlos hat Ursache gefunden, es zu bereuen, daß er diesen Unterschied außer Acht ließ, und einen großen Mann zu seinem Busenfreund machte.

„Was geht die Königinn dich an? Liebst du
„die Königinn? Soll deine strenge Tugend
„die kleinen Sorgen meiner Liebe fragen?
„ — — — — Ach, hier ist nichts verdammlich,
„nichts, nichts, als meine rasche Verblendung,
„bis diesen Tag nicht eingesehen zu haben,
„daß du so — groß als zärtlich bist."

Geräuschlos, ohne Gehülfen, in stiller Größe zu wirken, ist des Marquis Schwärmerey. Still, wie die Vorsicht für einen Schlafenden sorgt, will er seines Freundes Schicksal auflösen, er will ihn retten, wie ein Gott — und eben dadurch richtet er ihn zu Grunde. Daß er zu sehr nach seinem Ideal von Tugend in die Höhe, und zu wenig auf seinen Freund herunter blickte, wurde beyder Verderben. Karlos verunglückte, weil sein Freund sich nicht begnügte, ihn auf eine gemeine Art zu erlösen.

Und hier, däucht mir, treffe ich mit einer nicht unmerkwürdigen Erfahrung aus der moralischen Welt zusammen, die keinen, der sich nur einigermaßen Zeit genommen hat, um sich herum zu schauen, oder dem Gang seiner eignen Empfindungen zuzusehen, ganz fremd seyn kann. Es ist diese: daß die moralischen Motive, welche von einem zu erreichenden Ideale von Vortrefflichkeit hergenommen sind, nicht natürlich im Menschenherzen liegen, und eben darum, weil sie erst durch Kunst in dasselbe hineingebracht worden, nicht immer wohlthätig wirken, gar oft aber, durch einen sehr menschlichen Übergang, einem schädlichen Mißbrauch ausgesetzt sind. Durch practische Gesetze, nicht durch gekünstelte Geburten der theoretischen Vernunft soll der Mensch bey seinem moralischen Handeln geleitet werden. Schon allein dieses, daß jedes solche moralische Ideal oder Kunstgebäude doch nie mehr ist als eine Idee, die, gleich allen andern Ideen, an dem eingeschränkten Gesichtspunct des Individuums Theil nimmt, dem sie angehört, und in ihrer Anwendung also auch der Allgemeinheit nicht fähig seyn kann, in welcher der Mensch sie zu gebrauchen pflegt, schon dieses allein, sage ich, müßte sie zu einem äußerst gefährlichen Instrument in seinen Händen machen: aber noch weit gefährlicher wird sie durch die Verbindung, in die sie nur allzuschnell mit gewissen Leidenschaften tritt, die sich mehr oder weniger in allen Menschenherzen finden; Herrschsucht meine ich, Eigendünkel und Stolz, die sie augenblicklich ergreifen, und sich unzertrennbar mit ihr vermengen. Nennen Sie mir, lieber Freund — um aus unzähligen Beyspielen nur eins auszuwählen — nennen Sie mir den Ordensstifter, oder auch die Ordensverbrüderung selbst, die sich — bey den reinsten Zwecken und bey den edelsten Trieben von Willkührlichkeit in der Anwendung, von Gewaltthätigkeit gegen fremde Freyheit, von dem Geiste der Heimlichkeit und der Herrschsucht immer rein erhalten hätte? die bey Durchsetzung eines, von jeder unreinen Beymischung auch noch so freyen moralischen Zweckes, in so fern sie sich nähmlich diesen Zweck als etwas für sich Bestehendes denken und ihn in der Lauterkeit erreichen wollten, wie er sich ihrer Vernunft dargestellt hatte, nicht unvermerkt wären fortgerissen worden, sich an fremder Freyheit zu vergreifen, die Achtung gegen Anderer Rechte, die ihnen sonst immer die heiligsten waren, hintan zu setzen, und nicht selten den willkührlichsten Despotismus zu üben, ohne den Zweck selbst umgetauscht, ohne in ihren Motiven ein Verderbniß erlitten zu haben? Ich erkläre mir diese Erscheinung aus dem Bedürfniß der beschränkten Vernunft, sich ihren Weg abzukürzen, ihr Geschäft zu vereinfachen, und Individualitäten, die sie zerstreuen und verwirren, in Allgemeinheit zu verwandeln; aus der allgemeinen Hinneigung unsers Gemüthes zur Herrschbegierde, oder dem Bestreben, alles wegzudrängen, was das Spiel unsrer Kräfte hindert. Ich wählte deswegen einen ganz wohlwollenden, ganz über jede selbstsüchtige Begierde erhabenen Charakter, ich gab ihm die höchste Achtung für Anderer Rechte, ich gab ihm die Hervorbringung eines allgemeinen Freyheitsgenusses sogar zum Zwecke, und ich glaube mich auf keinem Widerspruch mit der allgemeinen Erfahrung zu befinden, wenn ich ihn, selbst auf dem Weg dahin, in Despotismus verirren ließ. Es lag in meinem Plan, daß er sich in dieser Schlinge verstricken sollte, die allen gelegt ist, die sich auf einerley Wege mit ihm befinden. Wie viel hätte mir es auch gekostet, ihn wohlbehalten davon vorbey zu bringen, und dem Leser, der ihn lieb gewann, den unvermischten Genuß aller übrigen Schönheiten seines Charakters zu geben, wenn ich es nicht für einen ungleich größern Gewinn gehalten hätte, der menschlichen Natur zur Seite zu bleiben, und eine nie genug zu beherzigende Erfahrung durch sein Beyspiel zu bestätigen. Diese meine ich, daß man sich in moralischen Dingen nicht ohne Gefahr von dem natürlichen practischen Gefühl entfernt, um sich zu allgemeinen Abstractionen zu erheben, daß sich der Mensch weit sicherer den Eingebungen seines Herzens oder dem schon gegenwärtigen und individuellen Gefühle von Recht und Unrecht vertraut, als der gefährlichen Leitung universeller Vernunftideen, die er sich künstlich erschaffen hat — denn nichts führt zum Guten, was nicht natürlich ist.

Zwölfter Brief.

Es ist nur noch übrig, ein Paar Worte über seine Aufopferung zu sagen.

Man hat es nähmlich getadelt, daß er sich muthwillig in einen gewaltsamen Tod stürze, den er hätte vermeiden können. Alles, sagt man, war ja noch nicht verloren. Warum hätte er nicht eben so gut fliehen können, als sein Freund? War er schärfer bewacht, als dieser? Machte es ihm nicht selbst seine Freundschaft für Carlos zur Pflicht, sich diesem zu erhalten? Und konnte er ihm mit seinem Leben nicht weit mehr nützen, als wahrscheinlicherweise mit seinem Tode, selbst wenn alles seinem Plane gemäß eingetroffen wäre? Konnte er nicht — freylich! Was hätte der ruhige Zuschauer nicht gekonnt, und wie viel weiser und klüger würde dieser mit seinem Leben gewirthschaftet haben! Schade nur, daß sich der Marquis weder dieser glücklichen Kaltblütigkeit, noch der Muse zu erfreuen hatte, die zu einer so vernünftigen Berechnung nothwendig war. Aber, wird man sagen, das gezwungene, und sogar spitzfindige Mittel, zu welchem er seine Zuflucht nimmt, um zu sterben, konnte sich ihm doch unmöglich aus freyer Hand und im ersten Augenblicke anbiethen, warum hätte er das Nachdenken und die Zeit, die es ihm kostete, nicht eben so gut anwenden können, einen vernünftigen Rettungsplan auszudenken, oder lieber gleich denjenigen zu ergreifen, der ihm so nahe lag, der auch dem kurzsichtigsten Leser sogleich ins Auge springt? Wenn er nicht sterben wollte, um gestorben zu seyn, oder (wie einer meiner Recensenten sich ausdrückt,) wenn er nicht des Märtyrthums wegen sterben wollte, so ist es kaum zu begreifen, wie sich ihm die so gesuchten Mittel zum Untergang früher, als die weit natürlichern Mittel zur Rettung haben darbiethen können. Es ist viel Schein in diesem Vorwurf, und um so mehr ist es der Mühe werth, ihn aus einander zu setzen.

Die Auflösung ist diese:

Erstlich gründet sich dieser Einwurf auf die falsche und durch das Vorhergehende genugsam widerlegte Voraussetzung, daß der Marquis nur für seinen Freund sterbe, welches nicht wohl mehr statt haben kann, nachdem bewiesen worden, daß er nicht für ihn gelebt, und daß es mit dieser Freundschaft eine ganz andere Bewandtniß habe. Er kann also nicht wohl sterben, um den Prinzen zu retten; dazu dürften sich auch ihm selbst vermuthlich noch andre, und weniger gewaltthätige Auswege gezeigt haben, als der Tod — „er stirbt, um für sein — in des Prinzen „Seele niedergelegtes — Ideal alles zu thun und zu „geben, was ein Mensch für etwas thun und geben „kann, das ihm das Theuerste ist; um ihm auf die „nachdrücklichste Art, die er in seiner Gewalt hat, zu „zeigen, wie sehr er an die Wahrheit und Schönheit „dieses Entwurfes glaube, und wie wichtig ihm die „Erfüllung desselben sey;" er stirbt dafür, warum mehrere große Menschen für eine Wahrheit starben, die sie von vielen befolgt und beherzigt haben wollten; um durch sein Beyspiel darzuthun, wie sehr sie es werth sey, daß man alles für sie leide. Als der Gesetzgeber von Sparta sein Werk vollendet sah, und das Orakel zu Delphi den Ausspruch gethan hatte, die Republik würde blühen und dauern, so lange sie Lykurgus Gesetze ehrte, rief er das Volk von Sparta zusammen, und forderte einen Eid von ihm, die neue Verfassung so lange wenigstens unangefochten zu lassen, bis er von einer Reise, die er eben vorhabe, würde zurück gekehrt seyn. Als ihm dieses durch einen feyerlichen Eidschwur angelobt worden, verließ Lykurgus das Gebieth von Sparta, hörte, von diesem Augenblick an, auf, Speise zu nehmen, und die Republik harrte seiner Rückkehr vergebens. Vor seinem Tode verordnete er noch ausdrücklich, seine Asche selbst in das Meer zu streuen, damit auch kein Atome seines Wesens nach Sparta zurück kehren, und seine Mitbürger auch nur mit einem Schein von Recht ihres Eides entbinden möchte. Konnte Lykurgus im Ernste geglaubt haben, das Lacedämonische Volk durch diese Spitzfindigkeit zu binden, und seine Staatsverfassung durch ein solches Spielwerk zu sichern? Ist es auch nur denkbar, daß ein so weiser Mann für einen so romanhaften Einfall ein Leben sollte hingegeben haben, das seinem Vaterlande so wichtig war? Aber sehr denkbar und seiner würdig scheint es mir, daß er es hingab, um durch das Große und Außerordentliche dieses Todes einen unauslöschlichen Eindruck Seiner selbst in das Herz seiner Spartaner zu graben, und eine höhere Ehrwürdigkeit über das Werk auszugießen, indem er den Schöpfer desselben zu einem Gegenstand der Rührung und Bewunderung machte.

Zweytens kommt es hier, wie man leicht einsieht, nicht darauf an, wie nothwendig, wie natürlich und wie nützlich diese Auskunft in der That war, sondern wie sie demjenigen vorkam, der sie zu ergreifen hatte, und wie leicht oder schwer er darauf verfiel. Es ist also weit weniger die Lage der Dinge, als die Gemüthsverfassung dessen, auf den diese Dinge wirken, was hier in Betrachtung kommen muß. Sind die Ideen, welche den Marquis zu diesem Heldenentschluß führen, ihm geläufig, und biethen sie sich ihm leicht und mit Lebhaftigkeit dar, so ist der Entschluß auch weder gesucht noch gezwungen; sind diese Ideen in seiner Seele gar die vordringenden und herrschenden, und stehen diejenigen dagegen im Schatten, die ihn auf einen gelindern Ausweg führen konnten, so ist der Entschluß, den er faßt, nothwendig; haben diejenigen Empfindungen, welche diesen Entschluß bey jedem andern bekämpfen würden, wenig Macht über ihn, so kann ihm auch die Ausführung desselben so gar viel nicht kosten. Und dieß ist es, was wir nun untersuchen müssen.

Zuerst: Unter welchen Umständen schreitet er zu diesem Entschluß? — In der drangvollesten Lage, worin je ein Mensch sich befunden, wo Schrecken, Zweifel, Unwille über sich selbst, Schmerz und Verzweiflung zugleich seine Seele bestürmen. Schrecken; er sieht seinen Freund im Begriffe, derjenigen Person, die er als dessen fürchterlichste Feindinn kennt, ein Geheimniß zu offenbaren, woran sein Leben hängt. Zweifel; er weiß nicht, ob dieses Geheimniß heraus ist oder nicht? Weiß es die Prinzessinn, so muß er gegen sie als eine Mitwisserinn verfahren; weiß sie es noch nicht, so kann ihn eine einzige Sylbe zum Verräther, zum Mörder seines Freundes machen. Unwille über sich selbst; Er allein hat durch seine unglückliche Zurückhaltung den Prinzen zu dieser Übereilung hingerissen. Schmerz und Verzweiflung; Er sieht seinen Freund verloren, er sieht in seinem Freund alle Hoffnungen verloren, die er auf denselben gegründet hat.

„Verlassen von dem Einzigen wirfst du
„der Fürstinn Eboli dich in die Arme —
„Unglücklicher! in eines Teufels Arme,
„denn diese wars, die dich verrieth — Ich sehe
„dich dahin eilen. Eine schlimme Ahnung
„fliegt durch mein Herz. Ich folge dir. Zu spät.
„Du liegst zu ihren Füßen. Das Geständniß
„floh über deine Lippen schon. Für dich
„ist keine Rettung mehr — Da wird es Nacht vor meinen
Sinnen!
„Nichts! Nichts! Kein Ausweg! Keine Hülfe! Keine
„im ganzen Umkreis der Natur!“

In diesem Augenblicke nun, wo so verschiedene Gemüthsbewegungen in seiner Seele stürmen, soll er aus dem Stegreif ein Rettungsmittel für seinen Freund erdenken. Welches wird es seyn? Er hat den richtigen Gebrauch seiner Urtheilskraft verloren, und mit diesem den Faden der Dinge, den nur die ruhige Vernunft zu verfolgen im Stande ist. Er ist nicht mehr Meister seiner Gedankenreihe — er ist also in die Gewalt derjenigen Ideen gegeben, die das meiste Licht und die größte Geläufigkeit bey ihm erlangt haben.

Und von welcher Art sind nun diese? Wer entdeckt nicht in dem ganzen Zusammenhang seines Lebens, wie er es hier in dem Stücke vor unsern Augen lebt, daß seine ganze Phantasie von Bildern romantischer Größe angefüllt und durchdrungen ist, daß die Helden des Plutarch in seiner Seele leben, und daß sich also unter zwey Auswegen immer der Heroische zuerst und zunächst ihm darbiethen muß? Zeigte uns nicht sein vorhergegangener Auftritt mit dem König, was und wie viel dieser Mensch für das, was ihm wahr, schön und vortrefflich dünkt, zu wagen im Stande sey? — Was ist wiederum natürlicher, als daß der Unwille, den er in diesem Augenblick über sich selbst empfindet, ihn unter denjenigen Rettungsmitteln zuerst suchen läßt, die ihm etwas kosten; daß er es der Gerechtigkeit gewissermaßen schuldig zu seyn glaubt, die Rettung seines Freundes auf seine Unkosten zu bewirken, weil seine Unbesonnenheit es war, die jenen in diese Gefahr stürzte? Bringen Sie dabey in Betrachtung, daß er nicht genug eilen kann, sich aus diesem leidenden Zustand zu reißen, sich den freyen Genuß seines Wesens und die Herrschaft über seine Empfindungen wieder zu verschaffen. Ein Geist, wie dieser aber, werden Sie mir eingestehen, sucht in sich, nicht außer sich, Hülfe; und wenn der bloße kluge Mensch sein Erstes hätte seyn lassen, die Lage, in der er sich befindet, von allen Seiten zu prüfen, bis er ihr endlich einen Vortheil abgewonnen: so ist es im Gegentheil ganz im Charakter des heldenmüthigen Schwärmers gegründet, sich

die-

diesen Weg zu verkürzen, sich durch irgend eine außerordentliche That, durch eine augenblickliche Erhöhung seines Wesens, bey sich selbst wieder in Achtung zu setzen. So wäre denn der Entschluß des Marquis gewisser Maßen schon als ein heroisches Palliativ erklärbar, wodurch er sich einem augenblicklichen Gefühl von Dumpfheit und Verzagung, dem schrecklichsten Zustand für einen solchen Geist, zu entreißen sucht. Setzen Sie dann noch hinzu, daß schon seinem Knabenalter, schon von dem Tage an, da sich Carlos freywillig für ihn einer schmerzhaften Strafe darboth, (S. 15. 16.) das Verlangen, ihm diese großmüthige That zu erstatten, seine Seele beunruhigte, ihn gleich einer unbezahlten Schuld marterte, und das Gewicht der vorhergehenden Gründe in diesem Augenblick also nicht wenig verstärken muß. Daß ihm diese Erinnerung wirklich vorgeschwebt, beweiset eine Stelle, wo sie ihm unwillkührlich entwischte. Carlos dringt darauf, daß er fliehen soll, ehe die Folgen seiner kecken That eintreffen. „War ich auch so gewissenhaft, Carlos," gibt er ihm zur Antwort, „da du, ein Knabe, für mich geblutet hast?" Die Königinn, von ihrem Schmerz hingerissen, beschuldigt ihn sogar, daß er diesen Entschluß längst schon mit sich herumgetragen —

„Sie stürzten sich in diese That, die Sie
„erhaben nennen. Läugnen Sie nur nicht.
„Ich kenne Sie, Sie haben längst darnach
„gedürstet!"

Endlich will ich ja den Marquis von Schwärmerey durchaus nicht frey gesprochen haben. Schwärmerey und Enthusiasmus berühren einander so nahe, ihre Unterscheidungslinie ist so fein, daß sie im Zustande leidenschaftlicher Erhitzung nur allzu leicht überschritten werden kann. Und der Marquis hat nur wenige Augenblicke zu dieser Wahl! Dieselbe Stellung des Gemüths, worin er die That beschließt, ist auch dieselbe, worin er den unwiderruflichen Schritt zu ihrer Ausführung thut. Es wird ihm nicht so gut, seinen Entschluß in einer andern Seelenlage noch einmahl anzuschauen, ehe er ihn in Erfüllung bringt — wer weiß, ob er ihn dann nicht anders gefaßt hätte! Eine solche andere Seelenlage z. B. ist die, worinn er von der Königinn geht. (S. 244.) „O!" ruft er aus, „das Leben ist doch schön"! — Aber diese Entdeckung macht er zu spät. Er hüllt sich in die Größe seiner That, um keine Reue darüber zu empfinden.

III.

Die Schaubühne,

als eine moralische Anstalt betrachtet.

(Vorgelesen bey einer öffentlichen Sitzung der Churfürstlichen deutschen Gesellschaft zu Mannheim im Jahr 1784.)

Ein allgemeiner unwiderstehlicher Hang nach dem Neuen und Außerordentlichen, ein Verlangen, sich in einem leidenschaftlichen Zustande zu fühlen, hat, nach Sulzers Bemerkung, der Schaubühne die Entstehung gegeben. Erschöpft von den höhern Anstrengungen des Geistes, ermattet von den einförmigen, oft niederdrückenden Geschäften des Berufs, und von Sinnlichkeit gesättigt, mußte der Mensch eine Leerheit in seinem Wesen fühlen, die dem ewigen Trieb nach Thätigkeit zuwider war. Unsre Natur, gleich unfähig, länger im Zustande des Thiers fortzudauern, als die feinern Arbeiten des Verstandes fortzusetzen, verlangte einen mittleren Zustand, der beyde widersprechende Enden vereinigte, die harte Spannung zu sanfter

Harmonie herabstimmte, und den wechselsweisen Übergang eines Zustandes in den andern erleichterte. Diesen Nutzen leistet überhaupt nun der ästhetische Sinn, oder das Gefühl für das Schöne. Da aber eines weisen Gesetzgebers erstes Augenmerk seyn muß, unter zwey Wirkungen die höchste heraus zu lesen, so wird er sich nicht begnügen, die Neigungen seines Volks nur entwaffnet zu haben; er wird sie auch, wenn es irgend nur möglich ist, als Werkzeuge höherer Plane gebrauchen, und in Quellen von Glückseligkeit zu verwandeln bemüht seyn, und darum wählte er vor allen andern die Bühne, die dem nach Thätigkeit dürstenden Geist einen unendlichen Kreis eröffnet, jeder Seelenkraft Nahrung gibt, ohne eine einzige zu überspannen, und die Bildung des Verstandes und des Herzens mit der edelsten Unterhaltung vereinigt.

Derjenige, welcher zuerst die Bemerkung machte, daß eines Staats festeste Säule Religion sey — daß ohne sie die Gesetze selbst ihre Kraft verlieren, hat vielleicht, ohne es zu wollen, oder zu wissen, die Schaubühne von ihrer edelsten Seite vertheidigt. Eben diese Unzulänglichkeit, diese schwankende Eigenschaft der politischen Gesetze, welche dem Staat die Religion unentbehrlich macht, bestimmt auch den sittlichen Einfluß der Bühne: Gesetze, wollte er sagen, drehen sich nur um verneinende Pflichten — Religion dehnt ihre Forderungen auf wirkliches Handeln aus. Gesetze hemmen nur Wirkungen, die den Zusammenhang der Gesellschaft auflösen — Religion befiehlt solche, die ihn inniger machen. Jene herrschen nur über die offenbaren Äußerungen des Willens, nur Thaten sind ihnen unterthan — diese setzt ihre Gerichtsbarkeit bis in die verborgensten Winkel des Herzens fort, und verfolgt den Gedanken bis an die innerste Quelle. Gesetze sind glatt und geschmeidig, wandelbar wie Laune und Leidenschaft — Religion bindet streng und ewig. Wenn wir nun aber auch voraussetzen wollten, was nimmermehr ist — wenn wir der Religion diese große Gewalt über jedes Menschenherz einräumen, wird sie, oder kann sie die ganze Bildung vollenden? — Religion, (ich trenne hier ihre politische Seite von ihrer göttlichen) Religion wirkt im Ganzen mehr auf den sinnlichen Theil des Volks — sie wirkt vielleicht durch das Sinnliche allein so unfehlbar. Ihre Kraft ist dahin, wenn wir ihr dieses nehmen — und wodurch wirkt die Bühne? Religion ist dem größern Theile der Menschen nichts mehr, wenn wir ihre Bilder, ihre Probleme vertilgen, wenn wir ihre Gemählde von Himmel und Hölle zernichten — und doch sind es nur Gemählde der Phantasie, Räthsel ohne Auflösung, Schreckbilder und Lockungen aus der Ferne. Welche Verstärkung für Religion und Gesetze, wenn sie mit der Schaubühne in Bund treten, wo Anschauung und lebendige Gegenwart ist, wo Laster und Tugend, Glückseligkeit und Elend, Thorheit und Weisheit in tausend Gemählden faßlich und wahr an dem Menschen vorübergehen, wo die Vorsehung ihre Räthsel auflöst, ihren Knoten vor seinen Augen entwickelt, wo das menschliche Herz auf den Foltern der Leidenschaft seine leisesten Regungen beichtet, alle Larven fallen, alle Schminke verfliegt, und die Wahrheit unbestechlich wie Rhadamanthus Gericht hält.

Die Gerichtsbarkeit der Bühne fängt an, wo das Gebieth der weltlichen Gesetze sich endigt. Wenn die Gerechtigkeit für Gold verblindet, und im Solde der Laster schwelgt, wenn die Frevel der Mächtigen ihrer Ohnmacht spotten, und Menschenfurcht den Arm der Obrigkeit bindet, übernimmt die Schaubühne Schwert und Wage, und reißt die Laster vor einen schrecklichen Richterstuhl. Das ganze Reich der Phantasie und Geschichte, Vergangenheit und Zukunft, stehen ihrem Wink zu Geboth. Kühne Verbrecher, die längst schon im Staub vermodern, werden durch den allmächtigen Ruf der Dichtkunst jetzt vorgeladen, und wiederhohlen zum schauervollen Unterricht der Nachwelt ein schändliches Leben. Ohnmächtig, gleich den Schatten in einem Hohlspiegel, wandeln die Schrecken ihres Jahrhunderts vor unsern Augen vorbey, und mit wollüstigem Entsetzen verfluchen wir ihr Gedächtniß. Wenn keine Moral mehr gelehrt wird, keine Religion mehr Glauben findet, wenn kein Gesetz mehr vorhanden ist, wird uns Medea noch anschauern, wenn sie die Treppen des Pallastes herunter wankt, und der Kindermord jetzt geschehen ist. Heilsame Schauer werden die Menschheit ergreifen, und in der Stille wird jeder sein gutes Gewissen preisen, wenn Lady Makbeth, eine schreckliche Nachtwandlerinn, ihre Hände wäscht, und alle Wohlgerüche Arabiens herbeyruft, den häßlichen Mordgeruch zu vertilgen. So gewiß sichtbare Darstellung mächtiger wirkt, als todter Buchstabe und kalte Erzählung, so gewiß wirkt die Schaubühne tiefer und dauernder als Moral und Gesetze.

Aber hier unterstützt sie die weltliche Gerechtigkeit nur — ihr ist noch ein weiteres Feld geöffnet. Tausend Laster, die jene ungestraft duldet, straft sie; tausend Tugenden, wovon jene schweigt, werden von der Bühne empfohlen. Hier begleitet sie die Weisheit und die Religion. Aus dieser reinen Quelle schöpft sie ihre Lehren und Muster, und kleidet die strenge Pflicht in ein reitzendes lockendes Gewand. Mit welch herrlichen Empfindungen, Entschlüssen, Leidenschaften schwellt sie unsere Seele, welche göttliche Ideale stellt sie uns zur Nacheiferung aus! — Wenn der gütige August dem Verräther Cinna, der schon den tödtlichen Spruch auf seinen Lippen zu lesen meint, groß wie seine Götter, die Hand reicht: „Laß uns Freunde „seyn, Cinna!" — wer unter der Menge wird in dem Augenblick nicht gern seinem Todfeind die Hand drücken wollen, dem göttlichen Römer zu gleichen? — Wenn Franz von Sickingen, auf dem Wege, einen Fürsten zu züchtigen und für fremde Rechte zu kämpfen, unversehens hinter sich schaut, und den Rauch aufsteigen sieht von seiner Veste, wo Weib und Kind hülflos zurück blieben, und er — weiter zieht, Wort zu halten — wie groß wird mir da der Mensch, wie klein und verächtlich das gefürchtete unüberwindliche Schicksal! —

Eben so häßlich, als liebenswürdig die Tugend, mahlen sich die Laster in ihrem furchtbaren Spiegel ab. Wenn der hülflose kindische Lear in Nacht und Ungewitter vergebens an das Haus seiner Töchter pocht; wenn er sein weißes Haar in die Lüfte streut, und den tobenden Elementen erzählt, wie unnatürlich seine Regan gewesen; wenn sein wüthender Schmerz zuletzt in den schrecklichen Worten von ihm strömt: „Ich gab euch Alles!" — wie abscheulich zeigt sich uns da der Undank? Wie feyerlich geloben wir Ehrfurcht und kindliche Liebe! —

Aber der Wirkungskreis der Bühne dehnt sich noch weiter aus. Auch da, wo Religion und Gesetze es unter ihrer Würde achten, Menschenempfindungen zu begleiten, ist sie für unsere Bildung noch geschäftig. Das Glück der Gesellschaft wird eben so sehr durch Thorheit, als durch Verbrechen und Laster gestört. Eine Erfahrung lehrt es, die so alt ist als die Welt, daß im Gewebe menschlicher Dinge oft die größten Gewichte an den kleinsten und zärtesten Fäden hangen, und, wenn wir Handlungen zu ihrer Quelle zurück begleiten, wir zehn Mahl lächeln müssen, ehe wir uns ein Mahl entsetzen. Mein Verzeichniß von Bösewichtern wird mit jedem Tage, den ich älter werde, kürzer, und mein Register von Thoren vollzähliger und länger. Wenn die ganze moralische Verschuldung des einen Geschlechtes aus einer und eben der Quelle hervorspringt, wenn alle die ungeheuren Extreme von Laster, die es jemahls gebrandmarkt haben, nur veränderte Formen, nur höhere Grade einer Eigenschaft sind, die wir zuletzt alle einstimmig belächeln und lieben, warum sollte die Natur bey dem andern Geschlechte nicht die nähmlichen Wege gegangen seyn? Ich kenne nur ein Geheimniß, den Menschen vor Verschlimmerung zu bewahren, und dieses ist — sein Herz gegen Schwächen zu schützen.

Einen großen Theil dieser Wirkung können wir von der Schaubühne erwarten. Sie ist es, die der großen Classe von Thoren den Spiegel vorhält, und die tausendfachen Formen derselben mit heilsamem Spott beschämt. Was sie oben durch Rührung und Schrecken wirkte, leistet sie hier, (schneller vielleicht, und unfehlbarer) durch Scherz und Satyre. Wenn wir es unternehmen wollten, Lustspiel und Trauerspiel nach dem Maße der erreichten Wirkung zu schätzen, so würde vielleicht die Erfahrung dem ersten den Vorrang geben. Spott und Verachtung verwunden den Stolz des Menschen empfindlicher, als Verabscheuung sein Gewissen foltert. Vor dem Schrecklichen verkriecht sich unsre Feigheit, aber eben diese Feigheit überliefert uns dem Stachel der Satyre. Gesetz und Gewissen schützen uns o f t vor Verbrechen und Lastern — Lächerlichkeiten verlangen einen eigenen feinern Sinn, den wir nirgends mehr als vor dem Schauplatze üben. Vielleicht, daß wir einen Freund bevollmächtigen, unsre Sitten und unser Herz anzugreifen, aber es kostet uns Mühe, ihm ein einziges Lachen zu vergeben. Unsre Vergehungen ertragen einen Aufseher und Richter, unsre Unarten kaum einen Zeugen. — Die Schaubühne allein kann unsre Schwächen belachen, weil sie unsrer Empfindlichkeit schont, und den schuldigen Thoren nicht wissen will — Ohne roth zu werden, sehen wir unsre Larve aus ihrem Spiegel fallen, und danken insgeheim für die sanfte Ermahnung.

Aber ihr großer Wirkungskreis ist noch lange nicht geendigt. Die Schaubühne ist mehr, als jede andere öffentliche Anstalt des Staats, eine Schule der practischen Weisheit, ein Wegweiser durch das bürgerliche Leben, ein unfehlbarer Schlüssel zu den geheimsten Zugängen der menschlichen Seele. Ich gebe zu, daß Eigenliebe und Abhärtung des Gewissens nicht selten ihre beste Wirkung vernichten, daß sie noch tausend Laster mit frecher Stirne vor ihrem Spiegel behaupten, tausend gute Gefühle vom kalten Herzen des Zuschauers fruchtlos zurück fallen — ich selbst bin der

Meinung, daß vielleicht Molieres Harpagon noch keinen Wucherer besserte, daß der Selbstmörder Beverlei noch wenige seiner Brüder von der abscheulichen Spielsucht zurück zog, daß Carl Moors unglückliche Räubergeschichte die Landstraßen nicht viel sicherer machen wird — aber wenn wir auch diese große Wirkung der Schaubühne einschränken, wenn wir so ungerecht seyn wollen, sie gar aufzuheben — wie unendlich viel bleibt noch von ihrem Einfluß zurück? Wenn sie die Summe der Laster weder tilgt, noch vermindert, hat sie uns nicht mit denselben bekannt gemacht? — Mit diesen Lasterhaften, diesen Thoren müssen wir leben. Wir müssen ihnen ausweichen oder begegnen; wir müssen sie untergraben, oder ihnen unterliegen. Jetzt aber überraschen sie uns nicht mehr. Wir sind auf ihre Anschläge vorbereitet. Die Schaubühne hat uns das Geheimniß verrathen, sie ausfindig und unschädlich zu machen. Sie zog dem Häuchler die künstliche Maske ab, und entdeckte das Netz, womit uns List und Cabale umstrickten. Betrug und Falschheit riß sie aus krummen Labyrinthen hervor, und zeigte ihr schreckliches Angesicht dem Tag. Vielleicht, daß die sterbende Sara nicht einen Wollüstling schreckt, daß alle Gemählde gestrafter Verführung seine Gluth nicht erkälten, und daß selbst die verschlagene Spielerinn diese Wirkung ernstlich zu verhüthen bedacht ist — glücklich genug, daß die arglose Unschuld jetzt seine Schlingen kennt, daß die Bühne sie lehrte, seinen Schwüren mißtrauen, und vor seiner Anbethung zittern.

Nicht bloß auf Menschen und Menschencharakter, auch auf Schicksale macht uns die Schaubühne aufmerksam, und lehrt uns die große Kunst, sie zu ertragen. Im Gewebe unsers Lebens spielen Zufall und Plan eine gleich große Rolle; den letztern lenken wir, dem erstern müssen wir uns blind unterwerfen. Gewinn genug, wenn unausbleibliche Verhängnisse uns nicht ganz ohne Fassung finden, wenn unser Muth, unsre Klugheit sich einst schon in ähnlichen übten, und unser Herz zu dem Schlag sich gehärtet hat. Die Schaubühne führt uns eine mannichfaltige Scene menschlicher Leiden vor. Sie zieht uns künstlich in fremde Bedrängnisse, und belohnt uns das augenblickliche Leiden mit wollüstigen Thränen, und einem herrlichen Zuwachs an Muth und Erfahrung. Mit ihr folgen wir der verlassenen Ariadne durch das wiederhallende Naxos, steigen mit ihr in den Hungerthurm Ugolinos hinunter, betreten mit ihr das entsetzliche Blutgerüste, und behorchen mit ihr die feyerliche Stunde des Todes. Hier hören wir, was unsre Seele in leisen Ahnungen fühlte, die überraschte Natur laut und unwidersprechlich bekräftigen. Im Gewölbe des Towrs verläßt den betrogenen Liebling die Gunst seiner Königinn. — Jetzt da er sterben soll, entfliegt dem geängstigten Moor seine treulose sophistische Weisheit. Die Ewigkeit entläßt einen Todten, Geheimnisse zu offenbaren, die kein Lebendiger wissen kann, und der sichere Bösewicht verliert seinen letzten gräßlichen Hinterhalt, weil auch Gräber noch ausplaudern.

Aber nicht genug, daß uns die Bühne mit Schicksalen der Menschheit bekannt macht, sie lehrt uns auch gerechter gegen den Unglücklichen seyn, und nachsichtsvoller über ihn richten. Dann nur, wenn wir die Tiefe seiner Bedrängnisse ausmessen, dürfen wir das Urtheil über ihn aussprechen. Kein Verbrechen ist schändender, als das Verbrechen des Diebs — aber mischen wir nicht alle eine Thräne des Mitleids in unsern Verdammungsspruch, wenn wir uns in den schrecklichen Drang verlieren, worin Eduard Ruhberg die That vollbringt? — Selbstmord wird allgemein als Frevel verabscheut; wenn aber, bestürmt von den Drohungen eines wüthenden Vaters, bestürmt von Liebe, von der Vorstellung schrecklicher Klostermauern, Marianne den Gift trinkt, wer von uns will der erste seyn, der über dem beweinenswürdigen Schlachtopfer einer verruchten Maxime den Stab bricht? — Menschlichkeit und Duldung fangen an, der herrschende Geist unsrer Zeit zu werden; ihre Strahlen sind bis in die Gerichtssäle, und noch weiter — in das Herz unsrer Fürsten gedrungen. Wie viel Antheil an diesem göttlichen Werk gehört unsern Bühnen? Sind sie es nicht, die den Menschen mit dem Menschen bekannt machten, und das geheime Räderwerk aufdeckten, nach welchem er handelt?

Eine merkwürdige Classe von Menschen hat Ursache, dankbarer als alle übrigen gegen die Bühne zu seyn. Hier nur hören die Großen der Welt, was sie nie oder selten hören — Wahrheit; was sie nie oder selten sehen, sehen sie hier — den Menschen.

So groß und vielfach ist das Verdienst der bessern Bühne um die sittliche Bildung; kein geringeres gebührt ihr um die ganze Aufklärung des Verstandes. Eben hier in dieser höhern Sphäre weiß der große Kopf, der feurige Patriot sie erst ganz zu gebrauchen.

Er wirft einen Blick durch das Menschengeschlecht, vergleicht Völker mit Völkern, Jahrhunderte mit Jahrhunderten, und findet, wie sclavisch die größere Masse des Volks an Ketten des Vorurtheils und der Meinung gefangen liegt, die seiner Glückseligkeit ewig entgegen arbeiten — daß die reinern Strahlen der Wahrheit nur wenige einzelne Köpfe beleuchten, welche den kleinen Gewinn vielleicht mit dem Aufwand eines ganzen Lebens erkauften. Wodurch kann der weise Gesetzgeber die Nation derselben theilhaftig machen?

Die Schaubühne ist der gemeinschaftliche Canal, in welchen von dem denkenden bessern Theile des Volks das Licht der Weisheit herunterströmt, und von da aus in milderen Strahlen durch den ganzen Staat sich verbreitet. Richtigere Begriffe, geläuterte Grundsätze, reinere Gefühle fließen von hier durch alle Adern des Volks; der Nebel der Barbarey, des finstern Aberglaubens verschwindet, die Nacht weicht dem siegenden Licht. Unter so vielen herrlichen Früchten der bessern Bühne will ich nur zwey auszeichnen. Wie allgemein ist nur seit wenigen Jahren die Duldung der Religionen und Secten geworden? — Noch ehe uns Nathan der Jude, und Saladin der Saracene beschämten, und die göttliche Lehre uns predigten, daß Ergebenheit in Gott von unserm Wähnen über Gott so gar nicht abhängig sey — ehe noch Joseph der Zweyte die fürchterliche Hyder des frommen Hasses bekämpfte, pflanzte die Schaubühne Menschlichkeit und Sanftmuth in unser Herz, die abscheulichen Gemählde heidnischer Pfaffenwuth lehrten uns Religionshaß vermeiden — in diesem schrecklichen Spiegel wusch das Christenthum seine Flecken ab. Mit eben so glücklichem Erfolge würden sich von der Schaubühne Irrthümer der Erziehung bekämpfen lassen; das Stück ist noch zu hoffen, wo dieses merkwürdige Thema behandelt wird. Keine Angelegenheit ist dem Staat durch ihre Folgen so wichtig als diese, und doch ist keine so Preis gegeben, keine dem Wahne, dem Leichtsinne des Bürgers so uneingeschränkt anvertraut, wie es diese ist. Nur die Schaubühne könnte die unglücklichen Schlachtopfer vernachlässigter Erziehung in rührenden erschütternden Gemählden an ihm vorüber führen; hier könnten unsre Väter eigensinnigen Maximen entsagen, unsre Mütter vernünftiger lieben lernen. Falsche Begriffe führen das beste Herz des Erziehers irre; desto schlimmer, wenn sie sich noch mit Methode brüsten, und den zarten Schößling in Philanthropinen und Gewächshäusern systematisch zu Grunde richten.

Nicht weniger ließen sich — verstünden es die Oberhäupter und Vormünder des Staats — von der Schaubühne aus, die Meinungen der Nation über Regierung und Regenten zurechtweisen. Die gesetzgebende Macht spräche hier durch fremde Symbolen zu dem Unterthan, verantwortete sich gegen seine Klagen, noch ehe sie laut werden, und bestäche seine Zweifelsucht, ohne es zu scheinen. So gar Industrie und Erfindungsgeist könnten und würden vor dem Schauplatze Feuer fangen, wenn die Dichter es der Mühe werth hielten, Patrioten zu seyn, und der Staat sich herablassen wollte, sie zu hören.

Unmöglich kann ich hier den grossen Einfluß übergehen, den eine gute stehende Bühne auf den Geist der Nation haben würde. Nationalgeist eines Volks nenne ich die Ähnlichkeit und Übereinstimmung seiner Meinungen und Neigungen bey Gegenständen, worüber eine andre Nation anders meint und empfindet. Nur der Schaubühne ist es möglich, diese Übereinstimmung in einem hohen Grad zu bewirken, weil sie das ganze Gebieth des menschlichen Wissens durchwandert, alle Situationen des Lebens erschöpft, und in alle Winkel des Herzens hinunter leuchtet; weil sie alle Stände und Classen in sich vereinigt, und den gebahntesten Weg zum Verstand und zum Herzen hat. Wenn in allen unsern Stücken ein Hauptzug herrschte, wenn unsre Dichter unter sich einig werden, und einen festen Bund zu diesem Endzweck errichten wollten — wenn strenge Auswahl ihre Arbeiten leitete, ihr Pinsel nur Volksgegenständen sich weihte — mit einem Wort, wenn wir es erlebten, eine Nationalbühne zu haben, so würden wir auch eine Nation. Was kettete Griechenland so fest an einander? Was zog das Volk so unwiderstehlich nach seiner Bühne? — Nichts anders als der vaterländische Inhalt der Stücke, der griechische Geist, das große überwältigende Interesse des Staats, der besseren Menschheit, das in denselbigen athmete.

Noch ein Verdienst hat die Bühne — ein Verdienst, das ich jetzt um so lieber in Anschlag bringe, weil ich vermuthe, daß ihr Rechtshandel mit ihren Verfolgern ohnehin schon gewonnen seyn wird. Was bis hieher zu beweisen unternommen worden, daß sie auf Sitten und Aufklärung wesentlich wirke, war zweifelhaft — daß sie unter allen Erfindungen des Luxus, und allen Anstalten zur gesellschaftlichen Ergötzlichkeit den Vorzug verdiene, haben selbst ihre Feinde gestanden. Aber was sie hier leistet, ist wichtiger, als man gewohnt ist zu glauben.

Die menschliche Natur erträgt es nicht, ununterbrochen und ewig auf der Folter der Geschäfte zu liegen, die Reitze der Sinne sterben mit ihrer Befriedigung. Der Mensch, überladen von thierischem Genuß, der langen Anstrengung müde, vom ewigen Triebe nach Thätigkeit gequält, dürstet nach bessern auserlesenern Vergnügungen, oder stürzt zügellos in wilde Zerstreuungen, die seinen Hinfall beschleunigen, und die Ruhe der Gesellschaft zerstören. Bacchantische Freuden, verderbliches Spiel, tausend Rasereyen, die der Müßiggang ausheckt, sind unvermeidlich, wenn der Gesetzgeber diesen Hang des Volks nicht zu lenken weiß. Der Mann von Geschäften ist in Gefahr, ein Leben, das er dem Staat so großmüthig hinopferte, mit dem unseligen Spleen abzubüßen — der Gelehrte zum dumpfen Pedanten herab zu sinken — der Pöbel zum Thier. Die Schaubühne ist die Stiftung, wo sich Vergnügen mit Unterricht, Ruhe mit Anstrengung, Kurzweil mit Bildung gattet, wo keine Kraft der Seele zum Nachtheil der andern gespannt, kein Vergnügen auf Unkosten des Ganzen genossen wird. Wenn Gram an dem Herzen nagt, wenn trübe Laune unsre einsamen Stunden vergiftet, wenn uns Welt und Geschäfte anekeln, wenn tausend Lasten unsere Seele drücken, und unsre Reitzbarkeit unter Arbeiten des Berufs zu ersticken droht, so empfängt uns die Bühne — in dieser künstlichen Welt träumen wir die wirkliche hinweg, wir werden uns selbst wieder gegeben, unsre Empfindung erwacht, heilsame Leidenschaften erschüttern unsre schlummernde Natur, und treiben das Blut in frischeren Wallungen. Der Unglückliche weint hier mit fremdem Kummer seinen eigenen aus, — der Glückliche wird nüchtern, und der Sichere besorgt. Der empfindsame Weichling härtet sich zum Manne, der rohe Unmensch fängt hier zum ersten

Mahl

mahl zu empfinden an. Und dann endlich — welch ein Triumph für dich, Natur! — so oft zu Boden getretene, so oft wieder auferstehende Natur! — wenn Menschen aus allen Kreisen und Zonen und Ständen, abgeworfen jede Fessel der Künsteley und der Mode, herausgerissen aus jedem Drange des Schicksals, durch eine allwebende Sympathie verbrüdert, in Ein Geschlecht wieder aufgelöst, ihrer selbst und der Welt vergessen, und ihrem himmlischen Ursprung sich nähern. Jeder Einzelne genießt die Entzückungen aller, die verstärkt und verschönert aus hundert Augen auf ihn zurück fallen, und seine Brust gibt jetzt nur einer Empfindung Raum — es ist diese: ein Mensch zu seyn.

IV.

Ueber den Grund des Vergnügens an tragischen Gegenständen.

Wie sehr auch einige neuere Ästhetiker sichs zum Geschäft machen, die Künste der Phantasie und Empfindung gegen den allgemeinen Glauben, daß sie auf Vergnügen abzwecken, wie gegen einen herabsetzenden Vorwurf zu vertheidigen, so wird dieser Glaube dennoch, nach wie vor, auf seinem festen Grunde bestehen, und die schönen Künste werden ihren althergebrachten unabstreitbaren und wohlthätigen Beruf nicht gern mit einem neuen vertauschen, zu welchem man sie großmüthig erhöhen will. Unbesorgt, daß ihre auf unser Vergnügen abzielende Bestimmung sie erniedrige, werden sie vielmehr, auf den Vorzug stolz seyn, dasjenige unmittelbar zu leisten, was alle übrigen Richtungen und Thätigkeiten des menschlichen Geistes nur mittelbar erfüllen. Daß der Zweck der Natur mit dem Menschen seine Glückseligkeit sey, wenn auch der Mensch selbst in seinem moralischen Handeln von diesem Zwecke nichts wissen soll, wird wohl niemand bezweifeln, der überhaupt nur einen Zweck in der Natur annimmt. Mit dieser also, oder vielmehr mit ihrem Urheber haben die schönen Künste ihren Zweck gemein, Vergnügen auszuspenden und Glückliche zu machen. Spielend verleihen sie, was ihre ernstern Schwestern uns erst mühsam erringen lassen; sie verschenken, was dort erst der sauer erworbene Preis vieler Anstrengungen zu seyn pflegt. Mit anspannendem Fleiße müssen wir die Vergnügungen des Verstandes, mit schmerzhaften Opfern die Billigung der Vernunft, die Freuden der Sinne durch harte Entbehrungen erkaufen, oder das Übermaß derselben durch eine Kette von Leiden büßen; die Kunst allein gewährt uns Genüsse, die nicht erst abverdient werden dürfen, die kein Opfer kosten, die durch keine Reue erkauft werden. Wer wird aber das Verdienst, auf diese Art zu ergötzen, mit dem armseligen Verdienst, zu belustigen, in eine Classe setzen? Wer sich einfallen lassen, der schönen Kunst bloß deswegen jenen Zweck abzusprechen, weil sie über diesen erhaben ist?

Die wohlgemeinte Absicht, das Moralischgute überall als höchsten Zweck zu verfolgen, die in der Kunst schon so manches Mittelmäßige erzeugte und in Schutz nahm, hat auch in der Theorie einen ähnlichen Schaden angerichtet. Um den Künsten einen recht hohen Rang anzuweisen, um ihnen die Gunst des Staats, die Ehrfurcht aller Menschen zu erwerben, vertreibt man sie aus ihrem eigenthümlichen Gebieth, um ihnen einen Beruf aufzudringen, der ihnen fremd und ganz unnatürlich ist. Man glaubt ihnen einen großen Dienst zu erweisen, indem man ihnen, anstatt des frivolen Zwecks zu ergötzen, einen moralischen unterschiebt, und ihr so sehr in die Augen fallender

R 2

Einfluß auf die Sittlichkeit muß diese Behauptung unterstützen. Man findet es widersprechend, daß dieselbe Kunst, die den höchsten Zweck der Menschheit in so großem Maße befördert, nur beyläufig diese Wirkung leisten und einen so gemeinen Zweck, wie man sich das Vergnügen denkt, zu ihrem letzten Augenmerk haben sollte. Aber diesen anscheinenden Widerspruch würde, wenn wir sie hätten, eine bündige Theorie des Vergnügens und eine vollständige Philosophie der Kunst sehr leicht zu heben im Stande seyn. Aus dieser würde sich ergeben, daß ein freyes Vergnügen, so wie die Kunst es hervorbringt, durchaus auf moralischen Bedingungen beruhe, daß die ganze sittliche Natur des Menschen dabey thätig sey. Aus ihr würde sich ferner ergeben, daß die Hervorbringung dieses Vergnügens ein Zweck sey, der schlechterdings nur durch moralische Mittel erreicht werden könne, daß also die Kunst, um das Vergnügen als ihren wahren Zweck vollkommen zu erreichen, durch die Moralität ihren Weg nehmen müsse. Für die Würdigung der Kunst ist es aber vollkommen einerley, ob ihr Zweck ein moralischer sey, oder ob sie ihren Zweck nur durch moralische Mittel erreichen könne, denn in beyden Fällen hat sie es mit der Sittlichkeit zu thun, und muß mit dem sittlichen Gefühl im engsten Einverständniß handeln; aber für die Vollkommenheit der Kunst ist es nichts weniger als einerley, welches von beyden ihr Zweck und welches das Mittel ist. Ist der Zweck selbst moralisch, so verliert sie das, wodurch sie allein mächtig ist, ihre Freyheit, und das, wodurch sie so allgemein wirksam ist, den Reitz des Vergnügens. Das Spiel verwandelt sich in ein ernsthaftes Geschäft; und doch ist es gerade das

Spiel, wodurch sie das Geschäft am besten vollführen kann. Nur indem sie ihre höchste ästhetische Wirkung erfüllt, wird sie einen wohlthätigen Einfluß auf die Sittlichkeit haben; aber nur indem sie ihre völlige Freyheit ausübt, kann sie ihre höchste ästhetische Wirkung erfüllen.

Es ist ferner gewiß, daß jedes Vergnügen, in so fern es aus sittlichen Quellen fließt, den Menschen sittlich verbessert, und daß hier die Wirkung wieder zur Ursache werden muß. Die Lust am Schönen, am Rührenden, am Erhabenen stärkt unsre moralischen Gefühle, wie das Vergnügen am Wohlthun, an der Liebe u. s. f. alle diese Neigungen stärkt. Eben so, wie ein vergnügter Geist das gewisse Loos eines sittlich vortrefflichen Menschen ist, so ist sittliche Vortrefflichkeit gern die Begleiterinn eines vergnügten Gemüths. Die Kunst wirkt also nicht deswegen allein sittlich, weil sie durch sittliche Mittel ergötzt, sondern auch deswegen, weil das Vergnügen selbst, das die Kunst gewährt, ein Mittel zur Sittlichkeit wird.

Die Mittel, wodurch die Kunst ihren Zweck erreicht, sind so vielfach, als es überhaupt Quellen eines freyen Vergnügens gibt. Frey aber nenne ich dasjenige Vergnügen, wobey die geistigen Kräfte, Vernunft und Einbildungskraft thätig sind, und wo die Empfindung durch eine Vorstellung erzeugt wird; im Gegensatz von dem physischen oder sinnlichen Vergnügen, wobey die Seele einer blinden Naturnothwendigkeit unterworfen wird, und die Empfindung unmittelbar auf ihre physische Ursache erfolget. Die sinnliche Lust ist die einzige, die vom Gebieth der schönen Kunst ausgeschlossen wird, und eine Geschicklichkeit, die sinnliche Lust zu erwecken, kann sich nie oder alsdann nur zur Kunst erheben, wenn die sinnlichen Eindrücke nach einem Kunstplan geordnet, verstärkt oder gemäßigt werden, und diese Planmäßigkeit durch die Vorstellung erkannt wird. Aber auch in diesem Fall wäre nur dasjenige an ihr Kunst, was der Gegenstand eines freyen Vergnügens ist, nähmlich der Geschmack in der Anordnung, der unsern Verstand ergötzt, nicht die physischen Reitze selbst, die nur unsre Sinnlichkeit vergnügen.

Die allgemeine Quelle jedes, auch des sinnlichen, Vergnügens ist Zweckmäßigkeit. Das Vergnügen ist sinnlich, wenn die Zweckmäßigkeit nicht durch die Vorstellungskräfte erkannt wird, sondern bloß durch das Gesetz der Nothwendigkeit die Empfindung des Vergnügens zur physischen Folge hat. So erzeugt eine zweckmäßige Bewegung des Bluts und der Lebensgeister in einzelnen Organen oder in der ganzen Maschine die körperliche Lust mit allen ihren Arten und Modificationen; wir fühlen diese Zweckmäßigkeit durch das Medium der angenehmen Empfindung, aber wir gelangen zu keiner, weder klaren noch verworrenen Vorstellung von ihr.

Das Vergnügen ist frey, wenn wir uns die Zweckmäßigkeit vorstellen, und die angenehme Empfindung die Vorstellung begleitet; alle Vorstellungen also, wodurch wir Übereinstimmung und Zweckmäßigkeit erfahren, sind Quellen eines freyen Vergnügens, und in so fern fähig, von der Kunst zu dieser Absicht gebraucht zu werden. Sie erschöpfen sich in folgenden Classen: Gut, Wahr, Vollkommen, Schön, Rührend, Erhaben. Das Gute beschäftigt unsre Vernunft, das Wahre und Vollkommene den Verstand; das

Schöne den Verstand mit der Einbildungskraft, das Rührende und Erhabene die Vernunft mit der Einbildungskraft. Zwar ergötzt auch schon der Reitz oder die zur Thätigkeit aufgeforderte Kraft, aber die Kunst bedient sich des Reitzes nur, um die höhern Gefühle der Zweckmäßigkeit zu begleiten; allein betrachtet verliert er sich unter die Lebensgefühle, und die Kunst verschmäht ihn, wie alle sinnlichen Lüste.

Die Verschiedenheit der Quellen, aus welchen die Kunst das Vergnügen schöpft, das sie uns gewähret, kann für sich allein zu keiner Eintheilung der Künste berechtigen, da in derselben Kunstclasse mehrere, ja oft alle Arten des Vergnügens zusammen fließen können. Aber in so fern eine gewisse Art derselben als Hauptzweck verfolgt wird, kann sie, wenn gleich nicht eine eigene Classe, doch eine eigene Ansicht der Kunstwerke gründen. So, z. B., könnte man diejenigen Künste, welche den Verstand und die Einbildungskraft vorzugsweise befriedigen, diejenigen also, die das Wahre, das Vollkommene, das Schöne zu ihrem Hauptzweck machen, unter dem Nahmen der schönen Künste (Künste des Geschmacks, Künste des Verstandes) begreifen; diejenigen hingegen, die die Einbildungskraft mit der Vernunft vorzugsweise beschäftigen, also das Gute, das Erhabene und Rührende zu ihrem Hauptgegenstand haben, unter dem Nahmen der rührenden Künste (Künste des Gefühls, des Herzens) in eine besondere Classe vereinigen. Zwar ist es unmöglich, das Rührende von dem Schönen durchaus zu trennen, aber sehr gut kann das Schöne ohne das Rührende bestehen. Wenn also gleich diese verschiedene Ansicht zu keiner vollkommenen Eintheilung der freyen Künste berechtigt, so dient sie wenigstens dazu, die Principien zu Beurtheilung derselben näher anzugeben, und der Verwirrung vorzubeugen, welche unvermeidlich einreißen muß, wenn man bey einer Gesetzgebung in ästhetischen Dingen die ganz verschiedenen Felder des Rührenden und des Schönen verwechselt.

Das Rührende und Erhabene kommen darin überein, daß sie Lust durch Unlust hervorbringen, daß sie uns also (da die Lust aus Zweckmäßigkeit, der Schmerz aber aus dem Gegentheil entspringt) eine Zweckmäßigkeit zu empfinden geben, die eine Zweckwidrigkeit voraussetzt.

Das Gefühl des Erhabenen besteht einerseits aus dem Gefühl unsrer Ohnmacht und Begränzung, einen Gegenstand zu umfassen, andrerseits aber aus dem Gefühl unsrer Übermacht, welche vor keinen Gränzen erschrickt, und dasjenige sich geistig unterwirft, dem unsre sinnlichen Kräfte unterliegen. Der Gegenstand des Erhabenen widerstreitet also unserm sinnlichen Vermögen, und diese Unzweckmäßigkeit muß uns nothwendig Unlust erwecken. Aber sie wird zugleich eine Veranlassung, ein anderes Vermögen in uns zu unserm Bewußtseyn zu bringen, welches demjenigen, woran die Einbildungskraft erliegt, überlegen ist. Ein erhabener Gegenstand ist also eben dadurch, daß er der Sinnlichkeit widerstreitet, zweckmäßig für die Vernunft, und ergötzt durch das höhere Vermögen, indem er durch das niedrige schmerzt.

Rührung, in seiner strengen Bedeutung, bezeichnet die gemischte Empfindung des Leidens und der Lust an dem Leiden. Rührung kann man also nur dann über eigenes Unglück empfinden, wenn der Schmerz über dasselbe gemäßigt genug ist, um der Lust Raum zu lassen, die etwa ein mitleidender Zuschauer dabey empfindet. Der Verlust eines großen Guts schlägt uns heute zu Boden, und unser Schmerz rührt den Zuschauer; in einem Jahr erinnern wir uns dieses Leidens selbst mit Rührung. Der Schwache ist jederzeit ein Raub seines Schmerzens, der Held und der Weise werden vom höchsten eigenen Unglück nur gerührt.

Rührung enthält eben so, wie das Gefühl des Erhabenen, zwey Bestandtheile, Schmerz und Vergnügen; also hier, wie dort, liegt der Zweckmäßigkeit eine Zweckwidrigkeit zum Grunde. So scheint es eine Zweckwidrigkeit in der Natur zu seyn, daß der Mensch leidet, der doch nicht zum Leiden bestimmt ist, und diese Zweckwidrigkeit thut uns wehe. Aber dieses Wehethun der Zweckwidrigkeit ist zweckmäßig für unsere vernünftige Natur überhaupt und in so fern es uns zur Thätigkeit auffordert, zweckmäßig für die menschliche Gesellschaft. Wir müssen also über die Unlust selbst, welche das Zweckwidrige in uns erregt, nothwendig Lust empfinden, weil jene Unlust zweckmäßig ist. Um zu bestimmen, ob bey einer Rührung die Lust oder die Unlust hervorstechen werde, kommt es darauf an, ob die Vorstellung der Zweckwidrigkeit oder die der Zweckmäßigkeit die Oberhand behält. Dieß kann nun entweder von der Menge der Zwecke, die erreicht oder verletzt werden, oder von ihrem Verhältniß zu dem letzten Zweck aller Zwecke abhängen.

Das Leiden des Tugendhaften rührt uns schmerzhafter, als das Leiden des Lasterhaften, weil dort nicht nur dem allgemeinen Zweck der Menschen, glücklich zu seyn, sondern auch dem besondern, daß die Tugend glücklich mache, hier aber nur dem erstern widersprochen wird. Hingegen schmerzt uns das Glück des Bösewichts auch weit mehr, als das Unglück des Tugendhaften, weil erstlich das Laster selbst und zweytens die Belohnung des Lasters eine Zweckwidrigkeit enthalten.

Außerdem ist die Tugend weit mehr geschickt, sich selbst zu belohnen, als das glückliche Laster sich zu bestrafen; eben deßwegen wird der Rechtschaffene im Unglück weit eher der Tugend getreu bleiben, als der Lasterhafte im Glück zur Tugend umkehren.

Vorzüglich aber kommt es bey Bestimmung des Verhältnisses der Lust zu der Unlust in Rührungen darauf an, ob der verletzte Zweck den erreichten, oder der erreichte den, der verletzt wird, an Wichtigkeit übertreffen. Keine Zweckmäßigkeit geht uns so nah an, als die moralische; und nichts geht über die Lust, die wir über diese empfinden. Die Naturzweckmäßigkeit könnte noch immer problematisch seyn, die moralische ist uns erwiesen. Sie allein gründet sich auf unsre vernünftige Natur und auf innre Nothwendigkeit. Sie ist uns die nächste, die wichtigste, und zugleich die erkennbarste, weil sie durch nichts von außen, sondern durch ein innres Princip unsrer Vernunft bestimmt wird. Sie ist das Palladium unsrer Freyheit.

Diese moralische Zweckmäßigkeit wird am lebendigsten erkannt, wenn sie im Widerspruch mit andern die Oberhand behält; nur dann erweist sich die ganze Macht des Sittengesetzes, wenn es mit allen übrigen Naturkräften im Streit gezeigt wird und alle neben ihm ihre Gewalt über ein menschliches Herz verlieren. Unter diesen Naturkräften ist alles begriffen, was nicht moralisch ist, alles was nicht unter der höchsten Gesetzgebung der Vernunft stehet; also Empfindungen, Triebe, Affecte, Leidenschaften so gut, als physische Nothwendigkeit und das Schicksal. Je furchtbarer die Gegner, desto glorreicher der Sieg; der Widerstand allein kann die Kraft sichtbar machen. Aus diesem folgt, „daß das höchste Bewußtseyn unsrer moralischen Na„tur nur in einem gewaltsamen Zustande, im Kampfe, „erhalten werden kann, und daß das höchste morali„sche Vergnügen jederzeit von Schmerz begleitet seyn „wird."

Diejenige Dichtungsart also, welche uns die moralische Lust in vorzüglichem Grade gewährt, muß sich eben deswegen der gemischten Empfindungen bedienen, und uns durch den Schmerz ergötzen. Dieß thut vorzugsweise die Tragödie, und ihr Gebieth umfaßt alle mögliche Fälle, in denen irgend eine Naturzweckmäßigkeit einer moralischen, oder auch eine moralische Zweckmäßigkeit der andern, die höher ist, aufgeopfert wird. Es wäre vielleicht nicht unmöglich, nach dem Verhältniß, in welchem die moralische Zweckmäßigkeit im Widerspruch mit der andern erkannt und empfunden wird, eine Stufenleiter des Vergnügens von der untersten bis zur höchsten hinaufzuführen, und den Grad der angenehmen oder schmerzhaften Rührung a priori aus dem Princip der Zweckmäßigkeit bestimmt anzugeben. Ja vielleicht ließen sich aus eben diesem Princip bestimmte Ordnungen der Tragödie ableiten, und alle mögliche Classen derselben a priori in einer vollständigen Tafel erschöpfen; so, daß man im Stande wäre, jeder gegebenen Tragödie ihren Platz anzuweisen und den Grad sowohl als die Art der Rührung im voraus zu berechnen, über den sie sich, vermöge ihrer Species nicht erheben kann. Aber dieser Gegenstand bleibt einer eigenen Erörterung vorbehalten.

Wie sehr die Vorstellung der moralischen Zweckmäßigkeit der Naturzweckmäßigkeit in unserm Gemüth vorgezogen werde, wird aus einzelnen Beyspielen einleuchtend zu erkennen seyn.

Wenn wir Hüon und Amanda an den Marterpfahl gebunden sehen, beyde aus freyer Wahl bereit, lieber den fürchterlichen Feuertod zu sterben, als durch Untreue gegen das Geliebte sich einen Thron zu erwerben — was macht uns wohl diesen Auftritt zum Gegenstand eines so himmlischen Vergnügens? Der Widerspruch ihres gegenwärtigen Zustands mit dem lachenden Schicksale, das sie verschmähten; die anscheinende Zweckwidrigkeit der Natur, welche Tugend mit Elend lohnt, die naturwidrige Verläugnung der Selbstliebe u. s. f. sollten uns, da sie so viele Vorstellungen von Zweckwidrigkeit in unsre Seele rufen, mit dem empfindlichsten Schmerz erfüllen — aber was kümmert uns die Natur mit allen ihren Zwecken und Gesetzen, wenn sie durch ihre Zweckwidrigkeit eine Veranlassung wird, uns die moralische Zweckmässigkeit in uns in ihrem vollesten Lichte zu zeigen? Die Erfahrung von der siegenden Macht des sittlichen Gesetzes, die wir bey diesem Anblick machen, ist ein so hohes, so wesentliches Gut, daß wir sogar versucht werden, uns mit dem Übel auszusöhnen, dem wir es zu verdanken haben. Übereinstimmung im Reich der Freyheit ergözt uns unendlich mehr, als alle Widersprüche in der natürlichen Welt uns zu betrüben vermögen.

Wenn Koriolan, von der Gatten- und Kindes-

und Bürgerpflicht besiegt, das schon so gut als eroberte Rom verläßt, seine Rache unterdrückt, sein Heer zurückführt, und sich dem Haß eines eifersüchtigen Nebenbuhlers zum Opfer dahingibt, so begeht er offenbar eine sehr zweckwidrige Handlung; er verliert durch diesen Schritt nicht nur die Frucht aller bisherigen Siege, sondern rennt auch vorsätzlich seinem Verderben entgegen — aber wie trefflich, wie unaussprechlich groß ist es auf der andern Seite, den gröbsten Widerspruch mit der Neigung, einem Widerspruch mit dem sittlichen Gefühl kühn vorzuziehen, und auf solche Art, dem höchsten Intresse der Sinnlichkeit entgegen, gegen die Regeln der Klugheit zu verstoßen, um nur mit der höhern moralischen Pflicht übereinstimmend zu handeln? Jede Aufopferung des Lebens ist zweckwidrig, denn das Leben ist die Bedingung aller Güter; aber Aufopferung des Lebens in moralischer Absicht ist in hohem Grad zweckmäßig, denn das Leben ist nie für sich selbst, nie als Zweck, nur als Mittel zur Sittlichkeit wichtig. Tritt also ein Fall ein, wo die Hingebung des Lebens ein Mittel zur Sittlichkeit wird, so muß das Leben der Sittlichkeit nachstehen. „Es ist nicht nöthig, daß ich lebe, aber es ist nöthig, daß ich Rom vor dem Hunger schütze," sagt der große Pompejus, da er nach Afrika schiffen soll, und seine Freunde ihm anliegen, seine Abfahrt zu verschieben, bis der Seesturm vorüber sey.

Aber das Leben eines Verbrechers ist nicht weniger tragisch ergötzend, als das Leiden des Tugendhaften; und doch erhalten wir hier die Vorstellung einer moralischen Zweckwidrigkeit. Der Widerspruch seiner Handlung mit dem Sittengesetz sollte uns mit Unwillen, die moralische Unvollkommenheit, die eine solche Art zu handeln voraussetzt, mit Schmerz erfüllen; wenn wir auch das Unglück der Schuldlosen nicht einmahl in Anschlag brächten, die das Opfer davon werden. Hier ist keine Zufriedenheit mit der Moralität der Personen, die uns für den Schmerz zu entschädigen vermöchte, den wir über ihr Handeln und Leiden empfinden — und doch ist beydes ein sehr dankbarer Gegenstand für die Kunst, bey dem wir mit hohem Wohlgefallen verweilen. Es wird nicht schwer seyn, diese Erscheinung mit dem bisher Gesagten in Übereinstimmung zu zeigen.

Nicht allein der Gehorsam gegen das Sittengesetz gibt uns die Vorstellung moralischer Zweckmäßigkeit, auch der Schmerz über Verletzung desselben thut es. Die Traurigkeit, welche das Bewußtseyn moralischer Unvollkommenheit erzeugt, ist zweckmäßig, weil sie der Zufriedenheit gegenüber steht, die das moralische Rechtthun begleitet. Reue, Selbstverdammung, selbst in ihrem höchsten Grad, in der Verzweiflung, sind moralisch erhaben, weil sie nimmermehr empfunden werden könnten, wenn nicht tief in der Brust des Verbrechers ein unbestechliches Gefühl für Recht und Unrecht wachte, und seine Ansprüche selbst gegen das feurigste Interesse der Selbstliebe geltend machte. Reue über eine That entspringt aus der Vergleichung derselben mit dem Sittengesetz, und ist Mißbilligung dieser That, weil sie dem Sittengesetz widerstreitet. Also muß im Augenblick der Reue das Sittengesetz die höchste Instanz im Gemüth eines solchen Menschen seyn; es muß ihm wichtiger seyn, als selbst der Preis des Verbrechens, weil das Bewußtseyn des beleidigten Sittengesetzes ihm den Genuß dieses Preises vergällt. Der Zustand eines Gemüths aber, in welchem das Sittengesetz für die höchste Instanz erkannt wird, ist moralisch zweckmäßig, also eine Quelle moralischer Lust. Und was kann auch erhabener seyn, als jene heroische Verzweiflung, die alle Güter des Lebens, die das Leben selbst in den Staub tritt, weil sie die mißbilligende Stimme ihres innern Richters nicht ertragen und nicht übertäuben kann? Ob der Tugendhafte sein Leben freywillig dahin gibt, um dem Sittengesetz gemäß zu handeln — oder ob der Verbrecher unter dem Zwange des Gewissens sein Leben mit eigner Hand zerstört, um die Übertretung jenes Gesetzes an sich zu bestrafen, so steigt unsre Achtung für das Sittengesetz zu einem gleich hohen Grad empor; und, wenn ja noch ein Unterschied statt fände, so würde er vielmehr zum Vortheil des Letztern ausfallen, da das beglückende Bewußtseyn des Rechthandelns dem Tugendhaften seine Entschließung doch einigermassen konnte erleichtert haben, und das sittliche Verdienst an einer Handlung gerade um eben soviel abnimmt, als Neigung und Lust daran Antheil haben. Reue und Verzweiflung über ein begangenes Verbrechen zeigen uns die Macht des Sittengesetzes nur später, nicht schwächer; es sind Gemählde der erhabensten Sittlichkeit, nur in einem gewaltsamen Zustand entworfen. Ein Mensch, der wegen einer verletzten moralischen Pflicht verzweifelt, tritt eben dadurch zum Gehorsam gegen dieselbe zurück, und je furchtbarer seine Selbstverdammung sich äußert, desto mächtiger sehen wir das Sittengesetz ihm gebiethen.

Aber es gibt Fälle, wo das moralische Vergnügen nur durch einen moralischen Schmerz erkauft wird, und dieß geschieht, wenn eine moralische Pflicht übertreten werden muß, um einer höhern und allgemeinern desto gemäßer zu handeln. Wäre Koriolan, anstatt seine eigene Vaterstadt zu belagern, vor Antium oder Korioli mit einem römischen Heere gestanden, wäre seine Mutter eine Volscierinn gewesen, und ihre Bitten hätten die nähmliche Wirkung auf ihn gehabt, so würde dieser Sieg der Kindespflicht den entgegengesetzten Eindruck auf uns machen. Der Ehrerbiethung gegen die Mutter stände dann die weit höhere bürgerliche Verbindlichkeit entgegen, welche im Collisionsfall vor jener den Vorzug verdient. Jener Commandant, dem die Wahl gelassen wird, entweder die Stadt zu übergeben, oder seinen gefangenen Sohn vor seinen Augen durchbohrt zu sehen, wählt ohne Bedenken das Letztere, weil die Pflicht gegen sein Kind der Pflicht gegen sein Vaterland billig untergeordnet ist. Es empört zwar im ersten Augenblick unser Herz, daß ein Vater dem Naturtriebe und der Vaterpflicht so widersprechend handelt, aber es reißt uns bald zu einer süßen Bewunderung hin, daß sogar ein moralischer Antrieb, und wenn er sich selbst mit der Neigung gattet, die Vernunft in ihrer Gesetzgebung nicht irre machen kann. Wenn der Corinthier Timoleon einen geliebten, aber ehrsüchtigen Bruder Timophanes ermorden läßt, weil seine Meinung von patriotischer Pflicht ihn zu Vertilgung alles dessen, was die Republik in Gefahr setzt, verbindet, so sehen wir ihn zwar nicht ohne Entsetzen und Abscheu diese naturwidrige, dem moralischen Gefühl so sehr widerstreitende Handlung begehen, aber unser Abscheu

löst

löst sich bald in die höchste Achtung der heroischen Tugend auf, die ihre Aussprüche gegen jeden fremden Einfluß der Neigung behauptet, und im stürmischen Widerstreit der Gefühle eben so frey und eben so richtig, als im Zustand der höchsten Ruhe entscheidet. Wir können über republikanische Pflicht mit Timoleon ganz verschieden denken; das ändert an unserm Wohlgefallen nichts. Vielmehr sind es gerade solche Fälle, wo unser Verstand nicht auf der Seite der handelnden Person ist, aus welchen man erkennt, wie sehr wir Pflichtmäßigkeit über Zweckmäßigkeit, Einstimmung mit der Vernunft über die Einstimmung mit dem Verstande erheben.

Über keine moralische Erscheinung aber wird das Urtheil der Menschen so verschieden ausfallen, als gerade über diese, und der Grund dieser Verschiedenheit darf nicht weit gesucht werden. Der moralische Sinn liegt zwar in allen Menschen, aber nicht bey allen in derjenigen Stärke und Freyheit, wie er bey Beurtheilung dieser Fälle vorausgesetzt werden muß. Für die Meisten ist es genug, eine Handlung zu billigen, weil ihre Einstimmung mit dem Sittengesetz leicht gefaßt wird, und eine andere zu verwerfen, weil ihr Widerstreit mit diesem Gesetz in die Augen leuchtet. Aber ein heller Verstand und eine von jeder Naturkraft, also auch von moralischen Trieben (in sofern sie instinctartig wirken) unabhängige Vernunft wird erfordert, die Verhältnisse moralischer Pflichten zu dem höchsten Princip der Sittlichkeit richtig zu bestimmen. Daher wird die nähmliche Handlung, in welcher einige wenige die höchste Zweckmäßigkeit erkennen, dem großen Haufen als ein empörender Widerspruch erscheinen, ob gleich beyde ein moralisches Urtheil fällen; daher rührt es, daß die Rührung an solchen Handlungen nicht in der Allgemeinheit mitgetheilt werden kann, wie die Einheit der menschlichen Natur und die Nothwendigkeit des moralischen Gesetzes erwarten läßt. Aber auch das wahrste und höchste Erhabene ist, wie man weiß, vielen Überspannung und Unsinn, weil das Maß der Vernunft, die das Erhabene erkennt, nicht in allen dasselbe ist. Eine kleine Seele sinkt unter der Last so großer Vorstellungen dahin, oder fühlt sich peinlich über ihren moralischen Durchmesser aus einander gespannt. Sieht nicht oft genug der gemeine Haufe da die häßlichste Verwirrung, wo der denkende Geist gerade die höchste Ordnung bewundert?

So viel über das Gefühl der moralischen Zweckmäßigkeit, in so fern es der tragischen Rührung und unsrer Lust an dem Leiden zum Grunde liegt. Aber es sind demohngeachtet Fälle genug vorhanden, wo uns die Naturzweckmäßigkeit selbst auf Unkosten der moralischen zu ergötzen scheint. Die höchste Consequenz eines Bösewichts in Anordnung seiner Maschinen ergötzt uns offenbar, obgleich Anstalten und Zweck unserm moralischen Gefühl widerstreiten. Ein solcher Mensch ist fähig, unsre lebhafteste Theilnahme zu erwecken, und wir zittern vor dem Fehlschlag derselben Plane, deren Vereitlung wir, wenn es wirklich an dem wäre, daß wir alles auf die moralische Zweckmäßigkeit beziehen, aufs feurigste wünschen sollten. Aber auch diese Erscheinung hebt dasjenige nicht auf, was bisher über das Gefühl der moralischen Zweckmäßigkeit, und seinen Einfluß auf unser Vergnügen an tragischen Rührungen behauptet wurde.

Zweckmäßigkeit gewährt uns unter allen Umständen Vergnügen, sie beziehe sich entweder gar nicht auf das Sittliche, oder sie widerstreite demselben. Wir genießen dieses Vergnügen rein, so lange wir uns keines sittlichen Zwecks erinnern, dem dadurch widersprochen wird. Eben so wie wir uns an dem verstandähnlichen Instinct die Thiere, an dem Kunstfleiß der Bienen u. d. gl. ergötzen, ohne diese Naturzweckmäßigkeit auf einen verständigen Willen noch weniger auf einen moralischen Zweck zu beziehen, so gewährt uns die Zweckmäßigkeit eines jeden menschlichen Geschäfts an sich selbst Vergnügen, sobald wir uns weiter nichts dabey denken als das Verhältniß der Mittel zu ihrem Zweck. Fällt es uns aber ein, diesen Zweck nebst seinen Mitteln auf ein sittliches Princip zu beziehen, und entdecken wir alsdann einen Widerspruch mit dem letztern, kurz, erinnern wir uns, daß es die Handlung eines moralischen Wesens ist, so tritt eine tiefe Indignation an die Stelle jenes ersten Vergnügens, und keine noch so große Verstandeszweckmäßigkeit ist fähig, uns mit der Vorstellung einer sittlichen Zweckwidrigkeit zu versöhnen. Nie darf es uns lebhaft werden, daß dieser Richard III., dieser Jago, dieser Lovelace Menschen sind, sonst wird sich unsere Theilnahme unausbleiblich in ihr Gegentheil verwandeln. Daß wir aber ein Vermögen besitzen und auch häufig genug ausüben, unsre Aufmerksamkeit von einer gewissen Seite der Dinge freywillig abzulenken und auf eine andre zu richten, daß das Vergnügen selbst, welches durch diese Absonderung allein für uns möglich ist, uns dazu einladet und dabey festhält, wird durch die tägliche Erfahrung bestätigt.

Nicht selten aber gewinnt eine geistreiche Bosheit vorzüglich deswegen unsre Gunst, weil sie ein Mittel ist, uns den Genuß der moralischen Zweckmäßigkeit zu verschaffen. Je gefährlicher die Schlingen sind, welche Lovelace Clarissens Tugend legt, je härter die Proben sind, auf welche die erfinderische Grausamkeit eines Despoten die Standhaftigkeit seines unschuldigen Opfers stellt, in desto höherem Glanz sehen wir die moralische Zweckmäßigkeit triumphiren. Wir freuen uns über die Macht des moralischen Pflichtgefühls, welches die Erfindungskraft eines Verführers so sehr in Arbeit setzen kann. Hingegen rechnen wir dem consequenten Bösewicht die Besiegung des moralischen Gefühls, von dem wir wissen, daß es sich nothwendig in ihm regen mußte, zu einer Art von Verdienst an, weil es von einer gewissen Stärke der Seele und einer großen Zweckmäßigkeit des Verstandes zeugt, sich durch keine moralische Regung in seinem Handeln irre machen zu lassen.

Übrigens ist es unwidersprechlich, daß eine zweckmäßige Bosheit nur alsdann der Gegenstand eines vollkommenen Wohlgefallens werden kann, wenn sie vor der moralischen Zweckmäßigkeit zu Schanden wird. Dann ist sie sogar eine wesentliche Bedingung des höchsten Wohlgefallens, weil sie allein vermag, die Übermacht des moralischen Gefühls recht einleuchtend zu machen. Es gibt davon keinen überzeugendern Beweis, als den letzten Eindruck, mit dem uns der

Verfasser der Clarissa entläßt. Die höchste Verstandeszweckmäßigkeit, die wir in dem Verführungsplane des Lovelace unfreywillig bewundern mußten, wird durch die Vernunftzweckmäßigkeit, welche Clarissa diesem furchtbaren Feind ihrer Unschuld entgegen setzt, glorreich übertroffen, und wir sehen uns dadurch in den Stand gesetzt, den Genuß beyder in einem hohen Grad zu vereinigen.

In so ferne sich der tragische Dichter zum Ziel setzt, das Gefühl der moralischen Zweckmäßigkeit zu einem lebendigen Bewußtseyn zu bringen, in so fern er also die Mittel zu diesem Zwecke verständig wählt und anwendet, muß er den Kenner jederzeit auf eine gedoppelte Art durch die moralische und durch die Naturzweckmäßigkeit ergötzen. Durch jene wird er das Herz, durch diese den Verstand befriedigen. Der große Haufe erleidet gleichsam blind die von dem Künstler auf das Herz beabsichtete Wirkung, ohne die Magie zu durchblicken, vermittelst welcher die Kunst diese Macht über ihn ausübte. Aber es gibt eine gewisse Classe von Kennern, bey denen der Künstler gerade umgekehrt, die auf das Herz abgezielte Wirkung verliert, deren Geschmack er aber durch die Zweckmäßigkeit der dazu angewandten Mittel für sich gewinnen kann. In diesen sonderbaren Widerspruch artet öfters die feinste Cultur des Geschmacks aus, besonders wo die moralische Veredlung hinter der Bildung des Kopfes zurückbleibt. Diese Art Kenner suchen im Rührenden und Erhabenen nur das Verständige; dieses empfinden und prüfen sie mit dem richtigsten Geschmack, aber man hüthe sich, an ihr Herz zu appelliren. Alter und Cultur führen uns dieser Klippe entgegen, und diesen nachtheiligen Einfluß von beyden glücklich besiegen, ist der höchste Charakterruhm des gebildeten Mannes. Unter Europens Nationen sind unsre Nachbarn die Franzosen diesem Extrem am nächsten geführt worden, und wir ringen, wie in allem so auch hier, diesem Muster nach.

V.

Ueber die tragische Kunst.

Der Zustand des Affects für sich selbst, unabhängig von aller Beziehung seines Gegenstandes auf unsere Verbesserung oder Verschlimmerung, hat etwas Ergötzendes für uns; wir streben, uns in denselben zu versetzen, wenn es auch einige Opfer kosten sollte! Unsern gewöhnlichsten Vergnügungen liegt dieser Trieb zum Grunde; ob der Affect auf Begierde oder Verabscheuung gerichtet, ob er, seiner Natur nach, angenehm oder peinlich sey, kommt dabey wenig in Betrachtung. Vielmehr lehrt die Erfahrung, daß der unangenehme Affect den größern Reitz für uns habe, und also die Lust am Affect mit seinem Inhalt gerade in umgekehrtem Verhältnisse stehe. Es ist eine allgemeine Erscheinung in unserer Natur, daß uns das Traurige, das Schreckliche, das Schauderhafte selbst, mit unwiderstehlichem Zauber an sich lockt, daß wir uns von Auftritten des Jammers, des Entsetzens mit gleichen Kräften weggestoßen und wieder angezogen fühlen. Alles drängt sich voll Erwartung um den Erzähler einer Mordgeschichte; das abenteuerlichste Gespenstermährchen verschlingen wir mit Begierde und mit desto größerer, jemehr uns dabey die Haare zu Berge steigen.

Lebhafter äußert sich diese Regung bey Gegenständen der wirklichen Anschauung. Ein Meersturm, der eine ganze Flotte versenkt, vom Ufer aus gesehen, würde unsere Fantasie eben so stark ergötzen, als er unser fühlendes Herz empört; es dürfte schwer seyn, mit dem Lucrez zu glauben, daß diese natürliche Lust aus einer Vergleichung unsrer eignen Sicherheit mit der wahrgenommenen Gefahr entspringe. Wie zahlreich ist nicht das Gefolge, das einen Verbrecher nach dem Schauplatz seiner Qualen begleitet! Weder das Vergnügen befriedigter Gerechtigkeitsliebe, noch die unedle Lust der gestillten Rachbegierde kann diese Erscheinung erklären. Dieser Unglückliche kann in dem Herzen der Zuschauer sogar entschuldigt, das aufrichtigste Mitleid für seine Erhaltung geschäftig seyn; dennoch regt sich, stärker oder schwächer, ein neugieriges Verlangen bey dem Zuschauer, Aug und Ohr auf den Ausdruck seines Leidens zu richten. Wenn der Mensch von Erziehung und verfeinertem Gefühl hierinn eine Ausnahme macht, so rührt dieß nicht daher, daß dieser Trieb gar nicht in ihm vorhanden war, sondern daher, daß er von der schmerzhaften Stärke des Mitleids überwogen, oder von den Gesetzen des Anstands in Schranken gehalten wird. Der rohe Sohn der Natur, den kein Gefühl zarter Menschlichkeit zügelt, überläßt sich ohne Scheu diesem mächtigen Zuge. Er muß also in der ursprünglichen Anlage des menschlichen Gemüths gegründet, und durch ein allgemeines psychologisches Gesetz zu erklären seyn.

Wenn wir aber auch diese rohen Naturgefühle mit der Würde der menschlichen Natur unverträglich finden, und deswegen Anstand nehmen, ein Gesetz für die ganze Gattung darauf zu gründen, so gibt es noch Erfahrungen genug, die die Wirklichkeit und Allgemeinheit des Vergnügens an schmerzhaften Rührungen außer Zweifel setzen. Der peinliche Kampf entgegengesetzter Neigungen oder Pflichten, der für denjenigen, der ihn erleidet, eine Quelle des Elends ist, ergötzt uns in der Betrachtung; wir folgen mit immer steigender Lust den Fortschritten einer Leidenschaft bis zu dem Abgrund, in welchen sie ihr unglückliches Opfer hinab zieht. Das nähmliche zarte Gefühl, das uns von dem Anblick eines physischen Leidens oder auch von dem physischen Ausdruck eines moralischen zurückschreckt, läßt uns in der Sympathie mit dem reinen moralischen Schmerz eine nur desto süßere Lust empfinden. Das Interesse ist allgemein, mit dem wir bey Schilderungen solcher Gegenstände verweilen.

Natürlicherweise gilt dieß nur von dem mitgetheilten oder nachempfundnen Affect, denn die nahe Beziehung, in welcher der ursprüngliche zu unsrem Glückseligkeitstriebe steht, beschäftigt und besitzt uns gewöhnlich zu sehr, um der Lust Raum zu lassen, die er, frey von jeder eigennützigen Beziehung, für sich gewährt. So ist bey demjenigen, der wirklich von einer schmerzhaften Leidenschaft beherrscht wird, das Gefühl des Schmerzens überwiegend, so sehr die Schilderung seiner Gemüthslage den Hörer oder Zuschauer entzücken kann. Dem ungeachtet ist selbst der ursprüngliche schmerzhafte Affect für denjenigen, der ihn erleidet, nicht ganz an Vergnügen leer; nur sind die Grade dieses Vergnügens nach der Gemüthsbeschaffenheit der Menschen verschieden. Läge nicht auch in der Unruhe, im Zweifel, in der Furcht, ein Genuß, so würden

Hazardspiele ungleich weniger Reiß für uns haben, so würde man sich nie aus tollkühnem Muth in Gefahren stürzen, so könnte selbst die Sympathie mit fremden Leiden gerade im Moment der höchsten Illusion und im stärksten Grad der Verwechslung nicht am lebhaftesten ergößen. Dadurch aber wird nicht gesagt, daß die unangenehmen Affecte an und für sich selbst Lust gewähren, welches zu behaupten wohl niemand sich einfallen lassen wird; es ist genug, wenn diese Zustände des Gemüths bloß die Bedingungen abgeben, unter welchen allein gewisse Arten des Vergnügens vorzüglich empfänglich und vorzüglich darnach lüstern sind, werden sich leichter mit diesen unangenehmen Bedingungen versöhnen, und auch in den heftigsten Stürmen der Leidenschaft ihre Freyheit nicht ganz verlieren.

Von der Beziehung seines Gegenstandes auf unser sinnliches oder sittliches Vermögen, rührt die Unlust her, welche wir bey widrigen Affecten empfinden, so wie die Lust bey den angenehmen aus eben diesen Quellen entspringt. Nach dem Verhältniß nun, in welchem die sittliche Natur eines Menschen zu seiner sinnlichen steht, richtet sich auch der Grad der Freyheit, der in Affecten behauptet werden kann; und da nun bekanntlich im Moralischen keine Wahl für uns statt findet, der sinnliche Trieb hingegen der Gesetzgebung der Vernunft unterworfen und also in unsrer Gewalt ist, wenigstens seyn soll, so leuchtet ein, daß es möglich ist, in allen denjenigen Affecten, welche mit dem eigennützigen Trieb zu thun haben, eine vollkommene Freyheit zu behalten, und über den Grad Herr zu seyn, den sie erreichen sollen. Dieser wird in eben dem Maße schwächer seyn, als der moralische

Sinn über den Glückseligkeitstrieb bey einem Menschen die Obergewalt behauptet, und die eigennützige Anhänglichkeit an sein individuelles Ich durch den Gehorsam gegen allgemeine Vernunftgesetze vermindert wird. Ein solcher Mensch wird also im Zustand des Affects die Beziehung eines Gegenstandes auf seinen Glückseligkeitstrieb weit weniger empfinden, und folglich auch weit weniger von der Unlust erfahren, die nur aus dieser Beziehung entspringt; hingegen wird er destomehr auf das Verhältniß merken, in welchem eben dieser Gegenstand zu seiner Sittlichkeit steht, und eben darum auch desto empfänglicher für die Lust seyn, welche die Beziehung aufs Sittliche nicht selten in die peinlichsten Leiden der Sinnlichkeit mischt. Eine solche Verfassung des Gemüths ist am fähigsten, das Vergnügen des Mitleids zu genießen, und selbst den ursprünglichen Affect in den Schranken des Mitleids zu erhalten. Daher der hohe Werth einer Lebensphilosophie, welche durch stete Hinweisung auf allgemeine Gesetze das Gefühl für unsere Individualität entkräftet, im Zusammenhange des großen Ganzen unser kleines Selbst uns verlieren lehrt, und uns dadurch in den Stand setzt, mit uns selbst wie mit Fremdlingen umzugehen. Diese erhabene Geistesstimmung ist das Loos starker und philosophischer Gemüther, die durch fortgesetzte Arbeit an sich selbst den eigennützigen Trieb unterjochen gelernt haben. Auch der schmerzhafteste Verlust führt sie nicht über eine Wehmuth hinaus, mit der sich noch immer ein merklicher Grad des Vergnügens gatten kann. Sie, die allein fähig sind, sich von sich selbst zu trennen, genießen allein das Vorrecht an sich selbst Theil zu nehmen, und eigenes Leiden in dem milden Wiederschein der Sympathie zu empfinden.

Schon das bisherige enthält Winke genug, die uns auf die Quellen des Vergnügens, das der Affect an sich selbst, und vorzüglich der traurige, gewährt, aufmerksam machen. Es ist größer, wie man gesehen hat, in moralischen Gemüthern, und wirkt desto freyer, jemehr das Gemüth von dem eigennützigen Triebe unabhängig ist. Es ist ferner lebhafter und stärker in traurigen Affecten, wo die Selbstliebe gekränkt wird, als in fröhlichen, welche eine Befriedigung derselben voraussetzen: also wächst es, wo der eigennützige Trieb beleidigt und nimmt ab, wo diesem Triebe geschmeichelt wird. Wir kennen aber nicht mehr als zweyerley Quellen des Vergnügens, die Befriedigung des Glückseligkeits-Triebes und die Erfüllung moralischer Gesetze; eine Lust also, von der man bewiesen hat, daß sie nicht aus der erstern Quelle entsprang, muß nothwendig aus der zweyten ihren Ursprung nehmen. Aus unserer moralischen Natur also quillt die Lust hervor, wodurch uns schmerzhafte Affecte in der Mittheilung entzücken, und, auch sogar ursprünglich empfunden, in gewissen Fällen noch angenehm rühren.

Man hat es auf mehrere Art versucht, das Vergnügen des Mitleids zu erklären; aber die wenigsten Auflösungen konnten befriedigend ausfallen, weil man den Grund der Erscheinung lieber in begleitenden Umständen, als in der Natur des Affects selbst aufsuchte. Vielen ist das Vergnügen des Mitleids nichts anders, als das Vergnügen der Seele an ihrer Empfindsamkeit, andern die Lust an starkbeschäftigten Kräften, lebhafter Wirksamkeit des Begehrungsvermögens, kurz an einer Befriedigung des Thätigkeitstriebes; andre lassen sie aus der Entdeckung sittlich schöner Charakterzüge, die der Kampf mit dem Unglück und mit der Leidenschaft sichtbar mache, entspringen. Noch immer aber bleibt unaufgelöst, warum gerade die Pein selbst, das eigentliche Leiden, bey Gegenständen des Mitleids uns am mächtigsten anzieht, da nach jenen Erklärungen ein schwächerer Grad des Leidens den angeführten Ursachen unsrer Lust an der Rührung offenbar günstiger seyn müßte. Die Lebhaftigkeit und Stärke der in unsrer Phantasie erweckten Vorstellungen, die sittliche Vortrefflichkeit der leidenden Personen, der Rückblick des mitleidenden Subjects auf sich selbst können die Lust an Rührungen wohl erhöhen, aber sie sind die Ursache nicht, die sie hervorbringt. Das Leiden einer schwachen Seele, der Schmerz eines Bösewichts gewähren uns diesen Genuß freylich nicht; aber deswegen nicht, weil sie unser Mitleid nicht in dem Grade wie der leidende Held oder der kämpfende Tugendhafte erregen. Stets also kehrt die erste Frage zurück, warum eben just der Grad des Leidens den Grad der sympathetischen Lust an einer Rührung bestimme, und sie kann auf keine andere Art beantwortet werden, als daß gerade der Angriff auf unsre Sinnlichkeit die Bedingung sey, diejenige Kraft des Gemüths aufzuregen, deren Thätigkeit jenes Vergnügen an sympathetischem Leiden erzeugt.

Diese Kraft nun ist keine andre, als die Vernunft, und in so fern die freye Wirksamkeit derselben als absolute Selbstthätigkeit, vorzugsweise den Nahmen der Thätigkeit verdient, in so fern sich das Gemüth nur in seinem sittlichen Handeln vollkommen unabhängig und frey fühlt, in so fern ist es freylich der befriedigte Trieb der Thätigkeit, von welchem unser Vergnügen an traurigen Rührungen seinen Ursprung zieht. Aber so ist es auch nicht die Menge, nicht die Lebhaftigkeit der Vorstellungen, nicht die Wirksamkeit des Begehrungsvermögens überhaupt, sondern eine bestimmte Gattung der erstern, und eine bestimmte, durch Vernunft erzeugte Wirksamkeit des letztern, was diesem Vergnügen zum Grund liegt.

Der mitgetheilte Affect überhaupt hat also etwas Ergötzendes für uns, weil er den Thätigkeitstrieb befriedigt; der traurige Affect leistet jene Wirkung in einem höhern Grade, weil er diesen Trieb in einem höhern Grade befriedigt. Nur im Zustand seiner vollkommenen Freyheit, nur im Bewußtseyn seiner vernünftigen Natur äußert das Gemüth seine höchste Thätigkeit, weil es da allein eine Kraft anwendet, die jedem Widerstand überlegen ist.

Derjenige Zustand des Gemüths also, der vorzugsweise diese Kraft zu ihrer Verkündigung bringt, diese höhere Thätigkeit weckt, ist der Zweckmäßigste für ein vernünftiges Wesen, und für den Thätigkeitstrieb der befriedigendste; er muß also mit einem vorzüglichen Grade von Lust verknüpft seyn*). In einen solchen Zustand versetzt uns der traurige Affect, und die Lust an demselben muß die Lust an fröhlichen Affecten in eben dem Grad übertreffen, als das sittliche Vermögen in uns über das sinnliche erhaben ist.

Was in dem ganzen System der Zwecke nur ein

*) Siehe die Abhandlung über den Grund des Vergnügens an tragischen Gegenständen.

untergeordnetes Glied ist, darf die Kunst aus diesem Zusammenhang absondern, und als Hauptzweck verfolgen. Für die Natur mag das Vergnügen nur ein mittelbarer Zweck seyn, für die Kunst ist es der höchste. Es gehört also vorzüglich zum Zweck der letztern, das hohe Vergnügen nicht zu vernachläßigen, das in der traurigen Rührung enthalten ist. Diejenige Kunst aber, welche sich das Vergnügen des Mitleids insbesondre zum Zweck setzt, heißt die tragische Kunst im allgemeinsten Verstande.

Die Kunst erfüllt ihren Zweck durch Nachahmung der Natur, indem sie die Bedingungen erfüllt, unter welchen das Vergnügen in der Wirklichkeit möglich wird, und die zerstreuten Anstalten der Natur zu diesem Zwecke nach einem verständigen Plan vereinigt, um das, was diese blos zu ihrem Nebenzweck machte, als letzten Zweck zu erreichen. Die tragische Kunst wird also die Natur in denjenigen Handlungen nachahmen, welche den mitleidigen Affect vorzüglich zu erwecken vermögen.

Um also der tragischen Kunst ihr Verfahren im Allgemeinen vorzuschreiben, ist es vor allem nöthig, die Bedingungen zu wissen, unter welchen nach der gewöhnlichen Erfahrung das Vergnügen der Rührung am gewissesten und am stärksten erzeugt zu werden pflegt; zugleich aber auch auf diejenigen Umstände aufmerksam zu machen, welche es einschränken oder gar zerstören.

Zwey entgegengesetzte Ursachen gibt die Erfahrung an, welche das Vergnügen an Rührungen hindern: wenn das Mitleid entweder zu schwach, oder, wenn es so stark erregt wird, daß der mitgetheilte

Affect zu der Lebhaftigkeit eines ursprünglichen übergeht. Jenes kann wieder entweder an der Schwäche des Eindrucks liegen, den wir von dem ursprünglichen Leiden erhalten, in welchem Falle wir sagen, daß unser Herz kalt bleibt, und wir weder Schmerz noch Vergnügen empfinden; oder es liegt an stärkern Empfindungen, welche den empfangenen Eindruck bekämpfen und durch ihr Übergewicht im Gewicht das Vergnügen des Mitleids schwächen oder gänzlich ersticken.

Nach dem, was im vorhergehenden Aufsatz über den Grund des Vergnügens an tragischen Gegenständen behauptet wurde, ist bey jeder tragischen Rührung die Vorstellung einer Zweckwidrigkeit, welche, wenn die Rührung ergötzend seyn soll, jederzeit auf eine Vorstellung von höherer Zweckmäßigkeit leitet. Auf das Verhältniß dieser beyden entgegengesetzten Vorstellungen unter einander kommt es nun an, ob bey einer Rührung die Lust oder die Unlust hervorstechen soll. Ist die Vorstellung der Zweckwidrigkeit lebhafter als die des Gegentheils, oder ist der verletzte Zweck von größrer Wichtigkeit, als der erfüllte, so wird jederzeit die Unlust die Oberhand behalten; es mag dieses nun objectiv von der menschlichen Gattung überhaupt, oder blos subjectiv von besondern Individuen gelten.

Wenn die Unlust über die Ursache eines Unglücks zu stark wird, so schwächt sie unser Mitleid mit demjenigen, der es leidet. Zwey ganz verschiedne Empfindungen können nicht zu gleicher Zeit in einem hohen Grade in dem Gemüthe vorhanden seyn. Der Unwille über den Urheber des Leidens wird zum herrschenden Affect, und jedes andere Gefühl muß ihm weichen. So schwächt es jederzeit unseren Antheil, wenn sich

der

der Unglückliche, den wir bemitleiden sollen, aus eigner unverzeihlicher Schuld in sein Verderben gestürzt hat, oder sich auch aus Schwäche des Verstandes und aus Kleinmuth nicht, da er es doch könnte, aus demselben zu ziehen weiß. Unserm Antheil an dem unglücklichen, von seinen undankbaren Töchtern mißhandelten, Lear schadet es nicht wenig, daß dieser kindische Alte seine Krone so leichtsinnig hingab, und seine Liebe so unverständig unter seinen Töchtern vertheilte. In dem Kronegkischen Trauerspiel, Olynt und Sophronia, kann selbst das fürchterlichste Leiden, dem wir diese beyden Märtyrer ihres Glaubens ausgesetzt sehen, unser Mitleid, und ihr erhabener Heroismus unsre Bewunderung nur schwach erregen, weil der Wahnsinn allein eine Handlung begehen kann, wie diejenige ist, wodurch Olynt sich selbst und sein ganzes Volk an den Rand des Verderbens führte.

Unser Mitleid wird nicht weniger geschwächt, wenn der Urheber eines Unglücks, dessen schuldlose Opfer wir bemitleiden sollen, unsre Seele mit Abscheu erfüllt. Es wird jederzeit der höchsten Vollkommenheit seines Werks Abbruch thun, wenn der tragische Dichter nicht ohne einen Bösewicht auskommen kann, und wenn er gezwungen ist, die Größe des Leidens von der Größe der Bosheit herzuleiten. Shakespears Jago und Lady Macbeth, Kleopatra in der Roxelane, Franz Moor in den Räubern, zeugen für diese Behauptung. Ein Dichter, der sich auf seinen wahren Vortheil versteht, wird das Unglück nicht durch einen bösen Willen, der Unglück beabsichtet, noch viel weniger durch einen Mangel des Verstandes, sondern durch den Zwang der Umstände herbeyführen. Entspringt dassselbe nicht aus moralischen Quellen, sondern von äußerlichen Dingen, die weder Willen haben, noch einem Willen unterworfen sind, so ist das Mitleid reiner, und wird zum wenigsten durch keine Vorstellung moralischer Zweckwidrigkeit geschwächt. Aber dann kann dem theilnehmenden Zuschauer das unangenehme Gefühl einer Zweckwidrigkeit in der Natur nicht erlassen werden, welche in diesem Fall allein die moralische Zweckmäßigkeit retten kann. Zu einem weit höhern Grad steigt das Mitleid, wenn sowohl derjenige, welcher leidet, als derjenige, welcher Leiden verursacht, Gegenstände desselben werden. Dieß kann nur dann geschehen, wenn der letztere weder unsern Haß noch unsre Verachtung erregte, sondern wider seine Neigung dahin gebracht wird, Urheber des Unglücks zu werden. So ist es eine vorzügliche Schönheit in der deutschen Iphigenia, daß der taurische König, der einzige, der den Wünschen Orests und seiner Schwester im Wege steht, nie unsre Achtung verliert, und uns zuletzt noch Liebe abnöthigt.

Diese Gattung des Rührenden wird noch von derjenigen übertroffen, wo die Ursache des Unglücks nicht allein nicht der Moralität widersprechend, sondern sogar durch Moralität allein möglich ist, und wo das wechselseitige Leiden bloß von der Vorstellung herrührt, daß man Leiden erweckte. Von dieser Art ist die Situation Chimenens und Roderichs im Cid des Peter Corneille; unstreitig, was die Verwicklung betrifft, dem Meisterstück der tragischen Bühne. Ehrliebe und Kindespflicht bewaffnen Roderichs Hand gegen den Vater seiner Geliebten, und Tapferkeit macht ihn zum Überwinder desselben; Ehrliebe und

Kindespflicht erwecken ihm in Chimenen, der Tochter des Erschlagenen, eine furchtbare Anklägerinn und Verfolgerinn. Beyde handeln ihrer Neigung entgegen, welche vor dem Unglück des verfolgten Gegenstandes eben so ängstlich zittert, als eifrig sie die moralische Pflicht macht, dieses Unglück herbey zu rufen. Beyde also gewinnen unsre höchste Achtung, weil sie auf Kosten der Neigung eine moralische Pflicht erfüllen; beyde entflammen unser Mitleid aufs höchste, weil sie freywillig und aus einem Beweggrund leiden, der sie in hohem Grade achtungswürdig macht. Hier also wird unser Mitleid so wenig durch widrige Gefühle gestört, daß es vielmehr in doppelter Flamme auflodert; bloß die Unmöglichkeit mit der höchsten Würdigkeit zum Glücke die Idee des Unglücks zu vereinbaren, könnte unsre sympathetische Lust noch durch eine Wolke des Schmerzens trüben. Wie viel auch schon dadurch gewonnen wird, daß unser Unwille über diese Zweckwidrigkeit kein moralisches Wesen betrifft, sondern an den unschädlichsten Ort, auf die Nothwendigkeit abgeleitet wird, so ist eine blinde Unterwürfigkeit unter das Schicksal immer demüthigend und kränkend für freye, sich selbst bestimmte Wesen. Dieß ist es, was uns auch in den vortrefflichsten Stücken der griechischen Bühne etwas zu wünschen übrig läßt, weil in allen diesen Stücken zuletzt an die Nothwendigkeit appellirt wird, und für unsre vernunftfodernde Vernunft immer ein unaufgelöster Knoten zurück bleibt. Aber auf der höchsten und letzten Stufe, welche der moralischgebildete Mensch erklimmt, und zu welcher die rührende Kunst sich erheben kann, löst sich auch dieser, und jeder Schatten von Unlust verschwindet mit ihm.

Dieß geschieht, wenn selbst diese Unzufriedenheit mit dem Schicksal hinweg fällt, und sich in die Ahnung oder lieber in deutliches Bewußtseyn einer theleologischen Verknüpfung der Dinge, einer erhabenen Ordnung, eines gütigen Willens verliert. Dann gesellt sich zu unserm Vergnügen an moralischer Übereinstimmung die erquickende Vorstellung der vollkommensten Zweckmäßigkeit im großen Ganzen der Natur, und die scheinbare Verletzung derselben, welche uns in dem einzelnen Falle Schmerzen erweckte, wird bloß ein Stachel für unsre Vernunft, in allgemeinen Gesetzen eine Rechtfertigung dieses besondern Falles aufzusuchen und den einzelnen Mißlaut in der großen Harmonie aufzulösen. Zu dieser reinen Höhe tragischer Rührung hat sich die griechische Kunst nie erhoben, weil weder die Volksreligion, noch selbst die Philosophie der Griechen ihnen so weit voran leuchtete. Der neuern Kunst, welche den Vortheil genießt, von einer geläuterten Philosophie einen reinern Stoff zu empfangen, ist es aufbehalten, auch diese höchste Foderung zu erfüllen, und so die ganze moralische Würde der Kunst zu entfalten. Müssen wir Neuern wirklich darauf Verzicht thun, griechische Kunst je wieder herzustellen, da der philosophische Genius des Zeitalters und die moderne Cultur überhaupt der Poesie nicht günstig sind, so wirken sie weniger nachtheilig auf die tragische Kunst, welche mehr auf dem Sittlichen ruhet. Ihr allein ersetzt vielleicht unsre Cultur den Raub, den sie an der Kunst überhaupt verübte.

So, wie die tragische Rührung durch Einmischung widriger Vorstellungen und Gefühle geschwächt, und dadurch die Lust an derselben vermindert wird, so kann sie im Gegentheil durch zu grosse Annäherung an den ursprünglichen Affect zu einem Grade ausschweifen, der den Schmerz überwiegend macht. Es ist bemerkt worden, daß die Unlust in Affecten von der Beziehung ihres Gegenstandes auf unsere Sinnlichkeit, so wie die Lust an denselben von der Beziehung des Affects selbst auf unsre Sittlichkeit seinen Ursprung nehme. Es wird also zwischen Sinnlichkeit und Sittlichkeit ein bestimmtes Verhältniß vorausgesetzt, welches das Verhältniß der Unlust zu der Lust in traurigen Rührungen entscheidet, und welches nicht verändert oder umgekehrt werden kann, ohne zugleich die Gefühle von Lust und Unlust bey Rührungen umzukehren, oder in ihr Gegentheil zu verwandeln. Je lebhafter die Sinnlichkeit in unserm Gemüthe erwacht, desto schwächer wird die Sittlichkeit wirken, und umgekehrt, jemehr jene von ihrer Macht verliert, desto mehr wird diese an Stärke gewinnen. Was also der Sinnlichkeit in unserm Gemüthe ein Übergewicht gibt, muß nothwendiger Weise, weil es die Sittlichkeit einschränkt, unser Vergnügen an Rührungen vermindern, das allein aus dieser Sittlichkeit fließt; so wie alles, was dieser letztern in unserm Gemüth einen Schwung gibt, sogar in ursprünglichen Affecten dem Schmerz seinen Stachel nimmt. Unsre Sinnlichkeit erlangt aber dieses Übergewicht wirklich, wenn sich die Vorstellungen des Leidens zu einem solchen Grade der Lebhaftigkeit erheben, der uns keine Möglichkeit übrig läßt, den mitgetheilten Affect von einem ursprünglichen, unser eigenes Ich von dem leidenden Subject, oder Wahrheit von Dichtung zu unterscheiden. Sie erlangt gleichfalls das Übergewicht, wenn ihr durch Anhäufung ihrer Gegenstände, und durch das blendende Licht, das eine aufgeregte Einbildungskraft darüber verbreitet, Nahrung gegeben wird. Nichts hingegen ist geschickter, sie in ihre Schranken zurück zu weisen, als der Beystand übersinnlicher, sittlicher Ideen, an denen sich die unterdrückte Vernunft, wie an geistigen Stützen, aufrichtet, um sich über den trüben Dunstkreis der Gefühle in einen heitern Horizont zu erheben. Daher der große Reitz, welchen allgemeine Wahrheiten oder Sittensprüche, an der rechten Stelle in den dramatischen Dialog eingestreut, für alle gebildete Völker gehabt haben, und der fast übertriebene Gebrauch, den schon die Griechen davon machten. Nichts ist einem sittlichen Gemüthe willkommener, als nach einem lang anhaltenden Zustand des bloßen Leidens aus der Dienstbarkeit der Sinne zur Selbstthätigkeit geweckt, und in seine Freyheit wieder eingesetzt zu werden.

So viel von den Ursachen, welche unser Mitleid einschränken und dem Vergnügen an der traurigen Rührung im Wege stehen. Jetzt sind die Bedingungen aufzuzählen, unter welchen das Mitleid befördert, und die Lust der Rührung am unfehlbarsten und am stärksten erweckt wird.

Alles Mitleid setzt Vorstellungen des Leidens voraus, und nach der Lebhaftigkeit, Wahrheit, Vollständigkeit und Dauer der letztern richtet sich auch der Grad der erstern.

I. Je lebhafter die Vorstellungen, desto mehr wird das Gemüth zur Thätigkeit eingeladen, desto mehr wird seine Sinnlichkeit gereitzt, desto mehr also auch sein sittliches Vermögen zum Widerstand aufgefodert. Vorstellungen des Leidens lassen sich aber auf zwey verschiedenen Wegen erhalten, welche der Lebhaftigkeit des Eindrucks nicht auf gleiche Art günstig sind. Ungleich stärker afficiren uns Leiden, von denen wir Zeugen sind, als solche, die wir erst durch Erzählung oder Beschreibung erfahren. Jene heben das freye Spiel unsrer Einbildungskraft auf, und dringen, da sie unsre Sinnlichkeit unmittelbar treffen, auf dem kürzesten Weg zu unserm Herzen. Bey der Erzählung hingegen wird das Besondre erst zum Allgemeinen erhoben, und aus diesem dann das Besondre erkannt, also schon durch diese nothwendige Operation des Verstandes dem Eindruck sehr viel von seiner Stärke entzogen. Ein schwacher Eindruck aber wird sich des Gemüths nicht ungetheilt bemächtigen, und fremdartigen Vorstellungen Raum geben, seine Wirkung zu stören und die Aufmerksamkeit zu zerstreuen. Sehr oft versetzt uns auch die erzählende Darstellung aus dem Gemüthszustand der handelnden Personen in den des Erzählers, welches die, zum Mitleid so nothwendige Täuschung unterbricht. So oft der Erzähler in eigner Person sich vordringt, entsteht ein Stillstand in der Handlung, und darum unvermeidlich auch in unserm theilnehmenden Affect; dieß ereignet sich selbst dann, wenn sich der dramatische Dichter im Dialog vergißt, und der sprechenden Person Betrachtungen in den Mund legt, die nur ein kalter Zuschauer anstellen konnte. Von diesem Fehler dürfte schwerlich eine unsrer neuern Tragödien frey seyn, doch haben ihn die französischen allein zur Regel erhoben. Unmittelbare lebendige Gegenwart und Versinnlichung sind also nöthig, unsern Vorstellungen vom Leiden diejenige Stärke zu geben, die zu einem hohen Grade von Rührung erfodert wird.

II. Aber wir können die lebhaftesten Eindrücke von einem Leiden erhalten, ohne doch zu einem merklichen Grad des Mitleids gebracht zu werden, wenn es diesen Eindrücken an Wahrheit fehlt. Wir müssen uns einen Begriff von dem Leiden machen, an dem wir Theil nehmen sollen; dazu gehört eine Übereinstimmung desselben mit Etwas, was schon vorher in uns vorhanden ist. Die Möglichkeit des Mitleids beruht nähmlich auf der Wahrnehmung oder Voraussetzung einer Ähnlichkeit zwischen uns und dem leidenden Subject. Überall, wo diese Ähnlichkeit sich erkennen läßt, ist das Mitleid nothwendig, wo sie fehlt, unmöglich. Je sichtbarer und größer die Ähnlichkeit, desto lebhafter unser Mitleid, je geringer jene, desto schwächer auch dieses. Es müssen, wenn wir den Affect eines andern ihm nachempfinden sollen, alle innern Bedingungen zu diesem Affect in uns selbst vorhanden seyn, damit die äußre Ursache, die durch ihre Vereinigung mit jenen dem Affect die Entstehung gab, auch auf uns eine gleiche Wirkung äußern könne. Wir müssen, ohne uns Zwang anzuthun, die Person mit ihm zu wechseln, unser eigenes Ich seinem Zustande augenblicklich unterzuschieben fähig seyn. Wie ist es aber möglich, den Zustand eines Andern in uns zu empfinden, wenn wir nicht Uns zuvor in diesem Andern gefunden haben?

Diese Ähnlichkeit geht auf die ganze Grundlage des Gemüths, in so fern diese nothwendig und allgemein ist. Allgemeinheit und Nothwendigkeit aber enthält vorzugsweise unsre sittliche Natur. Das sinnliche Vermögen kann durch zufällige Ursachen anders bestimmt werden; selbst unsre Erkenntnißvermögen sind von veränderlichen Bedingungen abhängig; unsre Sittlichkeit allein ruht auf sich selbst, und ist eben darum am tauglichsten, einen allgemeinen und sichern Maßstab dieser Ähnlichkeit abzugeben. Eine Vorstellung also, welche wir mit unsrer Form zu denken und zu empfinden übereinstimmend finden, welche mit unsrer eigenen Gedankenreihe schon in gewisser Verwandtschaft steht, welche von unserm Gemüth mit Leichtigkeit aufgefaßt wird, nennen wir wahr. Betrifft die Ähnlichkeit das Eigenthümliche unsers Gemüths, die besondern Bestimmungen des allgemeinen Menschen-Charakters in uns, welche sich unbeschadet dieses allgemeinen Charakters hinwegdenken lassen, so hat diese Vorstellung bloß Wahrheit für uns; betrifft sie die allgemeine und nothwendige Form, welche wir bey der ganzen Gattung voraussetzen, so ist die Wahrheit der objectiven gleich zu achten. Für den Römer hat der Richterspruch des ersten Brutus, der Selbstmord des Cato subjective Wahrheit. Die Vorstellungen und Gefühle, aus denen die Handlungen dieser beyden Männer fließen, folgen nicht unmittelbar aus der allgemeinen, sondern mittelbar aus einer besonders bestimmten menschlichen Natur. Um diese Gefühle mit ihnen zu theilen, muß man eine römische Gesinnung besitzen, oder doch zu augenblicklicher Annahme der letztern fähig seyn. Hingegen braucht man blos Mensch überhaupt zu seyn, um durch die heldenmüthige Aufopferung eines Leonidas, durch die ruhige Ergebung eines Aristid, durch den freywilligen Tod eines Socrates in eine hohe Rührung versetzt, um durch den schrecklichen Glückswechsel eines Darius zu Thränen hingerissen zu werden. Solchen Vorstellungen räumen wir, im Gegensatz mit jenen, objective Wahrheit ein, weil sie mit der Natur aller Subjecte übereinstimmen, und dadurch eine eben so strenge Allgemeinheit und Nothwendigkeit erhalten, als wenn sie von jeder subjectiven Bedingung unabhängig wären.

Übrigens ist die subjectiv wahre Schilderung, weil sie auf zufällige Bestimmungen geht, darum nicht mit willkührlichen zu verwechseln. Zuletzt fließt auch das subjectiv Wahre aus der allgemeinen Einrichtung des menschlichen Gemüths, welche bloß durch besondre Umstände besonders bestimmt ward, und beyde sind nothwendige Bedingungen desselben. Die Entschließung des Cato könnte, wenn sie den allgemeinen Gesetzen der menschlichen Natur widerspräche, auch nicht mehr subjectiv wahr seyn. Nur haben Darstellungen der letztern Art einen engern Wirkungskreis, weil sie noch andre Bestimmungen, als jene allgemeinen voraussetzen. Die tragische Kunst kann sich ihrer mit großer intensiver Wirkung bedienen, wenn sie der extensiven entsagen will; doch wird das unbedingt Wahre, das bloß Menschliche in menschlichen Verhältnissen stets ihr ergiebigster Stoff seyn, weil sie bey diesem allein, ohne auf die Stärke des Eindrucks Verzicht thun zu müssen, der Allgemeinheit desselben versichert ist.

III. Zu der Lebhaftigkeit und Wahrheit tragischer Schilderungen wird drittens noch Vollständigkeit verlangt. Alles, was von außen gegeben werden muß, um das Gemüth in die abgezweckte Bewegung zu setzen, muß in der Vorstellung erschöpft seyn. Wenn sich der noch so römischgesinnte Zuschauer den Seelenzustand des Cato zu eigen machen, wenn er die letzte Entschließung dieses Republikaners zu der seinigen machen soll, so muß er diese Entschließung nicht bloß in der Seele des Römers, auch in den Umständen gegründet finden, so muß ihm die äußere sowohl als innre Lage desselben in ihrem ganzen Zusammenhang und Umfang vor Augen liegen, so darf auch kein einziges Glied aus der Kette von Bestimmungen fehlen, an welche sich der letzte Entschluß des Römers als nothwendig anschließt. Überhaupt ist selbst die Wahrheit einer Schilderung ohne diese Vollständigkeit nicht erkennbar, denn nur die Ähnlichkeit der Umstände, welche wir vollkommen einsehen müssen, kann unser Urtheil über die Ähnlichkeit der Empfindungen rechtfertigen, weil nur aus der Vereinigung der äußern und innern Bedingungen der Affect entspringt. Wenn entschieden werden soll, ob wir wie Cato würden gehandelt haben, so müssen wir uns vor allen Dingen in Cato's ganze äußere Lage hinein denken, und dann erst sind wir befugt, unsre Empfindungen gegen die seinigen zu halten, einen Schluß auf die Ähnlichkeit zu machen, und über die Wahrheit derselben ein Urtheil zu fällen.

Diese Vollständigkeit der Schilderung ist nur durch Verknüpfung mehrerer einzelnen Vorstellungen und Empfindungen möglich, die sich gegen einander als Ursache und Wirkung verhalten, und in ihrem Zusammenhang ein Ganzes für unsre Erkenntniß ausmachen. Alle diese Vorstellungen müssen, wenn sie uns lebhaft rühren sollen, einen unmittelbaren Eindruck auf unsre Sinnlichkeit machen, und weil die erzählende Form jederzeit diesen Eindruck schwächt, durch eine gegenwärtige Handlung veranlaßt werden. Zur Vollständigkeit einer tragischen Schilderung gehört also eine Reihe einzelner versinnlichter Handlungen, welche sich zu der tragischen Handlung als zu einem Ganzen verbinden.

IV. Fortdauernd endlich müssen die Vorstellungen des Leidens auf uns wirken, wenn ein hoher Grad von Rührung durch sie erweckt werden soll. Der Affect, in welchen uns fremde Leiden versetzen, ist für uns ein Zustand des Zwanges, aus welchem wir eilen, uns zu befreyen, und allzuleicht verschwindet die zum Mitleid so unentbehrliche Täuschung. Das Gemüth muß also an diese Vorstellungen gewaltsam gefesselt, und der Freyheit beraubt werden, sich der Täuschung zu frühzeitig zu entreißen. Die Lebhaftigkeit der Vorstellungen und die Stärke der Eindrücke, welche unsre Sinnlichkeit überfallen, ist dazu allein nicht hinreichend; denn je heftiger das empfangende Vermögen gereitzt wird, desto stärker äußert sich die rückwirkende Kraft der Seele, um diesen Eindruck zu besiegen. Diese selbstthätige Kraft aber darf der Dichter nicht schwächen, der uns rühren will; denn eben im Kampfe derselben mit dem Leiden der Sinnlichkeit liegt der hohe Genuß, den uns die traurigen Rührungen gewähren. Wenn also das Gemüth, seiner widerstrebenden Selbstthätigkeit ungeachtet, an die Empfindungen des Leidens geheftet bleiben soll, so müssen diese periodenweise geschickt unterbrochen, ja von entgegengesetzten Empfindungen abgelöst werden — um alsdann mit zunehmender Stärke zurück zu kehren, und die Lebhaftigkeit des ersten Eindrucks desto öfter zu erneuern. Gegen Ermattung, gegen die Wirkungen der Gewohnheit ist der Wechsel der Empfindungen das kräftigste Mittel. Dieser Wechsel frischt die erschöpfte Sinnlichkeit wieder an, und die Gradation der Eindrücke weckt das selbstthätige Vermögen zum verhältnißmäßigen Widerstand. Unaufhörlich muß dieses geschäftig seyn, gegen den Zwang der Sinnlichkeit seine Freyheit zu behaupten, aber nicht früher als am Ende den Sieg erlangen, und noch weit weniger im Kampf unterliegen; sonst ist es im ersten Falle um das Leiden, im zweyten um die Thätigkeit gethan, und nur die Vereinigung von beyden erweckt ja die Rührung. In der geschickten Führung dieses Kampfes beruht eben das große Geheimniß der tragischen Kunst; da zeigt sie sich in ihrem glänzendsten Lichte.

Auch dazu ist nun eine Reihe abwechselnder Vorstellungen, also eine zweckmäßige Verknüpfung mehrerer, diesen Vorstellungen entsprechender Handlungen nothwendig, an denen sich die Haupthandlung, und durch sie der abgezielte tragische Eindruck vollständig, wie ein Knäuel von der Spindel, abwindet, und das Gemüth zuletzt wie mit einem unzerreißbaren Netze umstrickt. Der Künstler, wenn mir dieses Bild hier verstattet ist, sammelt erst wirthschaftlich alle einzelnen Strahlen des Gegenstandes, den er zum Werkzeug seines tragischen Zweckes macht, und sie werden unter seinen Händen zum Blitz, der alle Herzen entzündet. Wenn der Anfänger den ganzen Donnerstrahl des Schreckens und der Furcht auf ein Mahl und fruchtlos in die Gemüther schleudert, so gelangt jener Schritt vor Schritt durch lauter kleine Schläge zum Ziel, und durchdringt eben dadurch die Seele ganz, daß er sie nur allmählig und gradweise rührte.

Wenn wir nunmehr die Resultate aus den bisherigen Untersuchungen ziehen, so sind es folgende Bedingungen, welche der tragischen Rührung zum

Grund liegen. Erstlich muß der Gegenstand unsers Mitleids zu unsrer Gattung, im ganzen Sinn dieses Worts, gehören, und die Handlung, an der wir Theil nehmen sollen, eine moralische, d. i. unter dem Gebieth der Freyheit begriffen seyn. Zweytens muß uns das Leiden, seine Quellen und seine Grade, in einer Folge verknüpfter Begebenheiten vollständig mitgetheilt und zwar drittens sinnlich vergegenwärtigt, nicht mittelbar durch Beschreibung, sondern unmittelbar durch Handlung dargestellt werden. Alle diese Bedingungen vereinigt und erfüllt die Kunst in der Tragödie.

Die Tragödie wäre demnach dichterische Nachahmung einer zusammenhängenden Reihe von Begebenheiten (einer vollständigen Handlung), welche uns Menschen in einem Zustand des Leidens zeigt, und zur Absicht hat, unser Mitleid zu erregen.

Sie ist erstlich — Nachahmung einer Handlung. Der Begriff der Nachahmung unterscheidet sie von den übrigen Gattungen der Dichtkunst, welche bloß erzählen oder beschreiben. In Tragödien werden die einzelnen Begebenheiten im Augenblick ihres Geschehens, als gegenwärtig, vor die Einbildungskraft oder vor die Sinne gestellt; unmittelbar, ohne Einmischung eines Dritten. Die Epopee, der Roman, die einfache Erzählung rücken die Handlung, schon ihrer Form nach, in die Ferne, weil sie zwischen den Leser und die handelnden Personen den Erzähler einschieben. Das Entfernte, das Vergangene schwächt aber, wie bekannt ist, den Eindruck und den theilnehmenden Affect; das Gegenwärtige verstärkt ihn. Alle erzählenden Formen machen das Gegenwärtige zum Vergangenen; alle dramatischen machen das Vergangene gegenwärtig.

Die Tragödie ist zweytens Nachahmung einer Reihe von Begebenheiten, einer Handlung. Nicht bloß die Empfindungen und Affecte der tragischen Personen, sondern die Begebenheiten, aus denen sie entsprangen, und auf deren Veranlassung sie sich äußern, stellt sie nachahmend dar; dieß unterscheidet sie von den lyrischen Dichtungsarten, welche zwar ebenfalls gewisse Zustände des Gemüths poetisch nachahmen, aber nicht Handlungen. Eine Elegie, ein Lied, eine Ode können uns die gegenwärtige, durch besondre Umstände bedingte Gemüthsbeschaffenheit des Dichters (sey es in seiner eignen Person oder in idealischer) nachahmend vor Augen stellen, und in so ferne sind sie zwar unter dem Begriff der Tragödie mit enthalten, aber sie machen ihn noch nicht aus, weil sie sich bloß auf Darstellungen von Gefühlen einschränken. Noch wesentlichere Unterschiede liegen in dem verschiedenen Zweck dieser Dichtungsarten.

Die Tragödie ist drittens Nachahmung einer vollständigen Handlung. Ein einzelnes Ereigniß, wie tragisch es auch seyn mag, gibt noch keine Tragödie. Mehrere als Ursache und Wirkung in einander gegründete Begebenheiten müssen sich mit einander zweckmäßig zu einem Ganzen verbinden, wenn die Wahrheit, d. i. die Übereinstimmung eines vorgestellten Affects, Charakters und dergleichen mit der Natur unsrer Seele, auf welche allein sich unsre Theilnahme gründet, erkannt werden soll. Wenn wir es nicht fühlen, daß wir selbst bey gleichen Umständen eben so würden gelitten und eben so gehandelt haben, so wird unser Mitleid nie erwachen. Es kommt also darauf an, daß wir die vorgestellte Handlung in ihrem ganzen Zusammenhang verfolgen, daß wir sie aus der Seele ihres Urhebers durch eine natürliche Gradation unter Mitwirkung äußrer Umstände hervor fließen sehen. So entsteht und wächst und vollendet sich vor unsern Augen die Neugier des Ödipus, die Eifersucht des Othello. So kann auch allein der große Abstand ausgefüllt werden, der sich zwischen dem Frieden einer schuldlosen Seele und den Gewissensqualen eines Verbrechers, zwischen der stolzen Sicherheit eines Glücklichen und seinem schrecklichen Untergang, kurz, der sich zwischen der ruhigen Gemüthsstimmung des Lesers am Anfang, und der heftigen Aufregung seiner Empfindungen am Ende der Handlung findet.

Eine Reihe mehrerer zusammenhängender Vorfälle wird erfodert, einen Wechsel der Gemüthsbewegungen in uns zu erregen, der die Aufmerksamkeit spannt, der jedes Vermögen unsers Geistes aufbiethet, den ermattenden Thätigkeitstrieb ermuntert, und durch die verzögerte Befriedigung ihn nur desto heftiger entflammt. Gegen die Leiden der Sinnlichkeit findet das Gemüth nirgends als in der Sittlichkeit Hülfe. Diese also desto dringender aufzufodern, muß der tragische Künstler die Martern der Sinnlichkeit verlängern; aber auch dieser muß er Befriedigung zeigen, um jener den Sieg desto schwerer und rühmlicher zu machen. Beydes ist nur durch eine Reihe von Handlungen möglich, die mit weiser Wahl zu dieser Absicht verbunden sind.

Die Tragödie ist viertens poetische Nachahmung einer mitleidswürdigen Handlung, und dadurch wird sie der historischen entgegengesetzt. Das letztere würde de sie seyn, wenn sie einen historischen Zweck verfolgte, wenn sie darauf ausginge, von geschehenen Dingen und von der Art ihres Geschehens zu unterrichten. In diesem Falle müßte sie sich streng an historische Richtigkeit halten, weil sie einzig nur durch treue Darstellung des wirklich Geschehenen ihre Absicht erreichte. Aber die Tragödie hat einen poetischen Zweck, d. i. sie stellt eine Handlung dar, um zu rühren, und durch Rührung zu ergötzen. Behandelt sie also einen gegebenen Stoff nach diesem ihrem Zwecke, so wird sie eben dadurch in der Nachahmung frey, sie erhält Macht, ja Verbindlichkeit, die historische Wahrheit den Gesetzen der Dichtkunst unterzuordnen, und den gegebenen Stoff nach ihrem Bedürfnisse zu bearbeiten. Da sie aber ihren Zweck, die Rührung, nur unter der Bedingung der höchsten Übereinstimmung mit den Gesetzen der Natur zu erreichen im Stande ist, so steht sie, ihrer historischen Freyheit unbeschadet, unter dem strengen Gesetz der Naturwahrheit, welche man im Gegensatz von der historischen die poetische Wahrheit nennt. So läßt sich begreifen, wie bey strenger Beobachtung der historischen Wahrheit nicht selten die poetische leiden, und umgekehrt bey grober Verletzung der historischen die poetische nur um so mehr gewinnen kann. Da der tragische Dichter, so wie überhaupt jeder Dichter, nur unter dem Gesetz der poetischen Wahrheit steht, so kann die gewissenhafteste Beobachtung der historischen ihn nie von seiner Dichterpflicht lossprechen, nie einer Übertretung der poetischen Wahrheit, nie einem Mangel des Interesse zur Entschuldigung gereichen. Es verräth daher sehr beschränkte Begriffe von der tragischen Kunst, ja von der Dichtkunst überhaupt, den Tragödiendichter vor das Tribunal der Geschichte zu ziehen, und Unterricht von demjenigen zu fodern, der sich schon vermöge seines Nahmes bloß zu Rührungen und Ergötzung verbindlich macht. Sogar dann, wenn sich der Dichter selbst durch eine ängstliche Unterwürfigkeit gegen historische Wahrheit seines Künstlervorrechts begeben, und der Geschichte eine Gerichtsbarkeit über sein Product stillschweigend eingeräumt haben sollte, fordert die Kunst ihn mit allem Rechte vor ihren Richterstuhl, und ein Tod Hermanns, eine Minona, ein Fust von Stromberg würden, bey noch so pünctlicher Befolgung des Kostüme, des Volks- und des Zeitcharakters, mittelmäßige Tragödien heißen.

Die Tragödie ist fünftens Nachahmung einer Handlung, welche uns Menschen im Zustand des Leidens zeigt. Der Ausdruck, Menschen, ist hier nichts weniger als müßig, und dient dazu, die Gränzen genau zu bezeichnen, in welche die Tragödie in der Wahl ihrer Gegenstände eingeschränkt ist. Nur das Leiden sinnlich-moralischer Wesen, dergleichen wir selbst sind, kann unser Mitleid erwecken. Wesen also, die sich von aller Sittlichkeit lossprechen, wie sich der Aberglaube des Volks, oder die Einbildungskraft der Dichter die bösen Dämonen mahlt, und Menschen, welche ihnen gleichen — Wesen ferner, die von dem Zwange der Sinnlichkeit befreyt sind, wie wir uns die reinen Intelligenzen denken, und Menschen, die sich in höherm Grade, als die menschliche Schwachheit erlaubt, diesem Zwange entzogen haben, sind gleich untauglich für die Tragödie. Überhaupt bestimmt schon der Begriff des Leidens, und eines Leidens, an dem wir Theil nehmen sollen, daß nur Menschen im vollen Sinne dieses Worts der Gegenstand desselben seyn können. Eine reine Intelligenz kann nicht leiden, und ein menschliches Subject, das sich dieser reinen Intelligenz in ungewöhnlichem Grade nähert, kann, weil es in seiner sittlichen Natur einen zu schnellen Schutz gegen die Leiden einer schwachen Sinnlichkeit findet, nie einen großen Grad von Pathos erwecken. Ein durchaus sinnliches Subject ohne Sittlichkeit, und solche, die sich ihm nähern, sind zwar des fürchterlichsten Grades von Leiden fähig, weil ihre Sinnlichkeit in überwiegendem Grade wirkt, aber von keinem sittlichen Gefühl aufgerichtet, werden sie diesem Schmerz zum Raube — und von einem Leiden, von einem durchaus hülflosen Leiden, von einer absoluten Unthätigkeit der Vernunft wenden wir uns mit Unwillen und Abscheu hinweg. Der tragische Dichter gibt also mit Recht den gemischten Charakteren den Vorzug, und das Ideal seines Helden liegt in gleicher Entfernung zwischen dem ganz verwerflichen und dem vollkommenen.

Die Tragödie endlich vereinigt alle diese Eigenschaften, um den mitleidigen Affect zu erregen. Mehrere von den Anstalten, welche der tragische Dichter macht, ließen sich ganz füglich zu einem andern Zweck, z. B. einem moralischen, einem historischen u. a. benutzen; daß er aber gerade diesen und keinen andern sich vorsetzt, befreyt ihn von allen Foderungen, die mit diesem Zweck nicht zusammen hängen, verpflichtet ihn aber auch zugleich, bey jeder besondern Anwendung der bisher aufgestellten Regeln sich nach diesem letzten Zwecke zu richten.

U 2

Der letzte Grund, auf den sich alle Regeln für eine bestimmte Dichtungsart beziehen, heißt der Zweck dieser Dichtungsart; die Verbindung der Mittel, wodurch eine Dichtungsart ihren Zweck erreicht, heißt ihre Form. Zweck und Form stehen also mit einander in dem genauesten Verhältniß. Diese wird durch jenen bestimmt, und als nothwendig vorgeschrieben, und der erfüllte Zweck wird das Resultat der glücklich beobachteten Form seyn.

Da jede Dichtungsart einen ihr eigenthümlichen Zweck verfolgt, so wird sie sich eben deswegen durch eine eigenthümliche Form von den übrigen unterscheiden, denn die Form ist das Mittel, durch welches sie ihren Zweck erreicht. Eben das, was sie ausschließend von den übrigen leistet, muß sie vermöge derjenigen Beschaffenheit leisten, die sie vor den übrigen ausschließend besitzt. Der Zweck der Tragödie ist: Rührung; ihre Form: Nachahmung einer zum Leiden führenden Handlung. Mehrere Dichtungsarten können mit der Tragödie einerley Handlung zu ihrem Gegenstand haben. Mehrere Dichtungsarten können den Zweck der Tragödie, die Rührung, wenn gleich nicht als Hauptzweck, verfolgen. Das Unterscheidende der Letztern besteht also im Verhältniß der Form zu dem Zwecke, d. i. in der Art und Weise, wie sie ihren Gegenstand in Rücksicht auf ihren Zweck behandelt, wie sie ihren Zweck durch ihren Gegenstand erreicht.

Wenn der Zweck der Tragödie ist, den mitleidigen Affect zu erregen, ihre Form aber das Mittel ist, durch welches sie diesen Zweck erreicht, so muß Nachahmung einer rührenden Handlung der Inbegriff aller Bedingungen seyn, unter welchen der mitleidige Affect am stärksten erregt wird. Die Form der Tragödie ist also die günstigste, um den mitleidigen Affect zu erregen.

Das Product einer Dichtungsart ist vollkommen, in welchem die eigenthümliche Form dieser Dichtungsart zu Erreichung ihres Zweckes am besten benutzt worden ist. Eine Tragödie also ist vollkommen, in welcher die tragische Form, nähmlich die Nachahmung einer rührenden Handlung, am besten benutzt worden ist, den mitleidigen Affect zu erregen. Diejenige Tragödie würde also die vollkommenste seyn, in welcher das erregte Mitleid weniger Wirkung des Stoffs, als der am besten benutzten tragischen Form ist. Diese mag für das Ideal der Tragödie gelten.

Viele Trauerspiele, sonst voll hoher poetischer Schönheit, sind dramatisch tadelhaft, weil sie den Zweck der Tragödie nicht durch die beste Benutzung der tragischen Form zu erreichen suchen; andre sind es, weil sie durch die tragische Form einen andern Zweck als den der Tragödie erreichen. Nicht wenige unsrer beliebtesten Stücke rühren uns einzig des Stoffes wegen, und wir sind großmüthig oder unaufmerksam genug, diese Eigenschaft der Materie dem ungeschickten Künstler als Verdienst anzurechnen. Bey andern scheinen wir uns der Absicht gar nicht zu erinnern, in welcher uns der Dichter im Schauspielhause versammelt hat, und zufrieden, durch glänzende Spiele der Einbildungskraft und des Witzes angenehm unterhalten zu seyn, bemerken wir nicht einmahl, daß wir ihn mit kaltem Herzen verlassen. Soll die ehr-

würdige Kunst, (denn das ist sie, die zu dem göttlichen Theil unsers Wesens spricht) ihre Sache durch
solche Kämpfer vor solchen Kampfrichtern führen? —
Die Genügsamkeit des Publicums ist nur ermunternd
für die Mittelmäßigkeit, aber beschimpfend und ab-
schreckend für das Genie.

VI.

Ueber das Pathetische.

Darstellung des Leidens — als bloßen Leidens — ist niemahls Zweck der Kunst, aber als Mittel zu ihrem Zweck ist sie derselben äußerst wichtig. Der letzte Zweck der Kunst ist die Darstellung des Übersinnlichen und die tragische Kunst insbesondere bewerkstelligt dieses dadurch, daß sie uns die moralische Independenz von Naturgesetzen im Zustand des Affects versinnlicht. Nur der Widerstand, den es gegen die Gewalt der Gefühle äußert, macht das freye Princip in uns kenntlich; der Widerstand aber kann nur nach der Stärke des Angriffs geschätzt werden. Soll sich also die Intelligenz im Menschen als eine, von der Natur unabhängige, Kraft offenbaren, so muß die Natur ihre ganze Macht erst vor unsern Augen bewiesen haben. Das Sinnenwesen muß tief und heftig leiden; Pathos muß da seyn, damit das Vernunftwesen seine Unabhängigkeit kund thun und sich handelnd darstellen könne.

Man kann niemahls wissen, ob die Fassung des Gemüths eine Wirkung seiner moralischen

Kraft ist, wenn man nicht überzeugt worden ist, daß sie keine Wirkung der Unempfindlichkeit ist. Es ist keine Kunst, über Gefühle Meister zu werden, die nur die Oberfläche der Seele leicht und flüchtig bestreichen, aber in einem Sturm, der die ganze sinnliche Natur aufregt, seine Gemüthsfreyheit zu behalten, dazu gehört ein Vermögen des Widerstandes, das über alle Naturmacht unendlich erhaben ist. Man gelangt also zur Darstellung der moralischen Freyheit nur durch die lebendigste Darstellung der leidenden Natur, und der tragische Held muß sich erst als empfindendes Wesen bey uns legitimirt haben, ehe wir ihm als Vernunftwesen huldigen, und an seine Seelenstärke glauben.

Pathos ist also die erste und unnachläßliche Foderung an den tragischen Künstler, und es ist ihm erlaubt, die Darstellung des Leidens so weit zu treiben, als es, ohne Nachtheil für seinen letzten Zweck, ohne Unterdrückung der moralischen Freyheit, geschehen kann. Er muß gleichsam seinem Helden oder seinem Leser die ganze volle Ladung des Leidens geben, weil es sonst immer problematisch bleibt, ob sein Widerstand gegen dasselbe eine Gemüthshandlung, etwas Positives, und nicht vielmehr bloß etwas Negatives und ein Mangel ist.

Dieß letztere ist der Fall bey dem Trauerspiel der ehemahligen Franzosen, wo wir höchst selten oder nie die leidende Natur zu Gesicht bekommen, sondern meistens nur den kalten, declamatorischen Poeten oder auch den auf Stelzen gehenden Komödianten sehen. Der frostige Ton der Declamation erstickt alle wahre Natur, und den französischen Tragikern macht es ihre angebethete Dezenz vollends ganz unmöglich, die Menschheit in ihrer Wahrheit zu zeichnen. Die Dezenz verfälscht überall, auch wenn sie an ihrer rechten Stelle ist, den Ausdruck der Natur, und doch fodert diesen die Kunst unnachläßlich. Kaum können wir es einem französischen Trauerspielhelden glauben, daß er leidet, denn er läßt sich über seinen Gemüthszustand heraus wie der ruhigste Mensch, und die unaufhörliche Rücksicht auf den Eindruck, den er auf andere macht, erlaubt ihm nie, der Natur in sich ihre Freyheit zu lassen. Die Könige, Prinzessinnen und Helden eines Corneille und Voltaire vergessen ihren Rang auch im heftigsten Leiden nie, und ziehen weit eher ihre Menschheit als ihre Würde aus. Sie gleichen den Königen und Kaisern in den alten Bilderbüchern, die sich mit sammt der Krone zu Bette legen.

Wie ganz anders sind die Griechen, und diejenigen unter den Neuern, die in ihrem Geiste gedichtet haben. Nie schämt sich der Grieche der Natur, er läßt der Sinnlichkeit ihre vollen Rechte, und ist dennoch sicher, daß er nie von ihr unterjocht werden wird. Sein tiefer und richtiger Verstand läßt ihn das Zufällige, das der schlechte Geschmack zum Hauptwerke macht, von dem Nothwendigen unterscheiden; alles aber, was nicht Menschheit ist, ist zufällig an dem Menschen. Der griechische Künstler, der einen Laokoon, eine Niobe, einen Philoktet darzustellen hat, weiß von keiner Prinzessinn, keinem König und keinem Königsohn; er hält sich nur an den Menschen. Deßwegen wirft der weise Bildhauer die Bekleidung weg, und zeigt uns bloß nackende Figuren; ob er gleich sehr gut weiß, daß dieß im wirklichen Leben nicht der

Fall war. Kleider sind ihm etwas Zufälliges, dem das Nothwendige niemahls nachgesetzt werden darf, und die Gesetze des Anstands oder des Bedürfnisses sind nicht die Gesetze der Kunst. Der Bildhauer soll und will uns den Menschen zeigen, und Gewänder verbergen denselben; also verwirft er sie mit Recht.

Eben so wie der griechische Bildhauer die unnütze und hinderliche Last der Gewänder hinwegwirft, um der menschlichen Natur mehr Platz zu machen, so entbindet der griechische Dichter seine Menschen von dem eben so unnützen und eben so hinderlichen Zwang der Convenienz und von allen frostigen Anstandsgesetzen, die an dem Menschen nur künsteln und die Natur an ihm verbergen. Die leidende Natur spricht wahr, aufrichtig und tiefeindringend zu unserm Herzen in der homerischen Dichtung und in den Tragikern: alle Leidenschaften haben ein freyes Spiel, und die Regel des Schicklichen hält kein Gefühl zurück. Die Helden sind für alle Leiden der Menschheit so gut empfindlich als andere, und eben das macht sie zu Helden, daß sie das Leiden stark und innig fühlen, und doch nicht davon überwältigt werden. Sie lieben das Leben so feurig wie wir andern, aber diese Empfindung beherrscht sie nicht so sehr, daß sie es nicht hingeben können, wenn die Pflichten der Ehre oder der Menschlichkeit es fodern. Philoktet erfüllt die griechische Bühne mit seinen Klagen, selbst der wüthende Herkules unterdrückt seinen Schmerz nicht. Die zum Opfer bestimmte Iphigenia gesteht mit rührender Offenheit, daß sie von dem Licht der Sonne mit Schmerzen scheide. Nirgends sucht der Grieche in der Abstumpfung und Gleichgültigkeit gegen das Leiden seinen Ruhm, sondern in Ertrazung desselben bey allem Gefühl für dasselbe. Selbst die Götter der Griechen müssen der Natur einen Tribut entrichten, sobald sie der Dichter der Menschheit näher bringen will. Der verwundete Mars schreyt für Schmerz so laut auf, wie zehntausend Mann, und die von einer Lanze geritzte Venus steigt weinend zum Olymp, und verschwört alle Gefechte.

Diese zarte Empfindlichkeit für das Leiden, diese warme, aufrichtige, wahr und offen da liegende Natur, welche uns in den griechischen Kunstwerken so tief und lebendig rührt, ist ein Muster der Nachahmung für alle Künstler, und ein Gesetz, das der Griechische Genius der Kunst vorgeschrieben hat. Die erste Forderung an den Menschen macht immer und ewig die Natur, welche niemahls darf abgewiesen werden; denn der Mensch ist — ehe er etwas anders ist — ein empfindendes Wesen. Die zweyte Forderung an ihn macht die Vernunft, denn er ist ein vernünftig empfindendes Wesen, eine moralische Person, und für diese ist es Pflicht, die Natur nicht über sich herrschen zu lassen, sondern sie zu beherrschen. Erst alsdann, wenn erstlich der Natur ihr Recht ist angethan worden, und wenn zweytens die Vernunft das ihrige behauptet hat, ist es dem Anstand erlaubt, die dritte Forderung an den Menschen zu machen, und ihm, im Ausdruck, sowohl seiner Empfindungen als seiner Gesinnungen, Rücksicht gegen die Gesellschaft aufzulegen, und sich — als ein civilisirtes Wesen zu zeigen.

Das erste Gesetz der tragischen Kunst war Darstellung der leidenden Natur. Das zweyte ist Darstellung des moralischen Widerstandes gegen das Leiden.

Der Affect, als Affect, ist etwas gleichgültiges, und die Darstellung desselben würde, für sich allein betrachtet, ohne allen ästhetischen Werth seyn; denn, um es noch ein Mahl zu wiederhohlen, nichts was bloß die sinnliche Natur angeht, ist der Darstellung würdig. Daher sind nicht nur alle bloß erschlaffende (schmelzende) Affecte, sondern überhaupt auch alle höchsten Grade, von was für Affecten es auch sey, unter der Würde tragischer Kunst.

Die schmelzenden Affecte, die bloß zärtlichen Rührungen, gehören zum Gebieth des Angenehmen, mit dem die schöne Kunst nichts zu thun hat. Sie ergötzen bloß den Sinn durch Auflösung oder Erschlaffung, und beziehen sich bloß auf den äußern, nicht auf den innern Zustand des Menschen. Viele unsrer Romane und Trauerspiele, besonders der sogenannten Dramen (Mitteldinge zwischen Lustspiel und Trauerspiel) und der beliebten Familiengemählde gehören in diese Classe. Sie bewirken bloß Ausleerungen des Thränensacks und eine wollüstige Erleichterung der Gefäße; aber der Geist geht leer aus, und die edlere Kraft im Menschen wird ganz und gar nicht dadurch gestärkt. Eben so, sagt Kant, fühlt sich mancher durch eine Predigt erbaut, wobey doch gar nichts in ihm aufgebaut worden ist. Auch die Musik der Neuern scheint es vorzüglich nur auf die Sinnlichkeit anzulegen, und schmeichelt dadurch dem herrschenden Geschmack, der nur angenehm gekitzelt, nicht ergriffen, nicht kräftig gerührt, nicht erhoben seyn will. Alles Schmelzende wird daher vorgezogen, und wenn noch so großer Lärm in einem Concertsaal ist, so wird plötzlich alles Ohr, wenn eine schmelzende Passage vorgetragen wird. Ein bis ins Thierische gehender Ausdruck der Sinnlichkeit erscheint dann gewöhnlich auf allen Gesichtern, die trunkenen Augen schwimmen, der offene Mund ist ganz Begierde, ein wollüstiges Zittern ergreift den ganzen Körper, der Athem ist schnell und schwach, kurz alle Symptome der Berauschung stellen sich ein: zum deutlichen Beweise, daß die Sinne schwelgen, der Geist aber oder das Princip der Freyheit im Menschen, der Gewalt des sinnlichen Eindrucks zum Raube wird. Alle diese Rührungen sage ich, sind durch einen edeln und männlichen Geschmack von der Kunst ausgeschlossen, weil sie bloß allein dem Sinne gefallen, mit dem die Kunst nichts zu verkehren hat.

Auf der andern Seite sind aber auch alle diejenigen Grade des Affects ausgeschlossen, die den Sinn bloß quälen, ohne zugleich den Geist dafür zu entschädigen. Sie unterdrücken die Gemüthsfreyheit durch Schmerz nicht weniger als jene durch Wollust, und können deßwegen bloß Verabscheuung und keine Rührung bewirken, die der Kunst würdig wäre. Die Kunst muß den Geist ergötzen und der Freyheit gefallen. Der, welcher einem Schmerz zum Raube wird, ist bloß ein gequältes Thier, kein leidender Mensch mehr; denn von dem Menschen wird schlechterdings ein moralischer Widerstand gegen das Leiden gefordert, durch den allein sich das Princip der Freyheit in ihm, die Intelligenz, kenntlich machen kann.

Aus diesem Grunde verstehen sich diejenigen Künstler und Dichter sehr schlecht auf ihre Kunst, welche das Pathos, durch die bloße sinnliche Kraft des Affects und die höchstlebendigste Schilderung des Leidens, zu erreichen glauben. Sie vergessen, daß das Leiden selbst nie der letzte Zweck der Darstellung, und nie die unmittelbare Quelle des Vergnügens seyn kann, das wir am Tragischen empfinden. Das Pathetische ist nur ästhetisch, in so fern es erhaben ist. Wirkungen aber, welche bloß auf eine sinnliche Quelle schließen lassen, und bloß in der Affection des Gefühlvermögens gegründet sind, sind niemahls erhaben, wieviel Kraft sie auch verrathen mögen: denn alles Erhabene stammt nur aus der Vernunft.

Eine Darstellung der bloßen Passion (sowohl der wollüstigen als der peinlichen) ohne Darstellung der übersinnlichen Widerstehungskraft heißt gemein, das Gegentheil heißt edel. Gemein und edel sind Begriffe, die überall, wo sie gebraucht werden, eine Beziehung auf den Antheil oder Nichtantheil der übersinnlichen Natur des Menschen an einer Handlung oder an einem Werke bezeichnen. Nichts ist edel als was aus der Vernunft quillt; alles was die Sinnlichkeit für sich hervorbringt, ist gemein. Wir sagen von einem Menschen, er handle gemein, wenn er bloß den Eingebungen seines sinnlichen Triebes folgt, er handle anständig, wenn er seinem Trieb nur mit Rücksicht an Gesetze folgt, er handle edel, wenn er bloß der Vernunft, ohne Rücksicht auf seine Triebe folgt. Wir nennen eine Gesichtsbildung gemein, wenn sie die Intelligenz im Menschen durch gar nichts kenntlich macht, wir nennen sie sprechend, wenn der Geist die Züge bestimmte, und edel, wenn ein reiner Geist die Züge bestimmte. Wir nennen ein Werk der Architectur gemein, wenn es uns keine andre als physische Zwecke zeigt, wir nennen es edel, wenn es, unabhängig von allen physischen Zwecken, zugleich Darstellung von Ideen ist.

Ein guter Geschmack also, sage ich, gestattet keine, wenn gleich noch so kraftvolle Darstellung des Affects, die bloß physisches Leiden und physischen Widerstand ausdrückt, ohne zugleich die höhere Menschheit, die Gegenwart eines übersinnlichen Vermögens, sichtbar zu machen — und zwar aus dem schon entwickelten Grunde, weil nie das Leiden an sich, nur der Widerstand gegen das Leiden pathetisch und der Darstellung würdig ist. Daher sind alle absolut höchsten Grade des Affects dem Künstler sowohl als dem Dichter untersagt; denn alle unterdrücken die innerlich widerstehende Kraft, oder setzen vielmehr die Unterdrückung derselben schon voraus, weil kein Affect seinen absolut höchsten Grad erreichen kann, so lange die Intelligenz im Menschen noch einigen Widerstand leistet.

Jetzt entsteht die Frage: wodurch macht sich diese übersinnliche Widerstehungskraft in einem Affecte kenntlich? Durch nichts anders, als durch Beherrschung, oder allgemeiner, durch Bekämpfung des Affects. Ich sage des Affects, denn auch die Sinnlichkeit kann kämpfen, aber das ist kein Kampf mit dem Affect, sondern mit der Ursache, die ihn hervorbringt — kein moralischer, sondern ein physischer Widerstand, den auch der Wurm äußert, wenn man ihn tritt, und der Stier, wenn man ihn verwundet, ohne deßwegen Pathos zu erregen. Daß der leidende Mensch seinen Gefühlen einen Ausdruck zu geben, daß er seinen Feind zu entfernen, daß er das leidende Glied in Sicherheit zu bringen sucht, hat er mit jedem Thiere gemein, und schon der Instinct übernimmt dieses, ohne erst bey seinem Willen anzufragen. Das ist also noch kein Actus seiner Humanität, das macht ihn als Intelligenz noch nicht kenntlich. Die Sinnlichkeit wird zwar jederzeit ihren Feind, aber niemahls sich selbst bekämpfen.

Der Kampf mit dem Affect hingegen ist ein Kampf mit der Sinnlichkeit, und setzt also etwas voraus, was von der Sinnlichkeit unterschieden ist. Gegen das Object, das ihn leiden macht, kann sich der Mensch mit Hülfe seines Verstandes und seiner Muskelkräfte wehren; gegen das Leiden selbst hat er keine andre Waffen, als Ideen der Vernunft.

Diese müssen also in der Darstellung vorkommen, oder durch sie erweckt werden, wo Pathos statt finden soll. Nun sind aber Ideen im eigentlichen Sinn und positiv nicht darzustellen, weil ihnen nichts in der Anschauung entsprechen kann. Aber negativ und indirect sind sie allerdings darzustellen, wenn in der Anschauung etwas gegeben wird, wozu wir die Bedingung in der Natur vergebens aufsuchen. Jede Erscheinung, deren letzter Grund aus der Sinnenwelt nicht kann abgeleitet werden, ist eine indirecte Darstellung des Übersinnlichen:

Wie gelangt nun die Kunst dazu, etwas vorzustellen, was über der Natur ist, ohne sich übernatürlicher Mittel zu bedienen? Was für eine Erscheinung muß das seyn, die durch natürliche Kräfte vollbracht wird (denn sonst wäre sie keine Erscheinung) und dennoch ohne Widerspruch aus physischen Ursachen nicht kann hergeleitet werden? Dieß ist die Aufgabe; und wie löst sie nun der Künstler?

Wir

Wir müssen uns erinnern, daß die Erscheinungen, welche im Zustand des Affects an einem Menschen können wahrgenommen werden, von zweyerley Gattung sind. Entweder es sind solche, die ihm bloß als Thier angehören und als solche bloß dem Naturgesetz folgen, ohne daß sein Wille sie beherrschen oder überhaupt die selbstständige Kraft in ihm unmittelbaren Einfluß darauf haben könnte. Der Instinct erzeugt sie unmittelbar und blind gehorchen sie seinen Gesetzen. Dahin gehören z. B. die Werkzeuge des Blutumlaufs, des Athemhohlens, und die ganze Oberfläche der Haut. Aber auch diejenigen Werkzeuge, die dem Willen unterworfen sind, warten nicht immer die Entscheidung des Willens ab; sondern der Instinct setzt sie oft unmittelbar in Bewegung, da besonders, wo dem physischen Zustand Schmerz oder Gefahr droht. So steht zwar unser Arm unter der Herrschaft des Willens, aber wenn wir unwissend etwas Heißes angreifen, so ist das Zurückziehen der Hand gewiß keine Willenshandlung, sondern der Instinct allein vollbringt sie. Ja noch mehr: Die Sprache ist gewiß etwas, was unter der Herrschaft des Willens steht, und doch kann auch der Instinct sogar über dieses Werkzeug und Werk des Verstandes nach seinem Gutdünken disponiren, ohne erst bey dem Willen anzufragen, sobald ein großer Schmerz oder nur ein starker Affect uns überrascht. Man lasse den gefaßtesten Stoiker auf einmahl etwas höchst Wunderbares oder unerwartet Schreckliches erblicken; man lasse ihn dabey stehen, wenn jemand ausglitscht und in einen Abgrund fallen will, so wird ein lauter Ausruf und zwar kein bloß unarticulirter Ton, sondern ein ganz bestimmtes Wort, ihm unwillkührlich entwischen, und die Natur in ihm wird früher als der Wille gehandelt haben. Dieß dient also zum Beweis, daß es Erscheinungen an dem Menschen gibt, die nicht seiner Person als Intelligenz, sondern bloß seinem Instinct als einer Naturkraft können zugeschrieben werden.

Nun gibt es aber auch zweytens Erscheinungen an ihm, die unter dem Einfluß und unter der Herrschaft des Willens stehen, oder die man wenigstens als solche betrachten kann, die der Wille hätte verhindern können; welche also die Person und nicht der Instinct zu verantworten hat. Dem Instinct kommt es zu, das Interesse der Sinnlichkeit mit blindem Eifer zu besorgen, aber der Person kommt es zu, den Instinct durch Rücksicht auf Gesetze zu beschränken. Der Instinct achtet an sich selbst auf kein Gesetz, aber die Person hat dafür zu sorgen, daß den Vorschriften der Vernunft durch keine Handlung des Instincts Eintrag geschehe. So viel ist also gewiß, daß der Instinct allein nicht alle Erscheinungen am Menschen im Affect unbedingter Weise zu bestimmen hat, sondern daß ihm durch den Willen des Menschen eine Gränze gesetzt werden kann. Bestimmt der Instinct allein alle Erscheinungen am Menschen, so ist nichts mehr vorhanden, was an die Person erinnern könnte, und es ist bloß ein Naturwesen, also ein Thier, was wir vor uns haben; denn Thier heißt jedes Naturwesen unter der Herrschaft des Instincts. Soll also die Person dargestellt werden, so müssen einige Erscheinungen am Menschen vorkommen, die entweder gegen den Instinct oder doch nicht durch den Instinct bestimmt werden sind. Schon daß sie nicht durch den Instinct bestimmt wurden, ist hinreichend, uns auf eine höhere Quelle zu leiten, sobald wir nur einsehen, daß der Instinct sie schlechterdings hätte anders bestimmen müssen, wenn seine Gewalt nicht wäre gebrochen worden.

Jetzt sind wir im Stande, die Art und Weise anzugeben, wie die übersinnliche selbstständige Kraft im Menschen, sein moralisches Selbst, im Affect zur Darstellung gebracht werden kann. — Dadurch nähmlich, daß alle bloß der Natur gehorchende Theile, über welche der Wille entweder gar niemahls oder wenigstens unter gewissen Umständen nicht disponiren kann, die Gegenwart des Leidens verrathen — diejenigen Theile aber, welche der blinden Gewalt des Instincts entzogen sind, und dem Naturgesetz nicht nothwendig gehorchen, keine oder nur eine geringe Spur dieses Leidens zeigen, also in einem gewissen Grad frey erscheinen. An dieser Disharmonie nun zwischen denjenigen Zügen, die der animalischen Natur nach dem Gesetz der Nothwendigkeit eingeprägt werden, und zwischen denen, die der selbstthätige Geist bestimmt, erkennt man die Gegenwart eines übersinnlichen Princips im Menschen, welches den Wirkungen der Natur eine Gränze setzen kann, und sich also eben dadurch als von derselben unterschieden kenntlich macht. Der bloß thierische Theil des Menschen folgt dem Naturgesetz, und darf daher von der Gewalt des Affects unterdrückt erscheinen. An diesem Theil also offenbart sich die ganze Stärke des Leidens, und dient gleichsam zum Maß, nach welchem der Widerstand geschätzt werden kann; denn man kann die Stärke des Widerstandes, oder die moralische Macht in dem Menschen, nur nach der Stärke des Angriffs beurtheilen. Je entscheidender und gewaltsamer nun der Affect in dem Gebieth der Thierheit sich äußert, ohne doch im Gebieth der Menschheit dieselbe Macht behaupten zu können; desto mehr wird diese letztere kenntlich, desto glorreicher offenbart sich die moralische Selbstständigkeit des Menschen, desto pathetischer ist die Darstellung und desto erhabener das Pathos *).

In den Bildsäulen der Alten findet man diesen ästhetischen Grundsatz anschaulich gemacht, aber es ist

*) Unter dem Gebieth der Thierheit begreife ich das ganze System derjenigen Erscheinungen am Menschen, die unter der blinden Gewalt des Naturtriebes stehen und ohne Voraussetzung einer Freyheit des Willens vollkommen erklärbar sind; unter dem Gebieth der Menschheit aber diejenigen, welche ihre Gesetze von der Freyheit empfangen. Mangelt nun bey einer Darstellung der Affect im Gebieth der Thierheit, so läßt uns dieselbe kalt; herrscht er hingegen im Gebieth der Menschheit, so ekelt sie uns an und empört. Im Gebieth der Thierheit muß der Affect jederzeit unaufgelöst bleiben, sonst fehlt das Pathetische; erst im Gebieth der Menschheit darf sich die Auflösung finden. Eine leidende Person, klagend und weinend vorgestellt, wird daher nur schwach rühren, denn Klagen und Thränen lösen den Schmerz schon im Gebieth der Thierheit auf. Weit stärker ergreift uns der verbissene stumme Schmerz, wo wir bey der Natur keine Hülfe finden, sondern zu etwas, das über alle Natur hinausliegt, unsre Zuflucht nehmen müssen; und eben in dieser Hinweisung auf das Übersinnliche liegt das Pathos und die tragische Kraft.

schwer, den Eindruck, den der sinnlich lebendige Anblick macht, unter Begriffe zu bringen, und durch Worte anzugeben. Die Gruppe des Laokoon und seiner Kinder ist ungefähr ein Maß für das, was die bildende Kunst der Alten im Pathetischen zu leisten vermochte. „Laokoon, sagt uns Winkelmann in seiner Geschichte der Kunst (Seite 699 der Wiener Quartausgabe), ist eine Natur im höchsten Schmerze, nach dem Bilde eines Mannes gemacht, der die bewußte Stärke des Geistes gegen denselben zu sammeln sucht; und indem sein Leiden die Muskeln aufschwellet, und die Nerven anziehet, tritt der mit Stärke bewaffnete Geist in der aufgetriebenen Stirne hervor und die Brust erhebt sich durch den beklemmten Odem, und durch Zurückhaltung des Ausdrucks der Empfindung, um den Schmerz in sich zu fassen und zu verschliessen. Das bange Seufzen, welches er in sich und den Odem an sich ziehet, erschöpft den Unterleib, und macht die Seiten hohl, welches uns gleichsam von der Bewegung seiner Eingeweide urtheilen läßt. Sein eigenes Leiden aber scheint ihn weniger zu beängstigen, als die Pein seiner Kinder, die ihr Angesicht zum Vater wenden und um Hülfe schreyen; denn das väterliche Herz offenbart sich in den wehmüthigen Augen, und das Mitleiden scheint in einem trüben Duft auf denselben zu schwimmen. Sein Gesicht ist klagend aber nicht schreyend, seine Augen sind nach der höhern Hülfe gewandt. Der Mund ist voll oon Wehmuth und die gesenkte Unterlippe schwer von derselben; in der überwärts gezogenen Oberlippe aber ist dieselbe mit Schmerz vermischet, welcher mit einer Regung von Unmuth, wie über ein unverdientes unwürdiges Leiden, in die Nase hinauftritt, dieselbe schwellen macht, und sich in den erweiterten und aufwärts gezogenen Nüßen offenbaret. Unter der Stirn ist der Streit zwischen Schmerz und Widerstand, wie in einem Puncte vereinigt, mit großer Wahrheit gebildet; denn indem der Schmerz die Augenbraunen in die Höhe treibt, so drücket das Sträuben gegen denselben das obere Augenfleisch niederwärts und gegen das obere Augenlied zu, so daß dasselbe durch das übergetretene Fleisch beynahe ganz bedeckt wird. Die Natur, welche der Künstler nicht verschönern konnte, hat er ausgewickelter, angestrengter und mächtiger zu zeigen gesucht; da, wohin der größte Schmerz gelegt ist, zeigt sich auch die größte Schönheit. Die linke Seite, in welche die Schlange mit dem wüthenden Bisse ihr Gift ausgießet, ist diejenige, welche durch die nächste Empfindung zum Herzen am heftigsten zu leiden scheint. Seine Beine wollen sich erheben um seinem Übel zu entrinnen; kein Theil ist in Ruhe, ja die Meißelstriche selbst helfen zur Bedeutung einer erstarrten Haut."

Wie wahr und fein ist in dieser Beschreibung der Kampf der Intelligenz mit dem Leiden der sinnlichen Natur entwickelt, und wie treffend die Erscheinungen angegeben, in denen sich Thierheit und Menschheit, Naturzwang und Vernunftfreyheit offenbaren! Virgil schilderte bekanntlich denselben Auftritt in seiner Äneis, aber es lag nicht in dem Plan des epischen Dichters, sich bey dem Gemüthszustand des Laokoon, wie der Bildhauer thun mußte, zu verweilen. Bey dem Virgil ist die ganze Erzählung bloß Nebenwerk, und die Absicht, wozu sie ihm dienen soll, wird hinlänglich durch die bloße Darstellung des Physischen erreicht, ohne daß er nöthig gehabt hätte, uns in die Seele des Leidenden tiefe Blicke thun zu lassen; da er uns nicht sowohl zum Mitleid bewegen als mit Schrecken durchdringen will. Die Pflicht des Dichters war also in dieser Hinsicht blos negativ, nähmlich die Darstellung der leidenden Natur nicht soweit zu treiben, daß aller Ausdruck der Menschheit oder des moralischen Widerstandes dabey verloren ging, weil sonst Unwille und Abscheu unausbleiblich erfolgen müßten. Er hielt sich daher lieber an Darstellung der Ursache des Leidens, und fand für gut, sich umständlicher über die Furchtbarkeit der beyden Schlangen und über die Wuth, mit der sie ihr Schlachtopfer anfallen, als über die Empfindungen desselben zu verbreiten. An diesen eilt er nur schnell vorüber, weil ihm daran liegen mußte, die Vorstellung eines göttlichen Strafgerichts und den Eindruck des Schreckens ungeschwächt zu erhalten. Hätte er uns hingegen von Laokoons Person so viel wissen lassen, als der Bildhauer, so würde nicht mehr die strafende Gottheit, sondern der leidende Mensch der Held in der Handlung gewesen seyn, und die Episode ihre Zweckmäßigkeit für das Ganze verloren haben.

Man kennt die Virgilische Erzählung schon aus Lessings vortrefflichem Kommentar. Aber die Absicht, wozu Lessing sie gebrauchte, war bloß, die Gränzen der poetischen und mahlerischen Darstellung an diesem Beyspiel anschaulich zu machen, nicht den Begriff des Pathetischen daraus zu entwickeln. Zu dem letztern Zweck scheint sie mir aber nicht weniger brauchbar, und man erlaube mir, sie in dieser Hinsicht noch einmahl zu durchlaufen.

Ecce autem gemini Tenedo tranquilla per alta
(horresco referens) immensis orbibus angues
incumbunt pelago, pariterque ad littora tendunt.
Pectora quorum inter fluctus arrecta, jubaeque
sanguineae exsuperant undas, pars caetera pontum
pone legit, sinuatque immensa volumine terga.
Fit sonitus spumante salo, jamque arva tenebant,
ardenteis oculos suffecti sanguine et igni,
sibila lambebant linguis vibrantibus ora.

Die erste von den drey oben angeführten Bedingungen des Erhabenen der Macht ist hier gegeben; eine mächtige Naturkraft nähmlich, die zur Zerstörung bewaffnet ist, und jedes Widerstandes spottet. Daß aber dieses Mächtige zugleich furchtbar, und das Furchtbare erhaben werde, beruht auf zwey verschiedenen Operationen des Gemüths, d. i. auf zwey Vorstellungen, die wir selbstthätig in uns erzeugen. Indem wir erstlich diese unwiderstehliche Naturmacht mit dem schwachen Widerstehungsvermögen des physischen Menschen zusammenhalten, erkennen wir sie als furchtbar, und indem wir sie zweytens auf unsern Willen beziehen, und uns die absolute Unabhängigkeit desselben von jedem Natureinfluß ins Bewußtseyn rufen, wird sie uns zu einem erhabenen Object. Diese beyden Beziehungen aber stellen wir an; der Dichter gab uns weiter nichts als einen mit starker Macht bewaffneten und nach Äußerung derselden strebenden Gegenstand. Wenn wir davor zittern, so geschieht es bloß, weil wir uns selbst oder ein uns ähnliches Geschöpf im Kampf mit demselben denken. Wenn wir uns bey diesem Zittern erhaben fühlen, so ist es, weil wir uns bewußt werden, daß wir, auch selbst als ein Opfer dieser Macht, für unser freyes Selbst, für die Avtonomie unserer Willensbestimmungen nichts zu fürchten haben würden. Kurz, die Darstellung ist bis hieher bloß contemplativerhaben.

Diffugimus visu exsangues, illi agmine certo
Laocoonta petunt.

Jetzt wird das Mächtige zugleich als furchtbar gegeben, und das Contemplativerhabene geht ins Pathetische über. Wir sehen es wirklich mit der Ohnmacht des Menschen in Kampf treten. Laokoon oder wir, das wirkt bloß dem Grad nach verschieden. Der sympathetische Trieb schreckt den Erhaltungstrieb auf, die Ungeheuer schießen los auf — uns, und alles Entrinnen ist vergebens.

Jetzt hängt es nicht mehr von uns ab, ob wir diese Macht mit der unsrigen messen und auf unsre Existenz beziehen wollen. Dieß geschieht ohne unser Zuthun in dem Objecte selbst. Unsre Furcht hat also nicht, wie im vorhergehenden Moment, einen bloß subjectiven Grund in unserm Gemüthe, sondern einen objectiven Grund in dem Gegenstand. Denn erkennen wir gleich das Ganze für eine bloße Fiction der Einbildungskraft, so unterscheiden wir doch auch in dieser Fiction eine Vorstellung, die uns von außen mitgetheilt wird, von einer andern, die wir selbstthätig in uns hervorbringen.

Das Gemüth verliert also einen Theil seiner Freyheit, weil es von außen empfängt, was es vorher durch seine Selbstthätigkeit erzeugte. Die Vorstellung der Gefahr erhält einen Anschein objectiver Realität und es wird Ernst mit dem Affecte.

Wären wir nun nichts als Sinnenwesen, die keinem andern als dem Erhaltungstriebe folgen, so würden wir hier stille stehen, und im Zustand des bloßen Leidens verharren. Aber etwas ist in uns, was an den Affectionen der sinnlichen Natur keinen Theil nimmt, und dessen Thätigkeit sich nach keinen physischen Bedingungen richtet. Je nachdem nun dieses selbstthätige Princip (die moralische Anlage) in einem Gemüth sich entwickelt hat, wird der leidenden Natur mehr oder weniger Raum gelassen seyn, und mehr oder weniger Selbstthätigkeit im Affect übrig bleiben.

In moralischen Gemüthern geht das Furchtbare (der Einbildungskraft) schnell und leicht ins Erhabene über. So wie die Imagination ihre Freyheit verliert, so macht die Vernunft die ihrige geltend; und das Gemüth erweitert sich nur desto mehr nach innen, indem es nach außen Gränzen findet. Herausgeschlagen aus allen Verschanzungen, die dem Sinnenwesen einen physischen Schutz verschaffen können, werfen wir uns in die unbezwingliche Burg unsrer moralischen Freyheit, und gewinnen eben dadurch eine absolute und unendliche Sicherheit, indem wir eine bloß comparative und prekäre Schutzwehre im Feld der Erscheinung verloren geben. Aber eben darum, weil es zu diesem physischen Bedrängniß gekommen seyn muß, ehe wir bey unsrer moralischen Natur Hülfe suchen, so können wir dieses hohe Freyheitsgefühl nicht anders als mit Leiden erkaufen. Die gemeine Seele bleibt bloß bey diesem Leiden stehen, und fühlt im Erhabenen des Pathos nie mehr als das Furchtbare; ein selbstständiges Gemüth hingegen nimmt gerade von diesem Leiden den Übergang zum Gefühl seiner herrlichsten Kraftwirkung, und weiß aus jedem Furchtbaren ein Erhabenes zu erzeugen.

Laocoonta petunt, ac primum parva duorum
corpora gnatorum serpens amplexus uterque
implicat, ac miseros morsu depascitur artus.

Es thut eine große Wirkung, daß der moralische Mensch (der Vater) eher als der physische angefallen wird. Alle Affecte sind ästhetischer aus der zweyten Hand, und keine Sympathie ist stärker, als die wir mit der Sympathie empfinden.

Post ipsum, auxilio subeuntem ac tela ferentem
corripiunt.

Jetzt war der Augenblick da, den Helden als moralische Person bey uns in Achtung zu setzen, und der Dichter ergriff diesen Augenblick. Wir kennen aus seiner Beschreibung die ganze Macht und Wuth der feindlichen Ungeheuer, und wissen, wie vergeblich aller Widerstand ist. Wäre nun Laokoon bloß ein gemeiner Mensch, so würde er seines Vortheils wahrnehmen, und wie die übrigen Trojaner in einer schnellen

Flucht seine Rettung suchen. Aber er hat ein Herz in seinem Busen, und die Gefahr seiner Kinder hält ihn zu seinem eigenen Verderben zurück. Schon dieser einzige Zug macht ihn unsers ganzen Mitleidens würdig. In was für einem Moment auch die Schlangen ihn ergriffen haben möchten, es würde uns immer bewegt und erschüttert haben. Daß es aber gerade in dem Momente geschieht, wo er als Vater uns achtungswürdig wird, daß sein Untergang gleichsam als unmittelbare Folge der erfüllten Vaterpflicht, der zärtlichen Bekümmerniß für seine Kinder vorgestellt wird — dieß entflammt unsre Theilnahme aufs Höchste. Er ist es jetzt gleichsam selbst, der sich aus freyer Wahl dem Verderben hingibt, und sein Tod wird eine Willenshandlung.

Bey allem Pathos muß also der Sinn durch Leiden, der Geist durch Freyheit interessirt seyn. Fehlt es einer pathetischen Darstellung an einem Ausdruck der leidenden Natur, so ist sie ohne ästhetische Kraft, und unser Herz bleibt kalt. Fehlt es ihr an einem Ausdruck der ethischen Anlage, so kann sie bey aller sinnlichen Kraft nie pathetisch seyn, und wird unausbleiblich unsre Empfindung empören. Aus aller Freyheit des Gemüths muß immer der leidende Mensch, aus allem Leiden der Menschheit muß immer der selbstständige oder der Selbstständigkeit fähige Geist durchscheinen.

Auf zweyerley Weise aber kann sich die Selbstständigkeit des Geistes im Zustand des Leidens offenbaren.

Entweder negativ: wenn der ethische Mensch von dem physischen das Gesetz nicht empfängt, und dem Zustand keine Causalität für die Gesinnung gestattet wird; oder positiv: wenn der ethische Mensch dem physischen das Gesetz gibt, und die Gesinnung für den Zustand Causalität erhält. Aus dem ersten entspringt das Erhabene der Fassung, aus dem zweyten das Erhabene der Handlung.

Ein Erhabenes der Fassung ist jeder vom Schicksal unabhängige Charakter. „Ein tapfrer Geist, im „Kampf mit der Widerwärtigkeit, sagt Seneka, ist „ein anziehendes Schauspiel selbst für die Götter." Einen solchen Anblick gibt uns der römische Senat nach dem Unglück bey Kannä. Selbst Miltons Lucifer, wenn er sich in der Hölle, seinem künftigen Wohnort, zum ersten Mahl umsieht, durchdringt uns, dieser Seelenstärke wegen, mit einem Gefühl von Bewunderung. „Schrecken, ich grüße euch, ruft er aus, und „dich unterirdische Welt und dich tiefste Hölle. Nimm „auf deinen neuen Gast. Er kommt zu dir mit einem „Gemüthe, das weder Zeit noch Ort umgestalten soll. „In seinem Gemüthe wohnt er. Das wird ihm in der „Hölle selbst einen Himmel erschaffen. Hier endlich „sind wir frey u. s. f." Die Antwort der Medea im Trauerspiel gehört in die nähmliche Classe.

Das Erhabene der Fassung läßt sich anschauen, denn es beruht auf der Coexistenz; das Erhabene der Handlung hingegen läßt sich bloß denken, denn es beruht auf der Succession, und der Verstand ist nöthig, um das Leiden von einem freyen Entschluß abzuleiten. Daher ist nur das erste für den bildenden Künstler, weil dieser nur das Coexistente glücklich darstellen kann, der Dichter aber kann sich über beydes verbreiten. Selbst, wenn der bildende Künstler eine erhabene Handlung darzustellen hat, muß er sie in eine erhabene Fassung verwandeln.

Zum Erhabenen der Handlung wird erfordert, daß das Leiden eines Menschen auf seine moralische Beschaffenheit nicht nur keinen Einfluß habe, sondern vielmehr umgekehrt das Werk seines moralischen Charakters sey. Dieß kann auf zweyerley Weise seyn. Entweder mittelbar und nach dem Gesetz der Freyheit, wenn er aus Achtung für irgend eine Pflicht das Leiden erwählt. Die Vorstellung der Pflicht bestimmt ihn in diesem Falle als Motiv, und sein Leiden ist eine Willenshandlung. Oder unmittelbar und nach dem Gesetz der Nothwendigkeit, wenn er eine übertretene Pflicht moralisch büßt. Die Vorstellung der Pflicht bestimmt ihn in diesem Falle als Macht, und sein Leiden ist bloß eine Wirkung. Ein Beyspiel des ersten gibt uns Regulus, wenn er um Wort zu halten, sich der Rachbegier der Karthaginienser ausliefert; zu einem Beyspiel des zweyten würde er uns dienen, wenn er sein Wort gebrochen und das Bewußtseyn dieser Schuld ihn elend gemacht hätte. In beyden Fällen hat das Leiden einen moralischen Grund, nur mit dem Unterschied, daß er uns in dem ersten Fall seinen moralischen Charakter, in dem andern bloß seine Bestimmung dazu zeigt. In dem ersten Fall erscheint er als eine moralisch große Person, in dem zweyten bloß als ein ästhetisch großer Gegenstand.

Dieser letzte Unterschied ist wichtig für die tragische Kunst und verdient daher eine genauere Erörterung.

Ein erhabenes Object, bloß in der ästhetischen Schätzung, ist schon derjenige Mensch, der uns die Würde der menschlichen Bestimmung durch seinen Zustand vorstellig macht, gesetzt auch, daß wir diese Bestimmung in seiner Person nicht realisirt finden sollten. Erhaben in der moralischen Schätzung wird er nur alsdann, wenn er sich zugleich als Person jener Bestimmung gemäß verhält, wenn unsre Achtung nicht bloß seinem Vermögen, sondern dem Gebrauch dieses Vermögens gilt, wenn nicht bloß seiner Anlage, sondern seinem wirklichen Betragen Würde zukommt. Es ist ganz etwas anders, ob wir bey unserm Urtheil auf das moralische Vermögen überhaupt, und auf die Möglichkeit einer absoluten Freyheit des Willens, oder ob wir ouf den Gebrauch dieses Vermögens und auf die Wirklichkeit dieser absoluten Freyheit des Willens unser Augenmerk richten.

Es ist etwas ganz anders, sage ich, und diese Verschiedenheit liegt nicht etwa nur in den beurtheilten Gegenständen, sondern sie liegt in der verschiedenen Beurtheilungsweise. Der nähmliche Gegenstand kann uns in der moralischen Schätzung mißfallen, und in der ästhetischen sehr anziehend für uns seyn. Aber wenn er uns auch in beyden Instanzen der Beurtheilung Genüge leistete, so thut er diese Wirkung bey beyden auf eine ganz verschiedene Weise. Er wird dadurch, daß er ästhetisch brauchbar ist, nicht moralisch befriedigend, und dadurch, daß er moralisch befriedigt, nicht ästhetisch brauchbar.

Ich denke mir z. B. die Selbstaufopferung des Leonidas bey Termopylä. Moralisch beurtheilt ist mir diese Handlung Darstellung des, bey allem Widerspruch der Instincte erfüllten, Sittengesetzes; ästhetisch beurtheilt ist sie mir Darstellung des, von allem Zwang der Instincte unabhängigen, sittlichen Vermögens. Meinen moralischen Sinn (die Vernunft) befriedigt diese Handlung, meinen ästhetischen Sinn (die Einbildungskraft) entzückt sie.

Von dieser Verschiedenheit meiner Empfindungen bey dem nähmlichen Gegenstande gebe ich mir folgenden Grund an.

Wie sich unser Wesen in zwey Principien oder Naturen theilt, so theilen sich, diesen gemäß, auch unsre Gefühle in zweyerley ganz verschiedene Geschlechter. Als Vernunftwesen empfinden wir Beyfall oder Mißbilligung; als Sinnenwesen empfinden wir Lust oder Unlust. Beyde Gefühle, des Beyfalls und der Lust, gründen sich auf eine Befriedigung; jenes auf Befriedigung eines Anspruchs: denn die Vernunft fodert bloß, aber bedarf nicht; dieses auf Befriedigung eines Anliegens: denn der Sinn bedarf bloß, und kann nicht fodern. Beyde, die Foderungen der Vernunft und die Bedürfnisse des Sinnes, verhalten sich zu einander wie Nothwendigkeit zu Nothdurft, sie sind also beyde unter dem Begriff von Necessität enthalten; bloß mit dem Unterschied, daß die Necessität der Vernunft ohne Bedingung, die Necessität der Sinne bloß unter Bedingungen statt hat. Bey beyden aber ist die Befriedigung zufällig. Alles Gefühl, der Lust sowohl als des Beyfalls, gründet sich also zuletzt auf Übereinstimmung des Zufälligen mit dem Nothwendigen. Ist das Nothwendige ein Imperativ, so wird Beyfall, ist es eine Nothdurft, so wird Lust die Empfindung

seyn;

seyn; beyde in desto stärkerem Grade, je zufälliger die Befriedigung ist.

Nun liegt bey aller moralischen Beurtheilung eine Forderung der Vernunft zum Grunde, daß moralisch gehandelt werde, und es ist eine unbedingte Necessität vorhanden, daß wir wollen, was recht ist. Weil aber der Wille frey ist, so ist es (physisch) zufällig, ob wir es wirklich thun. Thun wir es nun wirklich, so erhält diese Übereinstimmung des Zufalls im Gebrauche der Freyheit mit dem Imperativ der Vernunft Billigung oder Beyfall, und zwar in desto höherem Grade, als der Widerstreit der Neigungen diesen Gebrauch der Freyheit zufälliger und zweifelhafter machte.

Bey der ästhetischen Schätzung hingegen wird der Gegenstand auf das Bedürfniß der Einbildungskraft bezogen, welche nicht gebiethen, bloß verlangen kann, daß das Zufällige mit ihrem Interesse übereinstimmen möge. Das Interesse der Einbildungskraft aber ist: sich frey von Gesetzen im Spiele zu erhalten. Diesem Hange zur Ungebundenheit ist die sittliche Verbindlichkeit des Willens, durch welche ihm sein Object auf das strengste bestimmt wird, nichts weniger als günstig; und da die sittliche Verbindlichkeit des Willens der Gegenstand des moralischen Urtheils ist, so sieht man leicht, daß bey dieser Art zu urtheilen, die Einbildungskraft ihre Rechnung nicht finden könne. Aber eine sittliche Verbindlichkeit des Willens läßt sich nur unter Voraussetzung einer absoluten Independenz desselben vom Zwang der Naturtriebe denken; die Möglichkeit des Sittlichen postuliert also Freyheit, und stimmt folglich mit dem Interesse der Fantasie hierin auf das vollkommenste zusammen. Weil aber die Fantasie durch ihr Bedürfniß nicht so vorschreiben kann, wie die Vernunft durch ihren Imperativ dem Willen der Individuen vorschreibt, so ist das Vermögen der Freyheit, auf die Fantasie bezogen, etwas Zufälliges, und muß daher, als Übereinstimmung des Zufalls mit dem (bedingungsweise) Nothwendigen Lust erwecken. Beurtheilen wir also jene That des Leonidas moralisch, so betrachten wir sie aus einem Gesichtspunct, wo uns weniger ihre Zufälligkeit als ihre Nothwendigkeit in die Augen fällt. Beurtheilen wir sie hingegen ästhetisch, so betrachten wir sie aus einem Standpunct, wo sich uns weniger ihre Nothwendigkeit als ihre Zufälligkeit darstellt. Es ist Pflicht für jeden Willen, so zu handeln, sobald er ein freyer Wille ist; daß es aber überhaupt eine Freyheit des Willens gibt, welche es möglich macht, so zu handeln, dieß ist eine Gunst der Natur in Rücksicht auf dasjenige Vermögen, welchem Freyheit Bedürfniß ist. Beurtheilt also der moralische Sinn — die Vernunft — eine tugendhafte Handlung, so ist Billigung das höchste, was erfolgen kann; weil die Vernunft nie mehr und selten nur so viel finden kann, als sie fordert. Beurtheilt hingegen der ästhetische Sinn, die Einbildungskraft, die nähmliche Handlung, so erfolgt eine positive Lust, weil die Einbildungskraft niemahls Einstimmigkeit mit ihrem Bedürfniß fordern kann, und sich also von der wirklichen Befriedigung desselben, als von einem glücklichen Zufall, überrascht finden muß. Daß Leonidas die heldenmüthige Entschließung wirklich faßte, billigen wir; daß er sie fassen konnte, darüber frohlocken wir, und sind entzückt.

Der Unterschied zwischen beyden Arten der Beurtheilung fällt noch deutlicher in die Augen, wenn man eine Handlung zum Grunde legt, über welche das moralische und das ästhetische Urtheil verschieden ausfallen. Man nehme die Selbstverbrennung des Peregrinus Protheus zu Olympia. Moralisch beurtheilt kann ich dieser Handlung nicht Beyfall geben, in so fern ich unreine Triebfedern dabey wirksam finde, um derentwillen die Pflicht der Selbsterhaltung hintan gesetzt wird. Ästhetisch beurtheilt gefällt mir aber diese Handlung, und zwar deßwegen gefällt sie mir, weil sie von einem Vermögen des Willens zeugt, selbst dem mächtigsten aller Instincte, dem Triebe der Selbsterhaltung zu widerstehen. Ob es eine rein moralische Gesinnung oder ob es bloß eine mächtigere sinnliche Reitzung war, was den Selbsterhaltungstrieb bey dem Schwärmer Peregrin unterdrückte, darauf achte ich bey der ästhetischen Schätzung nicht, wo ich das Individuum verlasse, von dem Verhältniß seines Willens zu dem Willensgesetz abstrahiere, und mir den menschlichen Willen überhaupt, als Vermögen der Gattung, im Verhältniß zu der ganzen Naturgewalt denke. Bey der moralischen Schätzung, hat man gesehen, wurde die Selbsterhaltung als eine Pflicht vorgestellt, daher beleidigte ihre Verletzung; bey der ästhetischen Schätzung hingegen wurde sie als ein Interesse angesehen, daher gefiel ihre Hintansetzung. Bey der letztern Art des Beurtheilens wird also die Operation gerade umgekehrt, die wir bey der erstern verrichten. Dort stellen wir das sinnlich beschränkte Individuum

Y 2

und den pathologisch-afficierbaren Willen dem absoluten Willensgesetz und der unendlichen Geisterpflicht, hier hingegen stellen wir das absolute Willensvermögen und die unendliche Geistergewalt dem Zwange der Natur und den Schranken der Sinnlichkeit gegenüber. Daher läßt uns das ästhetische Urtheil frey, und erhebt und begeistert uns, weil wir uns schon durch das bloße Vermögen, absolut zu wollen, schon durch die bloße Anlage zur Moralität, gegen die Sinnlichkeit in augenscheinlichem Vortheil befinden, weil schon durch die bloße Möglichkeit, uns vom Zwange der Natur loszusagen, unserm Freyheitsbedürfniß geschmeichelt wird. Daher beschränkt uns das moralische Urtheil, und demüthigt uns, weil wir uns bey jedem besondern Willensact gegen das absolute Willensgesetz mehr oder weniger im Nachtheil befinden, und durch die Einschränkung des Willens auf eine einzige Bestimmungsweise, welche die Pflicht schlechterdings fordert, dem Freyheitstriebe der Fantasie widersprochen wird. Dort schwingen wir uns von dem Wirklichen zu dem Möglichen, und von dem Individuum zur Gattung empor; hier hingegen steigen wir vom Möglichen zum Wirklichen herunter, und schließen die Gattung in die Schranken des Individuums ein; kein Wunder also, wenn wir uns bey ästhetischen Urtheilen erweitert, bey moralischen hingegen eingeengt und gebunden fühlen *).

*) Diese Auflösung, erinnere ich beyläufig, erklärt uns auch die Verschiedenheit des ästhetischen Eindrucks, den die Kantische Vorstellung der Pflicht auf seine verschiedenen Beurtheiler zu machen pflegt. Ein nicht zu verachtender Theil des Publicums findet diese Vorstellung der Pflicht sehr demüthigend; ein anderer findet sie unendlich erhebend für das Herz. Beyde ha-

Aus diesem allen ergibt sich denn, daß die moralische und die ästhetische Beurtheilung, weit entfernt
einander zu unterstützen, einander vielmehr im Wege
stehen, weil sie dem Gemüth zwey ganz entgegengesetzte Richtungen geben; denn die Gesetzmäßigkeit, welche die Vernunft als moralische Richterinn fordert, besteht nicht mit der Ungebundenheit, welche die Einbildungskraft, als ästhetische Richterinn, verlangt. Daher wird ein Object zu einem ästhetischen Gebrauch ge-

ben Recht, und der Grund dieses Widerspruchs liegt bloß in
der Verschiedenheit des Standpuncts, aus welchem beyde diesen Gegenstand betrachten. Seine bloße Schuldigkeit thun,
hat allerdings nichts Großes, und in so fern das Beste, was wir
zu leisten vermögen, nichts als Erfüllung, und noch mangel-
hafte Erfüllung unserer Pflicht ist, liegt in der höchsten Tugend nichts Begeisterndes. Aber bey allen Schranken der sinnlichen Natur dennoch treu und beharrlich seine Schuldigkeit
thun, und in den Fesseln der Materie dem heiligen Geisterge-
setz unwandelbar folgen, dieß ist allerdings erhebend und der
Bewunderung werth. Gegen die Geisterwelt gehalten, ist an
unsrer Tugend freylich nichts Verdienstliches, und wie viel wir
es uns auch kosten lassen mögen, wir werden immer *unnütze
Knechte seyn*; gegen die Sinnenwelt gehalten, ist sie hingegen ein desto erhabeneres Object. In so fern wir also Handlungen moralisch beurtheilen, und sie auf das Sittengesetz beziehen, werden wir wenig Ursache haben, auf unsere Sittlichkeit stolz zu seyn; in so fern wir aber auf die Möglichkeit dieser
Handlungen sehen, und das Vermögen unsers Gemüths, das
denselben zum Grund liegt, auf die Welt der Erscheinungen
beziehen, d. h. in so fern wir sie ästhetisch beurtheilen, ist uns
ein gewisses Selbstgefühl erlaubt, ja es ist sogar nothwendig,
weil wir ein Principium in uns aufdecken, das über alle Vergleichung groß und unendlich ist.

rade um so viel weniger taugen, als es sich zu einem moralischen qualificirt; und wenn der Dichter es dennoch erwählen müßte, so wird er wohl thun, es so zu behandeln, daß nicht sowohl unsre Vernunft auf die Regel des Willens, als vielmehr unsre Fantasie auf das Vermögen des Willens hingewiesen werde. Um seiner selbst willen muß der Dichter diesen Weg einschlagen, denn mit unserer Freyheit ist sein Reich zu Ende. Nur so lange wir außer uns anschauen, sind wir sein; er hat uns verloren, sobald wir in unsern eigenen Busen greifen. Dieß erfolgt aber unausbleiblich, sobald ein Gegenstand nicht mehr als Erscheinung von uns betrachtet wird, sondern als Gesetz über uns richtet.

Selbst von den Äußerungen der erhabensten Tugend kann der Dichter nichts für seine Absichten brauchen, als was an denselben der Kraft gehört. Um die Richtung der Kraft bekümmert er sich nichts. Der Dichter, auch wenn er die vollkommensten sittlichen Muster vor unsre Augen stellt, hat keinen andern Zweck, und darf keinen andern haben, als uns durch Betrachtung derselben zu ergötzen. Nun kann uns aber nichts ergötzen, als was unser Subject verbessert, und nichts kann uns geistig ergötzen, als was unser geistiges Vermögen erhöht. Wie kann aber die Pflichtmäßigkeit eines Andern unser Subject verbessern, und unsere geistige Kraft vermehren? Daß er seine Pflicht wirklich erfüllt, beruht auf einem zufälligen Gebrauche, den er von seiner Freyheit macht, und der eben darum für uns nichts beweisen kann. Es ist bloß das Vermögen zu einer ähnlichen Pflichtmäßigkeit, was wir mit ihm theilen, und indem wir in seinem

Vermögen auch das unsrige wahrnehmen, fühlen wir unsere geistige Kraft erhöht. Es ist also bloß die vorgestellte Möglichkeit eines absolut freyen Wollens, wodurch die wirkliche Ausübung desselben unserm ästhetischen Sinn gefällt.

Noch mehr wird man sich davon überzeugen, wenn man nachdenkt, wie wenig die poetische Kraft des Eindrucks, den sittliche Charaktere oder Handlungen auf uns machen, von ihrer historischen Realität abhängt. Unser Wohlgefallen an idealischen Charakteren verliert nichts durch die Erinnerung, daß sie poetische Fictionen sind, denn es ist die poetische, nicht die historische Wahrheit, auf welche alle ästhetische Wirkung sich gründet. Die poetische Wahrheit besteht aber nicht darin, daß etwas wirklich geschehen ist, sondern darin, daß es geschehen konnte, also in der innern Möglichkeit der Sache. Die ästhetische Kraft muß also schon in der vorgestellten Möglichkeit liegen.

Selbst an wirklichen Begebenheiten historischer Personen ist nicht die Existenz, sondern das durch die Existenz kund gewordene Vermögen das poetische. Der Umstand, daß diese Personen wirklich lebten, und daß diese Begebenheiten wirklich erfolgten, kann zwar sehr oft unser Vergnügen vermehren, aber mit einem fremdartigen Zusatz, der dem poetischen Eindruck vielmehr nachtheilig als beförderlich ist. Man hat lange geglaubt, der Dichtkunst unsers Vaterlands einen Dienst zu erweisen, wenn man den Dichtern Nationalgegenstände zur Bearbeitung empfahl. Dadurch, hieß es, wurde die griechische Poesie so bemächtigend für das Herz, weil sie einheimische Scenen mahlte, und einheimische Thaten verewigte. Es ist nicht zu läugnen, daß die

Poesie der Alten, dieses Umstandes halber, Wirkungen leistete, deren die neuere Poesie sich nicht rühmen kann — aber gehörten diese Wirkungen der Kunst und dem Dichter? Wehe dem griechischen Kunstgenie, wenn es vor dem Genius der neuern nichts weiter als diesen zufälligen Vortheil voraus hätte, und wehe dem griechischen Kunstgeschmack, wenn er durch diese historischen Beziehungen in den Werken seiner Dichter erst hätte gewonnen werden müssen! Nur ein barbarischer Geschmack braucht den Stachel des Privatinteresse, um zu der Schönheit hingelockt zu werden, und nur der Stümper borgt von dem Stoffe eine Kraft, die er in die Form zu legen verzweifelt. Die Poesie soll ihren Weg nicht durch die kalte Region des Gedächtnisses nehmen, soll nie die Gelehrsamkeit zu ihrer Auslegerinn, nie den Eigennutz zu ihrem Fürsprecher machen. Sie soll das Herz treffen, weil sie aus dem Herzen floß, und nicht auf den Staatsbürger in dem Menschen, sondern auf den Menschen in dem Staatsbürger zielen.

Es ist ein Glück, daß das wahre Genie auf die Fingerzeige nicht viel achtet, die man ihm, aus besserer Meinung als Befugniß, zu ertheilen sich sauer werden läßt; sonst würden Sulzer und seine Nachfolger der deutschen Poesie eine sehr zweydeutige Gestalt gegeben haben. Den Menschen moralisch auszubilden, und Nationalgefühle in dem Bürger zu entzünden, ist zwar ein sehr ehrenvoller Auftrag für den Dichter, und die Musen wissen es am besten, wie nahe die Künste des Erhabenen und Schönen damit zusammenhängen mögen. Aber was die Dichtkunst mittelbar ganz vortrefflich macht, würde ihr, unmittelbar, nur sehr schlecht gelingen. Die Dichtkunst führt bey dem Menschen nie ein besondres Geschäft aus, und man könnte kein ungeschickteres Werkzeug erwählen, um einen einzelnen Auftrag, ein Detail, gut besorgt zu sehen. Ihr Wirkungskreis ist das Total der menschlichen Natur, und bloß, in so fern sie auf den Charakter einfließt, kann sie auf seine einzelnen Wirkungen Einfluß haben. Die Poesie kann dem Menschen werden, was dem Helden die Liebe ist. Sie kann ihm weder rathen, noch mit ihm schlagen, noch sonst eine Arbeit für ihn thun; aber zum Helden kann sie ihn erziehen, zu Thaten kann sie ihn rufen, und zu allem, was er seyn soll, ihn mit Stärke ausrüsten.

Die ästhetische Kraft, womit uns das Erhabene der Gesinnung und Handlung ergreift, beruht also keineswegs auf dem Interesse der Vernunft, daß recht gehandelt werde, sondern auf dem Interesse der Einbildungskraft, daß recht Handeln möglich sey, d. h. daß keine Empfindung, wie mächtig sie auch sey, die Freyheit des Gemüths zu unterdrücken vermöge. Diese Möglichkeit liegt aber in jeder starken Äußerung von Freyheit und Willenskraft, und wo nur irgend der Dichter diese antrifft, da hat er einen zweckmäßigen Gegenstand für seine Darstellung gefunden. Für sein Interesse ist es eins, aus welcher Classe von Charakteren, der schlimmen oder guten, er seine Helden nehmen will, da das nähmliche Maß von Kraft, welches zum Guten nöthig ist, sehr oft zur Consequenz im Bösen erfordert werden kann. Wie viel mehr wir in ästhetischen Urtheilen auf die Kraft als auf die Richtung der Kraft, wie viel mehr auf Freyheit als auf Gesetzmäßigkeit sehen, wird schon daraus hinlänglich offenbar, daß wir Kraft und Freyheit lieber auf Kosten der Gesetzmäßigkeit geäußert, als die Gesetzmäßigkeit auf Kosten der Kraft und Freyheit beobachtet sehen. Sobald nähmlich Fälle eintreten, wo das moralische Gesetz sich mit Antrieben gattet, die den Willen durch ihre Macht fortzureissen drohen, so gewinnt der Charakter ästhetisch, wenn er diesen Antrieben widerstehen kann. Ein Lasterhafter fängt an, uns zu interessiren, sobald er Glück und Leben wagen muß, um seinen schlimmen Willen durchzusetzen; ein Tugendhafter hingegen verliert in demselben Verhältniß unsre Aufmerksamkeit, als seine Glückseligkeit selbst ihn zum Wohlverhalten nöthigt. Rache, zum Beyspiel, ist unstreitig ein unedler und selbst niedriger Affect. Nichts desto weniger wird sie ästhetisch, sobald sie dem, der sie ausübt, ein schmerzhaftes Opfer kostet. Medea, indem sie ihre Kinder ermordet, zielt bey dieser Handlung auf Jasons Herz, aber zugleich führt sie einen schmerzhaften Stich auf ihr eigenes, und ihre Rache wird ästhetisch erhaben, sobald wir die zärtliche Mutter sehen.

Das ästhetische Urtheil enthält hierin mehr Wahres, als man gewöhnlich glaubt. Offenbar kündigen Laster, welche von Willensstärke zeugen, eine größere Anlage zur wahrhaften moralischen Freyheit an, als Tugenden, die eine Stütze von der Neigung entlehnen, weil es dem consequenten Bösewicht nur einen einzigen Sieg über sich selbst, eine einzige Umkehrung der Maximen kostet, um die ganze Consequenz und Willensfertigkeit, die er an das Böse verschwendete, dem Guten zuzuwenden. Woher sonst kann es kommen, daß wir den halbguten Charakter mit Widerwillen von uns stoßen, und dem ganz schlimmen oft mit schauernder Bewunderung folgen? Daher unstreitig, weil wir bey jenem auch die Möglichkeit des absolut freyen Wollens aufgeben, diesem hingegen es in jeder Äußerung anmerken, daß er durch einen einzigen Willensact sich zur ganzen Würde der Menschheit aufrichten kann.

In ästhetischen Urtheilen sind wir also nicht für die Sittlichkeit an sich selbst, sondern bloß für die Freyheit interessirt, und jene kann nur in so fern unserer Einbildungskraft gefallen, als sie die letztere sichtbar macht. Es ist daher offenbare Verwirrung der Gränzen, wenn man moralische Zweckmäßigkeit in ästhetischen Dingen fordert, und, um das Reich der Vernunft zu erweitern, die Einbildungskraft aus ihrem rechtmäßigen Gebiethe verdrängen will. Entweder wird man sie ganz unterjochen müssen, und dann ist es um alle ästhetische Wirkung geschehen, oder sie wird mit der Vernunft ihre Herrschaft theilen, und dann wird für Moralität wohl nicht viel gewonnen seyn. Indem man zwey verschiedene Zwecke verfolgt, wird man Gefahr laufen, beyde zu verfehlen. Man wird die Freyheit der Fantasie durch moralische Gesetzmäßigkeit fesseln, und die Nothwendigkeit der Vernunft durch die Willkühr der Einbildungskraft zerstören.

VII.

Über

die nothwendigen Gränzen

beym

Gebrauche schöner Formen.

Der Mißbrauch des Schönen und die Anmaßungen der Einbildungskraft, da, wo sie nur die ausübende Gewalt besitzt, auch die gesetzgebende an sich zu reissen, haben sowohl im Leben als in der Wissenschaft so vielen Schaden angerichtet, daß es von nicht geringer Wichtigkeit ist, die Gränzen genau zu bestimmen, die dem Gebrauch schöner Formen gesetzt sind. Diese Gränzen liegen schon in der Natur des Schönen, und wir dürfen uns bloß erinnern, wie der Geschmack seinen Einfluß äußert, um bestimmen zu können, wie weit er denselben erstrecken darf.

Die Wirkungen des Geschmacks überhaupt genommen sind, die sinnlichen und geistigen Kräfte des Menschen in Harmonie zu bringen, und in einem innigen Bündniß zu vereinigen. Wo also ein solches inniges Bündniß zwischen der Vernunft und den Sinnen zweckmäßig und rechtmäßig ist, da ist dem Geschmack ein Einfluß zu gestatten. Gibt es aber Fälle, wo wir, sey es nun, um einen Zweck zu erreichen, oder sey es, um einer Pflicht Genüge zu thun, von jedem sinnlichen Einfluß frey und als reine Vernunftwesen handeln müssen, wo also das Band zwischen dem Geist und der Materie augenblicklich aufgehoben werden muß, da hat der Geschmack seine Gränzen, die er nicht überschreiten darf, ohne entweder einen Zweck zu vereiteln, oder uns von unserer Pflicht zu entfernen. Dergleichen Fälle gibt es aber wirklich, und sie werden uns schon durch unsere Bestimmung vorgeschrieben.

Unsere Bestimmung ist, uns Erkenntnisse zu erwerben, und aus Erkenntnissen zu handeln. Zu beyden gehört eine Fertigkeit, von dem, was der Geist thut, die Sinne auszuschließen, weil bey allem Erkennen vom Empfinden, und bey allem moralischen Wollen von der Begierde abstrahirt werden muß.

Wenn wir erkennen, so verhalten wir uns thätig, und unsre Aufmerksamkeit ist auf einen Gegenstand, auf ein Verhältniß zwischen Vorstellungen und Vorstellungen gerichtet. Wenn wir empfinden, so verhalten wir uns leidend, und unsre Aufmerksamkeit (wenn man es anders so nennen kann, was keine bewußte Handlung des Geistes ist) ist bloß auf unsern Zustand gerichtet, in so fern derselbe durch einen empfangenen Eindruck verändert wird. Da wir nun das Schöne bloß empfinden und nicht erkennen, so merken wir dabey auf kein Verhältniß desselben zu andern Objecten, so beziehen wir die Vorstellung desselben nicht auf andre Vorstellungen, sondern auf unser empfindendes Selbst. An dem schönen Gegenstand erfahren wir nichts, aber von demselben erfahren wir eine Veränderung unsers Zustands, davon die Empfindung der Ausdruck ist. Unser Wissen wird also durch Urtheile des Geschmacks nicht erweitert, und keine Erkenntniß, selbst nicht einmahl von der Schönheit, wird durch die Empfindung der Schönheit erworben. Wo also Erkenntniß der Zweck ist, da kann uns der Geschmack, wenigstens direct und unmittelbar keine Dienste leisten; vielmehr wird die Erkenntniß gerade so lange ausgesetzt, als uns die Schönheit beschäftigt.

Wozu dient denn aber nun, wird man einwenden, eine geschmackvolle Einkleidung der Begriffe, wenn der Zweck des Vortrags, der doch kein anderer seyn kann, als Erkenntniß hervorzubringen, vielmehr dadurch gehindert als befördert wird?

Zur Überzeugung des Verstandes kann allerdings die Schönheit der Einkleidung eben so wenig beytragen, als das geschmackvolle Arrangement einer Mahlzeit zur Sättigung der Gäste, oder die äußere Eleganz eines Menschen zur Beurtheilung seines innern Werths. Aber eben so, wie dort durch die schöne Anordnung der Tafel die Eßlust gereizt, und hier durch das Empfehlende im Äußern die Aufmerksamkeit auf den Menschen überhaupt geweckt und geschärft wird, so werden wir durch eine reitzende Darstellung der Wahrheit in eine günstige Stimmung gesetzt; ihr unsere Seele zu öffnen, und die Hindernisse in unserm Gemüth werden hinweggeräumt, die sich der schwierigen Verfolgung einer langen und strengen Gedankenkette sonst würden entgegengesetzt haben. Es ist niemahls der Inhalt, der durch die Schönheit der Form gewinnt, und niemahls der Verstand, dem der Geschmack beym Erkennen hilft. Der Inhalt muß sich dem Verstand unmittelbar durch sich selbst empfehlen, indem die schöne Form zu der Einbildungskraft spricht, und ihr mit einem Scheine von Freyheit schmeichelt.

Aber selbst diese unschuldige Nachgiebigkeit gegen die Sinne, die man sich bloß in der Form erlaubt, ohne dadurch etwas an dem Inhalt zu verändern, ist großen Einschränkungen unterworfen, und kann völlig zweckwidrig seyn, je nachdem die Art der Erkenntniß, und der Grad der Überzeugung ist, die man bey Mittheilung seiner Gedanken beabsichtet.

Es gibt eine wissenschaftliche Erkenntniß, welche auf deutlichen Begriffen und erkannten Principien ruht, und eine populäre Erkenntniß, welche bloß auf mehr oder weniger entwickelte Gefühle sich gründet. Was der letztern oft sehr beförderlich ist, kann der erstern geradezu widerstreiten.

Da, wo man eine strenge Überzeugung aus Principien zu bewirken sucht, da ist es nicht damit gethan, die Wahrheit bloß dem Inhalt nach vorzutragen, sondern auch die Probe der Wahrheit muß in der Form des Vortrags zugleich mit enthalten seyn. Dieß kann aber nichts anders heißen, als, nicht bloß der Inhalt, sondern auch die Darlegung desselben muß den Denkgesetzen gemäß seyn. Mit derselben strengen Nothwendigkeit, mit welcher sich die Begriffe im Verstand an einander schließen, müssen sie sich auch im Vortrag zusammenfügen, und die Stätigkeit in der

Darstellung, muß der Stätigkeit in der Idee entsprechen. Nun streitet aber jede Freyheit, die der Imagination bey Erkenntnissen eingeräumt wird, mit der strengen Nothwendigkeit, nach welcher der Verstand Urtheile mit Urtheilen und Schlüsse mit Schlüssen zusammenkettet. Die Einbildungskraft strebt, ihrer Natur gemäß, immer nach Anschauungen, d. h. nach ganzen und durchgängig bestimmten Vorstellungen, und ist ohne Unterlaß bemüht, das Allgemeine in einem einzelnen Fall darzustellen, es in Raum und Zeit zu begränzen, den Begriff zum Individuum zu machen, dem Abstracten einen Körper zu geben. Sie liebt ferner in ihren Zusammensetzungen F r e y h e i t, und erkennt dabey kein andres Gesetz als den Zufall der Raum- und der Zeitverknüpfung; denn diese ist der einzige Zusammenhang, der zwischen unsern Vorstellungen übrig bleibt, wenn wir alles, was Begriff ist, was sie innerlich verbindet, hinwegdenken. Gerade umgekehrt beschäftigt sich der Verstand nur mit T h e i l v o r s t e l l u n g e n oder Begriffen, und sein Bestreben geht dahin, im lebendigen Ganzen einer Anschauung Merkmahle zu unterscheiden. Weil er die Dinge n a c h i h r e n i n n e r n V e r h ä l t n i s s e n verknüpft, die sich nur durch Absonderung entdecken lassen, so kann der Verstand nur in so fern, als er vorher t r e n n t e, d. h. nur durch Theilvorstellungen, v e r b i n d e n. Der Verstand beobachtet in seinen Combinationen strenge Nothwendigkeit und Gesetzmäßigkeit, und es ist bloß der stätige Zusammenhang der Begriffe, wodurch er befriedigt werden kann. Dieser Zusammenhang wird aber jedes Mahl gestört, so oft die Einbildungskraft g a n z e Vorstellungen (einzelne

Fäl-

Fälle) in diese Kette von Abstractionen einschaltet, und in die strenge Nothwendigkeit der Sachverknüpfung den Zufall der Zeitverknüpfung mischt *). Es ist daher unumgänglich nöthig, daß da, wo es um strenge Consequenz im Denken zu thun ist, die Imagination ihren willkührlichen Charakter verläugne, und ihr Bestreben nach möglichster Sinnlichkeit in den Vorstellungen und möglichster Freyheit in Verknüpfung derselben dem Bedürfniß des Verstandes unterordnen und aufopfern lerne. Deßwegen muß schon der Vortrag darnach eingerichtet seyn, durch Ausschließung alles Individuellen und Sinnlichen jenes Bestreben der Einbildungskraft niederzuschlagen, und sowohl durch Bestimmtheit im Ausdruck ihrem unruhigen Dichtungstrieb, als durch Gesetzmäßigkeit im Fortschritt ihrer Willkühr in Combinationen Schranken zu setzen. Freylich wird sie sich nicht ohne Widerstand diesem Joch unterwerfen, aber man rechnet hier auch billig auf einige Selbstverläugnung, und auf einen ernstlichen Entschluß des Zuhörers oder Lesers um der Sache willen, die Schwierigkeiten nicht zu achten, welche von der Form unzertrennlich sind.

*) Ein Schriftsteller, dem es um wissenschaftliche Strenge zu thun ist, wird sich deswegen der Beyspiele sehr ungern und sehr sparsam bedienen. Was vom Allgemeinen mit vollkommner Wahrheit gilt, erleidet in jedem besondern Fall Einschränkungen; und da in jedem besondern Fall sich Umstände finden, die in Rücksicht auf den allgemeinen Begriff, der dadurch dargestellt werden soll, zufällig sind, so ist immer zu fürchten, daß diese zufälligen Beziehungen in jenen allgemeinen Begriff mit hineingetragen werden, und ihm von seiner Allgemeinheit und Nothwendigkeit etwas rauben;

Wo sich aber ein solcher Entschluß nicht voraussehen läßt, und wo man sich keine Hoffnung machen kann, daß das Interesse an dem Inhalt stark genug seyn werde, um zu dieser Anstrengung Muth zu machen, da wird man freylich auf Mittheilung einer wissenschaftlichen Erkenntniß Verzicht thun müssen, dafür aber, in Ansehung des Vortrags, etwas mehr Freyheit gewinnen. Man verläßt in diesem Falle die Form der Wissenschaft, die zu viel Gewalt gegen die Einbildungskraft ausübt, und nur durch die Wichtigkeit des Zwecks kann annähmlich gemacht werden, und erwählt dafür die Form der Schönheit, die, unabhängig von allem Inhalt, sich schon durch sich selbst empfiehlt. Weil die Sache die Form nicht in Schutz nehmen will, so muß die Form die Sache vertreten.

Der populäre Unterricht verträgt sich mit dieser Freyheit. Da der Volksredner oder Volksschriftsteller (eine Benennung, unter der ich jeden befasse, der nicht ausschließend an den Gelehrten sich wendet) zu keinem vorbereiteten Publicum spricht, und seine Leser nicht wie der andere auswählt, sondern sie nehmen muß, wie er sie findet, so kann er auch bloß die allgemeinen Bedingungen des Denkens, und bloß die allgemeinen Antriebe zur Aufmerksamkeit, aber noch keine besondere Denkfertigkeit, noch keine Bekanntschaft mit bestimmten Begriffen, noch kein Interesse an bestimmten Gegenständen bey denselben voraussetzen. Er kann es also auch nicht darauf ankommen lassen, ob die Einbildungskraft derer, die er unterrichten will, mit seinen Abstractionen den gehörigen Sinn verknüpfen, und zu den allgemeinen Begriffen, auf die der wissenschaftliche Vortrag sich einschränkt, einen Inhalt darbiethen werde. Um sicher zu gehen, gibt er daher lieber die Anschauungen und einzelnen Fälle gleich mit, auf welche sich jene Begriffe beziehen, und überläßt es dem Verstand seiner Leser, den Begriff aus dem Stegreif daraus zu bilden. Die Einbildungskraft wird also bey dem populären Vortrag schon weit mehr ins Spiel gemischt, aber doch immer nur reproductif, (empfangene Vorstellungen erneuernd) nicht aber productif (ihre selbstbildende Kraft beweisend). Jene einzelnen Fälle oder Anschauungen sind für den gegenwärtigen Zweck viel zu genau berechnet, und für den Gebrauch, der davon gemacht werden soll, viel zu bestimmt eingerichtet, als daß die Einbildungskraft es vergessen könnte, daß sie bloß im Dienst des Verstandes handelt. Der Vortrag hält sich zwar etwas näher an das Leben und an die Sinnenwelt, aber er verliert sich noch nicht in derselben. Die Darstellung ist also noch immer bloß didactisch, denn, um schön zu seyn, fehlen ihr noch die zwey vornehmsten Eigenschaften, Sinnlichkeit im Ausdruck und Freyheit in der Bewegung.

Frey wird die Darstellung, wenn der Verstand den Zusammenhang der Ideen zwar bestimmt, aber mit so versteckter Gesetzmäßigkeit, daß die Einbildungskraft dabey völlig willkührlich zu verfahren, und bloß dem Zufall der Zeitverknüpfung zu folgen scheint. Sinnlich wird die Darstellung, wenn sie das Allgemeine in das Besondere versteckt, und der Phantasie das lebendige Bild (die ganze Vorstellung) hingibt, wo es bloß um den Begriff (die Theilvorstellung) zu thun ist. Die sinnliche Darstellung ist also, von der Einen Seite betrachtet, reich, weil sie da, wo nur eine Bestimmung verlangt wird, ein vollständiges Bild, ein Ganzes von Bestimmungen, ein Individuum gibt, sie ist aber von einer andern Seite betrachtet wieder eingeschränkt und arm, weil sie nur von einem Individuum und von einem einzelnen Fall behauptet, was doch von einer ganzen Sphäre zu verstehen ist. Sie verkürzt also den Verstand gerade um so viel, als sie der Imagination im Überfluß darbiethet, denn je vollständiger an Inhalt eine Vorstellung ist, desto kleiner ist ihr Umfang.

Das Interesse der Einbildungskraft ist, ihre Gegenstände nach Willkühr zu wechseln; das Interesse des Verstandes ist, die seinigen mit strenger Nothwendigkeit zu verknüpfen. So sehr diese beyden Interessen mit einander zu streiten scheinen, so gibt es doch zwischen beyden einen Punct der Vereinigung, und diesen auszufinden, ist das eigentliche Verdienst der schönen Schreibart.

Um der Imagination Genüge zu thun, muß die Rede einen materiellen Theil oder Körper haben, und diesen machen die Anschauungen aus, von denen der Verstand die einzelnen Merkmahle oder Begriffe absondert; denn so abstract wir auch denken mögen, so ist es doch immer zuletzt etwas Sinnliches, was unserm Denken zum Grund liegt. Nur will die Imagination ungebunden und regellos von Anschauung zu Anschauung überspringen, und sich an keinen andern Zusammenhang, als den der Zeitfolge binden. Stehen also die Anschauungen, welche den körperlichen Theil zu der Rede hergeben, in keiner Sachverknüpfung unter einander, scheinen sie vielmehr als unabhängige Glieder und als eigene Ganze für sich selbst zu bestehen, verrathen sie die ganze Unordnung einer spielenden und bloß sich selbst gehorchenden Einbildungskraft, so hat die Einkleidung ästhetische Freyheit, und das Bedürfniß der Phantasie ist befriedigt. Ein solche Darstellung, könnte man sagen, ist ein organisches Product, wo nicht bloß das Ganze lebt, sondern auch die einzelnen Theile ihr eigenthümliches Leben haben; die bloß wissenschaftliche Darstellung ist ein mechanisches Werk, wo die Theile, leblos für sich selbst, dem Ganzen durch ihre Zusammenstimmung ein künstliches Leben ertheilen.

Um auf der andern Seite dem Verstande Genüge zu thun und Erkenntniß hervorzubringen, muß die Rede einen geistigen Theil, Bedeutung, haben, und diese erhält sie durch die Begriffe, vermittelst welcher jene Anschauungen auf einander bezogen und in ein Ganzes verbunden werden. Findet nun zwischen diesen Begriffen, als dem geistigen Theil der Rede der genaueste Zusammenhang statt, während daß sich die ihnen correspondirenden Anschauungen, als der sinnliche Theil der Rede, bloß durch ein willkührliches Spiel der Phantasie zusammen zu finden scheinen, so ist das Problem gelöst, und der Verstand wird durch Gesetzmäßigkeit befriedigt, indem der Phantasie durch Gesetzlosigkeit geschmeichelt wird.

Untersucht man die Zauberkraft der schönen Diction, so wird man allemahl finden, daß sie in einem solchen glücklichen Verhältniß zwischen äußerer Freyheit der Einbildungskraft und innerer Nothwendigkeit enthalten ist. Zu dieser Freyheit der Einbildungskraft trägt die Individualisirung der Gegenstände, und der figürliche oder uneigentliche Ausdruck das meiste bey: jene, um die Sinnlichkeit zu erhöhen, dieser, um sie da, wo sie nicht ist, zu erzeugen. Indem wir die Gattung durch ein Individuum repräsentiren, und einen allgemeinen Begriff in einem einzelnen Falle darstellen, nehmen wir der Phantasie die Fesseln ab, die der Verstand ihr angelegt hatte, und geben ihr Vollmacht, sich schöpferisch zu beweisen. Immer nach Vollständigkeit der Bestimmungen strebend, erhält und gebraucht sie jetzt das Recht, das ihr hingegebene Bild nach Gefallen zu ergänzen, zu beleben, umzustalten, ihm in allen seinen Verbindungen und Verwandlungen zu folgen. Sie darf augenblicklich ihrer untergeordneten Rolle vergessen, und sich als eine willkührliche Selbstherrscherinn betragen, weil durch den strengen innern Zusammenhang hinlänglich dafür gesorgt ist, daß sie dem Zügel des Verstandes nie ganz entfliehen kann. Der uneigentliche Ausdruck treibt diese Freyheit noch weiter, indem er Bilder zusammengattet, die ihrem Inhalt nach ganz verschieden sind, aber sich gemeinschaftlich unter einem höhern Begriff verbinden. Weil sich nun die Phantasie an den Inhalt, der Verstand hingegen an jenen höhern Begriff hält, so macht die erstere eben da einen Sprung, wo der letztere die vollkommenste Stättigkeit wahrnimmt. Die Begriffe entwickeln sich nach dem Gesetz der Nothwendigkeit, aber nach dem Gesetz der Freyheit gehen sie an der Einbildungskraft vorüber; der Gedanke bleibt derselbe, nur wechselt das Medium, das ihn darstellt. So erschafft sich der beredte Schriftsteller aus der Anarchie selbst die herrlichste Ordnung, und errichtet auf einem immer wechselnden Grunde, auf dem Strome der Imagination, der immer fortfließt, ein festes Gebäude.

Stellt man zwischen der wissenschaftlichen, der populären und der schönen Diction eine Vergleichung an, so zeigt sich, daß alle drey zwar den Gedanken, um den es zu thun ist, der Materie nach, gleich getreu überliefern, und uns also alle drey zu einer Erkenntniß verhelfen, daß aber die Art und der Grad dieser Erkenntniß bey einer jeden merklich verschieden sind. Der schöne Schriftsteller stellt uns die Sache, von der er handelt, vielmehr als möglich und als wünschenswürdig vor, als daß er uns von der Wirklichkeit oder gar von der Nothwendigkeit derselben überzeugen könnte; denn sein Gedanke kündigt sich bloß als eine willkührliche Schöpfung der Einbildungskraft an, die für sich allein nie im Stande ist, die Realität ihrer Vorstellungen zu verbürgen. Der populäre Schriftsteller erweckt uns den Glauben, daß es sich wirklich so verhalte, aber weiter bringt er es auch nicht; denn er macht uns die Wahrheit jenes Satzes zwar fühlbar, aber nicht absolut gewiß. Das Gefühl aber kann wohl lehren, was ist, aber niemahls, was seyn muß. Der philosophische Schriftsteller erhebt jenen Glauben zur Überzeugung; denn er erweist aus unbezweifelten Gründen, daß es sich nothwendig so verhalte.

Wenn man von den bisherigen Grundsätzen ausgehet, so wird es nicht schwer seyn, einer jeden von diesen drey verschiedenen Formen der Diction ihre schickliche Stelle anzuweisen. Im Ganzen genommen wird sich als Regel annehmen lassen, daß da, wo es nicht bloß an dem Resultat, sondern zugleich an den Beweisen liegt, die wissenschaftliche Schreibart, und da, wo es überhaupt nur um das Resultat zu thun ist, die populäre und schöne Schreibart den Vorzug verdienen. Wann aber der populäre Ausdruck in den schönen übergehen darf, das entscheidet der größere oder geringere Grad des Interesse, den man voraus-zusetzen und zu bewirken hat.

Der reine wissenschaftliche Ausdruck setzt uns (mehr oder weniger, je nachdem er philosophischer oder populärer ist) in den Besitz einer Erkenntniß; der schöne Ausdruck leiht uns dieselbe bloß zu augenblicklichem Genuß und Gebrauche. Der erste gibt uns — wenn ich mir die Vergleichung erlauben darf — den Baum mit sammt der Wurzel, aber freylich müssen wir uns gedulden, bis er blühet und Früchte trägt; der schöne Ausdruck bricht uns bloß die Blüthen und Früchte davon ab, aber der Baum, der sie trug, wird nicht unser, und wenn jene verwelkt und genossen sind, ist unser Reichthum verschwunden. So widersinnig es nun wäre, demjenigen die bloße Blume oder Frucht abzubrechen, der den Baum selbst in seinen Garten verpflanzt haben will, eben so ungereimt würde es seyn, dem, welchem gerade jetzt nur nach einer Frucht gelüstet, den Baum selbst mit seinen künftigen Früchten anzubiethen. Die Anwendung ergibt sich von selbst, und ich bemerke bloß, daß der schöne Ausdruck eben so wenig für den Lehrstuhl, als der schulgerechte für den schönen Umgang und für die Rednerbühne taugt.

Der Lernende sammelt für spätere Zwecke, und für einen künftigen Gebrauch; daher der Lehrer dafür zu sorgen hat, ihn zum völligen Eigenthümer der Kenntnisse zu machen, die er ihm beybringt. Nichts aber ist unser, als was dem Verstand übergeben wird. Der Redner hingegen bezweckt einen schnellen Gebrauch, und hat ein gegenwärtiges Bedürfniß seines Publicums zu befriedigen. Sein Interesse ist es also, die Kenntnisse, welche er ausstreut, so schnell, als er immer kann, practisch zu machen, und dies erreicht er am sichersten, wenn er sie dem Sinn übergibt, und für die Empfindung zubereitet. Der Lehrer, der sein Publicum bloß auf Bedingungen übernimmt, und berechtigt ist, die Stimmung des Gemüths, die zur Aufnahme der Wahrheit erfodert wird, schon bey demselben vorauszusetzen, richtet sich bloß nach dem Object seines Vortrags, da im Gegentheil der Redner, der mit seinem Publicum keine Bedingung eingehen darf, und die Neigung erst zu seinem Vortheil gewinnen muß, sich zugleich nach den Subjecten zu richten hat, an die er sich wendet. Jener, dessen Publicum schon da war, und wiederkommt, braucht bloß Bruchstücke zu liefern, die mit vorhergegangenen Vorträgen erst ein Ganzes ausmachen; dieser, dessen Publicum ohne Aufhören wechselt, unvorbereitet kommt und vielleicht nie zurückkehrt, muß sein Geschäft bey jedem Vortrag vollenden, jede seiner Aufführungen muß ein Ganzes für sich seyn, und ihren vollständigen Aufschluß enthalten.

Daher ist es kein Wunder, wenn ein noch so gründlicher dogmatischer Vortrag in der Conversation und auf der Kanzel kein Glück macht, und ein noch so geistvoller schöner Vortrag auf dem Lehrstuhl keine Früchte trägt — wenn die schöne Welt Schriften ungelesen läßt, die in der gelehrten Epoche machen, und der Gelehrte Werke ignorirt, die eine Schule der Weltleute sind, und von allen Liebhabern des Schönen mit Begierde verschlungen werden. Jedes kann in dem Kreis, für den es bestimmt ist, Bewunderung verdienen, ja an innerm Gehalt können beyde vollkommen gleich seyn, aber es hieße etwas Unmögliches verlangen, wenn ein Werk, das den Denker anstrengt, zugleich dem bloßen Schöngeist zum leichten Spiele dienen sollte.

Aus diesem Grunde halte ich es für schädlich, wenn für den Unterricht der Jugend Schriften gewählt werden, worinn wissenschaftliche Materien in schöne Form eingekleidet sind. Ich rede hier ganz und gar nicht von solchen Schriften, wo der Inhalt der Form aufgeopfert worden ist, sondern von wirklich vortrefflichen Schriften, die die schärfste Sachprobe aushalten, aber diese Probe in ihrer Form nicht enthalten. Es ist wahr, man erreicht mit solchen Schriften den Zweck, gelesen zu werden, aber immer auf Unkosten des wichtigeren Zweckes, warum man gelesen werden will. Der Verstand wird bey dieser Lectüre, immer nur in seiner Zusammenstimmung mit der Einbildungskraft geübt, und lernt also nie die Form von dem Stoffe scheiden, und als ein reines Vermögen handeln. Und doch ist schon die bloße Übung des Verstandes ein Hauptmoment bey dem Jugendunterricht, und an dem Denken selbst liegt in den meisten Fällen mehr, als an dem Gedanken. Wenn man haben will, daß ein Geschäft gut besorgt werde, so mag man sich ja hüthen, es als ein Spiel anzukündigen. Vielmehr muß der Geist schon durch die Form der Behandlung in Spannung gesetzt und mit einer gewissen Gewalt von der Passivität zur Thätigkeit fortgestoßen werden. Der Lehrer soll seinem Schüler die strenge Gesetzmäßigkeit der Methode keineswegs verbergen, sondern ihn vielmehr darauf aufmerksam, und wo möglich darnach begierig machen. Der Studierende soll lernen, einen Zweck verfolgen, und um des Zwecks willen auch ein beschwerliches Mittel sich gefallen lassen. Frühe schon soll er nach der edlern Lust streben, welche der Preis der Anstrengung ist. Bey dem wissenschaftlichen Vortrag werden die Sinne ganz und gar abgewiesen, bey dem schönen werden sie ins Interesse gezogen. Was wird die Folge davon seyn? Man verschlingt eine solche Schrift, eine solche Unterhaltung mit Antheil, aber, wird man um die Resultate befragt, so ist man kaum im Stande, davon Rechenschaft zu geben. Und sehr natürlich! denn die Begriffe dringen zu ganzen Massen in die Seele, und der Verstand erkennt nur, wo er unterscheidet; das Gemüth verhielt sich, während der Lectüre vielmehr leidend als thätig, und der Geist besitzt nichts, als was er thut.

Dieß gilt übrigens bloß von dem Schönen gemeiner Art, und von der gemeinen Art das Schöne zu empfinden. Das wahrhaft Schöne gründet sich auf die strengste Bestimmtheit, auf die genaueste Absonderung, auf die höchste innere Nothwendigkeit; nur muß diese Bestimmtheit sich eher finden lassen, als gewaltsam hervordrängen. Die höchste Gesetzmäßigkeit muß da seyn, aber sie muß als Natur erscheinen. Ein solches Product wird dem Verstand vollkommen Genüge thun, sobald es studiert wird, aber eben weil es wahrhaft schön ist, so dringt es seine Gesetzmäßigkeit nicht auf, so wendet es sich nicht an den Verstand insbesondere, sondern spricht als reine Einheit zu dem harmonirenden Ganzen des Menschen, als Natur zur Natur. Ein gemeiner Beurtheiler findet es vielleicht leer, dürftig, viel zu wenig bestimmt; gerade dasjenige, worinn der Triumph der Darstellung besteht, die vollkommene Auflösung der Theile in einem reinen Ganzen beleidigt ihn, weil er nur zu unterscheiden versteht, und nur für das Einzelne Sinn hat. Zwar soll bey philosophischen Darstellungen der Verstand, als Unterscheidungsvermögen, befriediget werden, es sollen einzelne Resultate für ihn daraus hervorgehen; dieß ist der Zweck, der auf keine Weise hintangesetzt werden darf. Wenn aber der Schriftsteller durch die strengste innere Bestimmtheit dafür gesorgt hat, daß der Verstand diese Resultate nothwendig finden muß, sobald er sich nur darauf einläßt, aber damit allein nicht zufrieden und genöthigt durch seine Natur (die immer als harmonische Einheit wirkt, und wo sie durch das Geschäft der Abstraction diese Einheit verloren, solche schnell wieder herstellt), wenn er das Getrennte wieder verbindet, und durch die vereinigte Auffoderung der sinnlichen und geistigen Kräfte, immer den ganzen Menschen in Anspruch nimmt, so hat er wahrhaftig nicht um so viel schlechter geschrieben, als er dem Höchsten näher gekommen ist. Der gemeine Beurtheiler freylich, der ohne Sinn für jene Harmonie immer nur auf das Einzelne dringt, der in der Peterskirche selbst nur die Pfeiler suchen würde, welche dieses künstliche Firmament unterstützen, dieser wird es ihm wenig Dank wissen, daß er ihm eine doppelte Mühe machte; denn ein solcher muß ihn freylich erst übersetzen, wenn er ihn verstehen will, so wie der bloße nackte Verstand, entblößt von allem Darstellungsvermögen, das Schöne und Harmonische in der Natur wie in der Kunst erst in seine Sprache umsetzen und aus einander legen, kurz, so wie der Schüler, um zu lesen, erst buchstabiren muß. Aber von der Beschränktheit und Bedürftigkeit seiner Leser empfängt der darstellende Schriftsteller niemahls das Gesetz. Dem Ideal, das er in sich selbst trägt, geht er entgegen, unbekümmert, wer ihm etwa folgt und wer zurückbleibt. Es werden viele zurückbleiben; denn so selten es schon ist, auch nur denkende Leser zu finden, so ist es doch noch unendlich seltener, solche anzutreffen, welche darstellend denken können. Ein solcher Schriftsteller wird es also der Natur der Sache nach sowohl mit denjenigen verderben, welche nur anschauen und nur empfinden; denn er legt ihnen die saure Arbeit des Denkens auf: als mit denjenigen, welche nur denken; denn er fodert von ihnen, was für sie schlechthin unmöglich ist, lebendig zu bilden. Weil aber beyde nur sehr unvollkommene Repräsentanten gemeiner und ächter Menschheit sind, welche durchaus Harmonie jener beyden Geschäfte fodert, so bedeutet ihr Widerspruch nichts; vielmehr bestätigen ihm ihre Urtheile, daß er erreichte, was er suchte. Der abstracte Denker findet seinen Inhalt gedacht, und der anschauende Leser seine Schreibart lebendig; beyde billigen also, was sie fassen, und vermissen nur, was ihr Vermögen übersteigt.

Ein solcher Schriftsteller ist aber, aus eben diesem Grunde, ganz und gar nicht dazu gemacht, einen Unwissenden mit dem Gegenstande, den er behandelt, bekannt zu machen, oder im eigentlichsten Sinne des Worts, zu lehren. Dazu ist er glücklicherweise auch nicht nöthig, weil es für den Unterricht der Schüler nie an Subjecten fehlen wird. Der Lehrer in strengster Bedeutung, muß sich nach der Bedürftigkeit richten; er geht von der Voraussetzung des Unvermögens aus, da hingegen jener von seinem Leser oder Zuhörer schon eine gewisse Integrität und Ausbildung fordert. Dafür schränkt sich aber seine Wirkung auch nicht darauf ein, bloß todte Begriffe mitzutheilen, er ergreift mit lebendiger Energie das Lebendige und bemächtiget sich des ganzen Menschen, seines Verstandes, seines Gefühls, seines Willens zugleich.

Wenn es für die Gründlichkeit der Erkenntniß nachtheilig befunden wurde, bey dem eigentlichen Lernen, den Forderungen des Geschmacks Raum zu geben, so wird dadurch keineswegs behauptet, daß die Bildung dieses Vermögens bey dem Studierenden zu frühzeitig sey. Ganz im Gegentheil soll man ihn aufmuntern und veranlassen, Kenntnisse, die er sich auf dem Wege der Schule zu eigen machte, auf dem Wege der lebendigen Darstellung mitzutheilen. Sobald das erstere nur beobachtet worden ist, kann das zweyte keine andere als nützliche Folgen haben. Gewiß muß man einer Wahrheit schon in hohem Grad mächtig seyn, um ohne Gefahr die Form verlassen zu können, in der sie gefunden wurde; man muß einen großen Verstand besitzen, um selbst in dem freyen Spiele der Imagination sein Object nicht zu verlieren. Wer mir seine Kenntnisse in schulgerechter Form überliefert, der überzeugt mich zwar, daß er sie richtig faßte, und zu behaupten weiß; wer aber gleich im Stande ist, sie in einer schönen Form mitzutheilen, der beweist nicht nur, daß er dazu gemacht ist, sie zu erweitern, er beweist auch, daß er sie in seine Natur aufgenommen und in seinen Handlungen darzustellen fähig ist. Es gibt für die Resultate des Denkens keinen andern Weg zu dem Willen und in das Leben, als durch die selbstthätige Bildungskraft. Nichts als was in uns selbst schon lebendige That ist, kann es außer uns werden, und es ist mit Schöpfungen des Geistes wie mit organischen Bildungen; nur aus der Blüthe geht die Frucht vor.

Wenn man überlegt, wie viele Wahrheiten als innere Anschauungen längst schon lebendig wirkten, ehe die Philosophie sie demonstrirte, und wie kraftlos öfters die demonstrirtesten Wahrheiten für das Gefühl und den Willen bleiben; so erkennt man, wie wichtig es für das practische Leben ist, diesen Wink der Natur zu befolgen, und die Erkenntnisse der Wissenschaft wieder in lebendige Anschauung umzuwandeln. Nur auf diese Art ist man im Stande, an den Schätzen der Weisheit auch diejenigen Antheil nehmen zu lassen, denen schon ihre Natur untersagte, den unnatürlichen Weg der Wissenschaft zu wandeln. Die Schönheit leistet hier in Rücksicht auf die Erkenntniß eben das, was sie im moralischen, in Rücksicht auf die Handlungsweise leistet; sie vereinigt die Menschen in den Resultaten und in der Materie, die sich in der Form und in den Gründen niemahls vereinigt haben würden.

Das andre Geschlecht kann und darf, seiner Natur und seiner schönen Bestimmung nach, mit dem Männlichen nie die Wissenschaft, aber durch das Medium der Darstellung kann es mit demselben die Wahrheit theilen. Der Mann läßt es sich noch wohl gefallen, daß sein Geschmack beleidigt wird, wenn nur der innere Gehalt den Verstand entschädigt. Gewöhnlich ist es ihm nur desto lieber, je härter die Bestimmtheit hervortritt, und je reiner sich das innere Wesen von der Erscheinung absondert. Aber das Weib vergibt dem reichsten Inhalt die vernachläßigte Form nicht, und der ganze innre Bau seines Wesens gibt ihm ein Recht zu dieser strengen Forderung. Dieses Geschlecht, das, wenn es auch nicht durch Schönheit herrschte, schon allein deswegen das schöne Geschlecht heißen müßte, weil es durch Schönheit beherrscht wird, zieht alles, was ihm vorkommt, vor den Richterstuhl der Empfindung, und was nicht zu dieser spricht, oder sie gar beleidigt, ist für dasselbe verloren. Freylich kann ihm in diesem Kanal nur die Materie der Wahrheit, aber nicht die Wahrheit selbst überliefert werden, die von ihrem Beweis unzertrennlich ist. Aber glücklicherweise braucht es auch nur die Materie der Wahrheit, um seine höchste Vollkommenheit zu erreichen, und die bisher erschienenen Ausnahmen können den Wunsch nicht erregen, daß sie zur Regel werden möchten.

Das Geschäft also, welches die Natur dem andern Geschlecht nicht bloß nachließ, sondern verboth, muß der Mann doppelt auf sich nehmen, wenn er anders dem Weibe in diesem wichtigen Punct des Daseyns auf gleicher Stufe begegnen will. Er wird also so viel, als er nur immer kann, aus dem Reich der Abstraction, wo Er regiert, in das Reich der Einbildungskraft und Empfindung hinüber zu ziehen suchen, wo das Weib zugleich Muster und Richterinn ist. Er wird, da er in dem weiblichen Geiste keine dauerhaften Pflanzungen anlegen kann, so viele Blüthen und Früchte, als immer möglich ist, auf seinem eigenen Feld zu erzielen suchen, um den schnell verwelkenden Vorrath auf dem andern desto öfter erneuern, und da, wo keine natürliche Ernte reift, eine künstliche unterhalten zu können. Der Geschmack verbessert — oder verbirgt — den na-

tür-

türlichen Geistesunterschied beyder Geschlechter, er nährt und schmückt den weiblichen Geist mit den Producten des männlichen, und läßt das reitzende Geschlecht empfinden, wo es nicht gedacht, und genießen, wo es nicht gearbeitet hat.

Dem Geschmack ist also, unter den Einschränkungen, deren ich bisher erwähnte, bey Mittheilung der Erkenntniß zwar die Form anvertraut, aber unter der ausdrücklichen Bedingung, daß er sich nicht an dem Inhalt vergreife. Er soll nie vergessen, daß er einen fremden Auftrag ausrichtet und nicht seine eignen Geschäfte führt. Sein ganzer Antheil soll darauf eingeschränkt seyn, das Gemüth in eine der Erkenntniß günstige Stimmung zu versetzen; aber in allem dem, was die Sache betrifft, soll er sich durchaus keiner Autorität anmaßen.

Wenn er das letztere thut — wenn er sein Gesetz, welches kein anders ist, als der Einbildungskraft gefällig zu seyn, und in der Betrachtung zu vergnügen, zum obersten erhebt — wenn er dieses Gesetz nicht bloß auf die Behandlung, sondern auch auf die Sache anwendet, und nach Maßgabe desselben die Materialien nicht bloß ordnet, sondern wählt, so überschreitet er nicht nur, sondern veruntreut seinen Auftrag, und verfälscht das Object, das er uns treu überliefern sollte. Nach dem, was die Dinge sind, wird jetzt nicht mehr gefragt, sondern wie sie sich am besten den Sinnen empfehlen. Die strenge Consequenz der Gedanken, welche bloß hätte verborgen werden sollen, wird als eine lästige Fessel weggeworfen, die Vollkommenheit wird der Annehmlichkeit, die Wahrheit der Theile der Schönheit des Ganzen, das innere Wesen dem äußern Eindruck aufgeopfert. Wo aber der Inhalt sich nach der Form richten muß, da ist gar kein Inhalt; die Darstellung ist leer, und anstatt sein Wissen vermehrt zu haben, hat man bloß ein unterhaltendes Spiel getrieben.

Schriftsteller, welche mehr Witz als Verstand, und mehr Geschmack als Wissenschaft besitzen, machen sich dieser Betrügerey nur allzu oft schuldig, und Leser, die mehr zu empfinden als zu denken gewohnt sind, zeigen sich nur zu bereitwillig, sie zu verzeihen. Überhaupt ist es bedenklich, dem Geschmack seine völlige Ausbildung zu geben, ehe man den Verstand als reine Denkkraft geübt, und den Kopf mit Begriffen bereichert hat. Denn da der Geschmack nur immer auf die Behandlung und nicht auf die Sache sieht, so verliert sich da, wo er der alleinige Richter ist, aller Sachunterschied der Dinge. Man wird gleichgültig gegen die Realität, und setzt endlich allen Werth in die Form und in die Erscheinung.

Daher der Geist der Oberflächlichkeit und Frivolität, den man sehr oft bey solchen Ständen und in solchen Zirkeln herrschen sieht, die sich sonst nicht mit Unrecht der höchsten Verfeinerung rühmen. Einen jungen Menschen in diese Zirkel der Grazien einzuführen, ehe die Musen ihn als mündig entlassen haben, muß ihm nothwendig verderblich werden, und es kann gar nicht fehlen, daß eben das, was dem reifen Jüngling die äußere Vollendung gibt, den unreifen zum Gecken macht *). Stoff ohne Form ist freylich nur ein

*) Herr Garve hat in seiner einsichtsvollen Vergleichung Bürgerlicher und Adelicher Sitten im 1. Theil seiner Versuche rc. (seiner Schrift, von der ich voraussetzen darf, daß

halber Besitz, denn die herrlichsten Kenntnisse liegen in einem Kopf, der ihnen keine Gestalt zu geben weiß, wie todte Schätze vergraben. Form ohne Stoff hingegen ist gar nur der Schatte eines Besitzes, und alle Kunstfertigkeit im Ausdruck kann demjenigen nichts helfen, der nichts auszudrücken hat.

Wenn also die schöne Cultur nicht auf diesen Abweg führen soll, so muß der Geschmack nur die äußere Gestalt, Vernunft und Erfahrung aber das innere Wesen bestimmen. Wird der Eindruck auf den Sinn zum höchsten Richter gemacht, und die Dinge bloß auf die

sie in Jedermanns Händen seyn werde) unter den Prärogativen des adelichen Jünglings auch die frühzeitige Competenz desselben zu dem Umgange mit der großen Welt angeführt, von welchem der Bürgerliche schon durch seine Geburt ausgeschlossen ist. Ob aber dieses Vorrecht, welches in Absicht auf die äußere und ästhetische Bildung unstreitig als ein Vortheil zu betrachten ist, auch in Absicht auf die innere Bildung des adelichen Jünglings, und also auf das Ganze seiner Erziehung, noch ein Gewinn heißen könne, darüber hat uns Herr Garve seine Meinung nicht gesagt, und ich zweifle, ob er eine solche Behauptung würde rechtfertigen können. So viel auch auf diesem Wege an Form zu gewinnen ist, so viel muß dadurch an Materie versäumt werden, und wenn man überlegt, wie viel leichter sich Form zu einem Inhalt, als Inhalt zu einer Form findet, so dürfte der Bürger den Edelmann um dieses Prärogativ nicht sehr beneiden. Wenn es freylich auch fernerhin bey der Einrichtung bleiben soll, daß der Bürgerliche arbeitet und der Adeliche repräsentirt, so kann man kein passenderes Mittel dazu wählen, als gerade diesen Unterschied in der Erziehung, aber ich zweifle, ob der Adeliche sich eine solche Theilung immer gefallen lassen wird.

Aa 2

Empfindung bezogen, so tritt der Mensch niemahls aus der Dienstbarkeit der Materie, so wird es niemahls Licht in seinem Geist, kurz so verliert er eben so viel an Freyheit der Vernunft, als er der Einbildungskraft zuviel verstattet.

Das Schöne thut seine Wirkung schon bey der bloßen Betrachtung, das Wahre will Studium. Wer also bloß seinen Schönheitssinn übte, der begnügt sich auch da, wo schlechterdings Studium nöthig ist, mit der superficiellen Betrachtung, und will auch da bloß verständig spielen, wo Anstrengung und Ernst erfordert wird. Durch die bloße Betrachtung wird aber nie etwas gewonnen. Wer etwas Großes leisten will, muß tief eindringen, scharf unterscheiden, vielseitig verbinden, und standhaft beharren. Selbst der Künstler und Dichter, obgleich beyde nur für das Wohlgefallen bey der Betrachtung arbeiten, können nur durch ein anstrengendes und nichts weniger als reitzendes Studium dahin gelangen, daß ihre Werke uns spielend ergötzen.

Dieses scheint mir auch der untrügliche Probierstein zu seyn, woran man den bloßen Dilettanten von dem wahrhaften Kunstgenie unterscheiden kann. Der verführerische Reitz des Großen und Schönen; das Feuer, womit es die jugendliche Imagination entzündet, und der Anschein von Leichtigkeit, womit es die Sinne täuscht, haben schon manchen Unerfahrnen beredet, Palette oder Leyer zu ergreifen, und auszugießen, in Gestalten oder Tönen, was in ihm lebendig wurde. In seinem Kopf arbeiten dunkle Ideen, wie eine werdende Welt, die ihn glauben machen, daß er begeistert sey. Er nimmt das Dunkle für das Tiefe, das Wilde für das Kräftige, das Unbestimmte für das Unendliche, das Sinnlose für das Übersinnliche — und wie gefällt er sich nicht in seiner Geburt! Aber des Kenners Urtheil will dieses Zeugniß der warmen Selbstliebe nicht bestättigen. Mit ungefälliger Kritik zerstört er das Gaukelwerk der schwärmenden Bildungskraft, und leuchtet ihm in den tiefen Schacht der Wissenschaft und Erfahrung hinunter, wo, jedem Ungeweihten verborgen, der Quell aller wahren Schönheit entspringt. Schlummert nun ächte Geniuskraft in dem fragenden Jüngling, so wird zwar Anfangs seine Bescheidenheit stutzen, aber der Muth des wahren Talents wird ihn bald zu Versuchen ermuntern. Er studiert, wenn die Natur ihn zum plastischen Künstler ausstattete, den menschlichen Bau unter dem Messer des Anatomikers, steigt in die unterste Tiefe, um auf der Oberfläche wahr zu seyn, und frägt bey der ganzen Gattung herum, um dem Individuum sein Recht zu erweisen. Er behorcht, wenn er zum Dichter geboren ist, die Menschheit in seiner eigenen Brust, um ihr unendlich wechselndes Spiel auf der weiten Bühne der Welt zu verstehen, unterwirft die üppige Phantasie der Disciplin des Geschmackes, und läßt den nüchternen Verstand die Ufer ausmessen, zwischen welchen der Strom der Begeisterung brausen soll. Ihm ist es wohlbekannt, daß nur aus dem unscheinbar Kleinen das Große erwächst, und Sandkorn für Sandkorn trägt er das Wundergebäude zusammen, das uns in einem einzigen Eindruck jetzt schwindelnd faßt. Hat ihn hingegen die Natur bloß zum Dilettanten gestempelt, so erkältet die Schwierigkeit seinen kraftlosen Eifer, und er verläßt entweder, wenn er bescheiden ist, eine Bahn, die ihm Selbstbetrug anwies, oder, wenn er es nicht ist, verkleinert er das große Ideal nach dem kleinen Durchmesser seiner Fähigkeit, weil er nicht im Stande ist, seine Fähigkeit nach dem großen Maßstab des Ideals zu erweitern. Das ächte Kunstgenie ist also immer daran zu erkennen, daß es bey dem glühendsten Gefühl für das Ganze, Kälte und ausdauernde Geduld für das Einzelne behält, und, um der Vollkommenheit keinen Abbruch zu thun, lieber den Genuß der Vollendung aufopfert. Dem bloßen Liebhaber verleidet die Mühseligkeit des Mittels den Zweck, und er möchte es gern beym Hervorbringen so bequem haben, als bey der Betrachtung.

Bisher ist von den Nachtheilen geredet worden, welche aus einer übertriebenen Empfindlichkeit für das Schöne der Form und aus zu weit ausgedehnten ästhetischen Foderungen für das Denken und für die Einsicht erwachsen. Von weit größerer Bedeutung aber sind eben diese Anmaßungen des Geschmackes, wenn sie den Willen zu ihrem Gegenstand haben; denn es ist doch etwas ganz anders, ob uns der übertriebene Hang für das Schöne an Erweiterung unsers Wissens verhindert, oder ob er den Charakter verderbt, und uns Pflichten verletzen macht. Belletristische Willkührlichkeit im Denken ist freylich etwas sehr Übels, und muß den Verstand verfinstern; aber eben diese Willkührlichkeit auf Maximen des Willens angewandt, ist etwas Böses, und muß unausbleiblich das Herz verderben. Und zu diesem gefahrvollen Extrem neigt die ästhetische Verfeinerung den Menschen, sobald er sich dem Schönheitsgefühle ausschliessend anvertraut, und den Geschmack zum unumschränkten Gesetzgeber seines Willens macht.

Die moralische Bestimmung des Menschen fodert völlige Unabhängigkeit des Willens von dem Einfluß sinnlicher Antriebe, und der Geschmack, wie wir wissen, arbeitet ohne Unterlaß daran, das Band zwischen der Vernunft und den Sinnen immer inniger zu machen. Nun bewirkt er dadurch zwar, daß die Begierden sich veredeln, und mit den Foderungen der Vernunft übereinstimmender werden, aber selbst daraus kann für die Moralität zuletzt große Gefahr entstehen.

Dafür nähmlich, daß bey dem ästhetisch verfeinerten Menschen die Einbildungskraft auch in ihrem freyen Spiele sich nach Gesetzen richtet, und daß der Sinn sich gefallen läßt, nicht ohne Beystimmung der Vernunft zu genießen, wird von der Vernunft gar leicht der Gegendienst verlangt in dem Ernst ihrer Gesetzgebung sich nach dem Interesse der Einbildungskraft zu richten, und nicht ohne Beystimmung der sinnlichen Triebe dem Willen zu gebiethen. Die sittliche Verbindlichkeit des Willens, die doch ganz ohne alle Bedingung gilt, wird unvermerkt als ein Contract angesehen, der den Einen Theil nur so lange bindet, als der andere ihn erfüllt. Die zufällige Zusammenstimmung der Pflicht mit der Neigung wird endlich als nothwendige Bedingung festgesetzt, und so die Sittlichkeit in ihren Quellen vergiftet.

Wie der Charakter nach und nach in diese Verderbniß gerathe, läßt sich auf folgende Art begreiflich machen.

So lange der Mensch noch ein Wilder ist, seine Triebe bloß auf materielle Gegenstände gehen, und ein Egoism von der gröbern Art seine Handlungen leitet, kann die Sinnlichkeit nur durch ihre blinde Stärke der Moralität gefährlich seyn, und sich den Vorschriften der Vernunft bloß als eine Macht widersetzen. Die Stimme der Gerechtigkeit, der Mässigung, der Menschlichkeit wird von der lauter sprechenden Begierde überschrien. Er ist fürchterlich in seiner Rache, weil er die Beleidigung fürchterlich empfindet. Er raubt und mordet, weil seine Gelüste dem schwachen Zügel der Vernunft noch zu mächtig sind. Er ist ein wüthendes Thier gegen andre, weil ihn selbst der Naturtrieb noch thierisch beherrscht.

Vertauscht er aber diesen wilden Naturstand mit dem Zustande der Verfeinerung, veredelt der Geschmack seine Triebe, weist er denselben würdigere Objecte in der moralischen Welt an, mäßigt er ihre rohen Ausbrüche durch die Regel der Schönheit, so kann es geschehen, daß eben diese Triebe, die vorher nur durch ihre blinde Gewalt furchtbar waren, durch einen Anschein von Würde, und durch eine angemaßte Autorität der Sittlichkeit des Charakters noch weit gefährlicher werden, und unter der Maske von Unschuld, Adel und Reinigkeit eine weit schlimmere Tyranney gegen den Willen ausüben.

Der Mensch von Geschmack entzieht sich freywillig dem groben Joch des Instincts. Er unterwirft seinen Trieb nach Vergnügen der Vernunft, und versteht sich dazu, die Objecte seiner Begierden sich von dem denkenden Geist bestimmen zu lassen. Je öfter nun der Fall sich erneuert, daß das moralische und das ästhetische Urtheil, das Sittengefühl und das Schönheitsgefühl, in demselben Objecte zusammentreffen und in demselben Ausspruche sich begegnen, desto mehr wird die Vernunft geneigt, einen so sehr vergeistigten Trieb für einen der Ihrigen zu halten, und ihm zuletzt das Steuer des Willens mit uneingeschränkter Vollmacht zu übergeben.

So lange noch Möglichkeit vorhanden ist, daß Neigung und Pflicht in demselben Object des Begehrens zusammentreffen, so kann diese Repräsentation des Sittengefühls durch das Schönheitsgefühl keinen positiven Schaden anrichten, obgleich, streng genommen, für die Moralität der einzelnen Handlungen, dadurch nichts gewonnen wird. Aber der Fall verändert sich gar sehr, wenn Empfindung und Vernunft ein verschiedenes Interesse haben — wenn die Pflicht ein Betragen gebiethet, das den Geschmack empört, oder wenn sich dieser zu einem Object hingezogen sieht, das die Vernunft, als moralische Richterinn, zu verwerfen gezwungen ist.

Jetzt nähmlich tritt auf einmahl die Nothwendigkeit ein, die Ansprüche des moralischen und ästhetischen Sinnes, die ein so langes Einverständniß beynahe unentwirrbar vermengte, aus einander zu setzen, ihre gegenseitigen Befugnisse zu bestimmen, und den wahren Gewalthaber im Gemüth zu erfahren. Aber eine so ununterbrochene Repräsentation hat ihn in Vergessenheit gebracht, und die lange Observanz, den Eingebungen des Geschmacks unmittelbar zu gehorchen, und sich dabey wohl zu befinden, mußte diesem unvermerkt den Schein eines Rechts erwerben. Bey der Untadelhaftigkeit, womit der Geschmack seine Aufsicht über den Willen verwaltete, konnte es nicht fehlen, daß man seinen Aussprüchen nicht eine gewisse Achtung zugestand, und diese Achtung ist es eben, was die Neigung jetzt mit verfänglicher Dialectik gegen die Gewissenspflicht geltend macht.

Achtung ist ein Gefühl, welches nur für das Gesetz und was demselben entspricht, kann empfunden werden. Was Achtung fodern kann, macht auf unbedingte Huldigung Anspruch. Die veredelte Neigung, welche sich Achtung zu erschleichen gewußt hat, will also der Vernunft nicht mehr untergeordnet, sie will ihr beygeordnet seyn. Sie will für keinen treubrüchigen Unterthan gelten, der sich gegen seinen Oberherrn auflehnt; sie will als eine Majestät angesehen seyn, und mit der Vernunft, als sittliche Gesetzgeberinn, wie Gleich mit Gleichem handeln. Die Wagschalen stehen also, wie sie vorgibt, dem Rechte nach gleich, und wie sehr ist da nicht zu fürchten, daß das Interesse den Ausschlag geben werde!

Unter allen Neigungen, die von dem Schönheitsgefühl abstammen, und das Eigenthum feiner Seelen sind, empfiehlt keine sich dem moralischen Gefühl so sehr, als der veredelte Affect der Liebe, und keine ist fruchtbarer an Gesinnungen, die der wahren Würde des Menschen entsprechen. Zu welchen Höhen trägt sie nicht die menschliche Natur, und was für göttliche Funken weiß sie nicht oft auch aus gemeinen Seelen zu schlagen! Von ihrem heiligen Feuer wird jede eigennützige Neigung verzehrt, und reiner können Grundsätze selbst die Keuschheit des Gemüths kaum bewahren, als die Liebe des Herzens Adel bewacht. Oft, wo jene noch kämpften, hat die Liebe schon für sie gesiegt, und durch ihre allmächtige Thatkraft Entschlüsse beschleunigt, welche die bloße Pflicht der schwachen Menschheit umsonst würde abgefodert haben. Wer sollte wohl einem Affecte mißtrauen, der das Vortreffliche in der menschlichen Natur so kräftig in Schutz nimmt, und den Erbfeind aller Moralität, den Egoism, so siegreich bestreitet?

Aber man wage es ja nicht mit diesem Führer, wenn man nicht schon durch einen bessern gesichert ist. Der Fall soll eintreten, daß der geliebte Gegenstand unglücklich ist, daß er um unsertwillen unglücklich ist, daß es von uns abhängt, ihn durch Aufopferung einiger moralischen Bedenklichkeiten glücklich zu machen. „Sollen wir ihn leiden lassen, um ein reines Gewissen zu behalten? Erlaubt dieses der uneigennützige, großmüthige, seinem Gegenstand ganz dahin gegebene, über seinen Gegenstand ganz sich selbst vergessende Affect? Es ist wahr, es läuft wider unser Gewissen, von dem unmoralischen Mittel Gebrauch zu machen, wodurch ihm geholfen werden kann — aber heißt das lieben, wenn man bey dem Schmerz des Geliebten noch an sich selbst denkt? Wir sind doch also mehr für uns besorgt, als für den Gegenstand unserer Liebe, weil wir lieber diesen unglücklich sehen, als es durch die Vorwürfe unsers Gewissens selbst seyn wollen?" So sophistisch weiß dieser Affect die moralische Stimme in uns, wenn sie seinem Interesse entgegensteht, als eine Anregung der Selbstliebe verächtlich zu machen, und unsre sittliche Würde als ein Bestandstück unsrer Glückseligkeit vorzustellen, welche zu veräußern in unsrer Willkühr steht. Ist unser Character nicht durch gute Grundsätze fest verwahrt, so werden wir schändlich handeln, bey allem Schwung einer exaltirten Einbildungskraft, und über unsre Selbstliebe einen glorreichen Sieg zu erfechten glauben, indem wir, gerade umgekehrt, ihr verächtliches Opfer sind. In dem bekannten französischen Roman Liaisons dangereuses findet man ein sehr treffendes Beyspiel dieses Betruges, den die Liebe einer sonst reinen und schönen Seele spielt. Die Präsidentinn von Tourvel ist aus Überraschung gefallen, und nun sucht sie ihr gequältes Herz durch den Gedanken zu beruhigen, daß sie ihre Tugend der Großmuth geopfert habe.

Die sogenannten unvollkommenen Pflichten sind es vorzüglich, die das Schönheitsgefühl in Schutz nimmt, und nicht selten gegen die vollkommenen behauptet. Da sie der Willkühr des Subjects weit mehr anheim stellen, und zugleich einen Glanz von Verdienstlichkeit von sich werfen, so empfehlen sie sich dem Geschmack ungleich mehr, als die vollkommenen, die unbedingt mit strenger Nöthigung gebiethen. Wie viele Menschen erlauben sich nicht, ungerecht zu seyn, um großmüthig seyn zu können! Wie viele gibt es nicht, die, um einem Einzelnen wohl zu thun, die Pflicht gegen das Ganze verletzen, und umgekehrt; die sich eher eine Unwahrheit als eine Indelicatesse, eher eine Verletzung der Menschlichkeit als der Ehre verzeihen; die, um die Vollkommenheit ihres Geistes zu beschleunigen, ihren Körper zu Grund richten, und, um ihren Verstand auszuschmücken, ihren Charakter erniedrigen. Wie viele gibt es nicht, die selbst vor einem

Verbrechen nicht erschrecken, wenn ein löblicher Zweck dadurch zu erreichen steht, die ein Ideal politischer Glückseligkeit durch alle Greuel der Anarchie verfolgen, Gesetze in den Staub treten, um für bessere Platz zu machen, und kein Bedenken tragen, die gegenwärtige Generation dem Elende Preis zu geben, um das Glück der nächstfolgenden dadurch zu befestigen. Die scheinbare Uneigennützigkeit gewisser Tugenden gibt ihnen einen Anstrich von Reinigkeit, der sie dreist genug macht, der Pflicht ins Angesicht zu trotzen, und manchem spielt seine Fantasie den seltsamen Betrug, daß er über die Moralität noch hinaus, und vernünftiger als die Vernunft seyn will.

Der Mensch von verfeinertem Geschmack ist in diesem Stück einer sittlichen Verderbniß fähig, vor welcher der rohe Natursohn, eben durch seine Rohheit, gesichert ist. Bey dem letztern ist der Abstand zwischen dem, was der Sinn verlangt, und dem, was die Pflicht gebiethet, so abstechend und so grell, und seine Begierden haben so wenig Geistiges, daß sie sich, auch wenn sie ihn noch so despotisch beherrschen, doch nie bey ihm in Ansehen setzen können. Reitzt ihn also die überwiegende Sinnlichkeit zu einer unrechten Handlung, so kann er der Versuchung zwar unterliegen, aber er wird sich nicht verbergen, daß er fehlt, und der Vernunft sogar in demselben Augenblick huldigen, wo er ihrer Vorschrift entgegenhandelt. Der verfeinerte Zögling der Kunst hingegen will es nicht Wort haben, daß er fällt, und um sein Gewissen zu beruhigen, belügt er es lieber. Er möchte zwar gern der Begierde nachgeben, aber ohne dadurch in seiner eigenen Achtung zu sinken. Wie bewerkstelligt er nun dieses? Er stürzt die höhere Autorität vorher um, die seiner Neigung entgegensteht, und ehe er das Gesetz übertritt, zieht er die Befugniß des Gesetzgebers in Zweifel. Sollte man es glauben, daß ein verkehrter Wille den Verstand so verkehren könne? Alle Würde, auf welche eine Neigung Anspruch machen kann, hat sie bloß ihrer Übereinstimmung mit der Vernunft zu verdanken, und nun ist sie so verblendet als dreist, auch bey ihrem Widerstreit mit der Vernunft sich dieser Würde anzumaßen, ja sich derselben sogar gegen das Ansehen der Vernunft zu bedienen.

So gefährlich kann es für die Moralität des Charakters ausschlagen, wenn zwischen den sinnlichen und den sittlichen Trieben, die doch nur im Ideale und nie in der Wirklichkeit vollkommen einig seyn können, eine zu innige Gemeinschaft herrscht. Zwar die Sinnlichkeit wagt bey dieser Gemeinschaft nichts, da sie nichts besitzt, was sie nicht hingeben müßte, sobald die Pflicht spricht, und die Vernunft das Opfer fodert. Für die Vernunft aber, als sittliche Gesetzgeberinn, wird desto mehr gewagt, wenn sie sich von der Neigung schenken läßt, was sie ihr abfordern könnte; denn unter dem Schein von Freywilligkeit kann sich leicht das Gefühl der Verbindlichkeit verlieren, und ein Geschenk läßt sich verweigern, wenn der Sinnlichkeit einmahl die Leistung beschwerlich fallen sollte. Ungleich sicherer ist es also für die Moralität des Charakters, wenn die Repräsentation des Sittengefühls durch das Schönheitsgefühl wenigstens momentweise aufgehoben wird, wenn die Vernunft öfters unmittelbar gebiethet, und dem Willen seinen wahren Beherrscher zeigt.

Man sagt daher ganz richtig, daß die ächte Moralität sich nur in der Schule der Widerwärtigkeit bewähre, und eine anhaltende Glückseligkeit leicht eine Klippe der Tugend werde. Glückselig nenne ich den, der, um zu genießen, nicht nöthig hat, unrecht zu thun, und um recht zu handeln, nicht nöthig hat, zu entbehren. Der ununterbrochen glückliche Mensch sieht also die Pflicht nie von Angesicht, weil seine gesetzmäßigen und geordneten Neigungen das Geboth der Vernunft immer anticipiren, und keine Versuchung zum Bruch des Gesetzes das Gesetz bey ihm in Erinnerung bringt. Einzig durch den Schönheitssinn, den Statthalter der Vernunft in der Sinnenwelt, regiert, wird er zu Grabe gehen, ohne die Würde seiner Bestimmung zu erfahren. Der Unglückliche hingegen, wenn er zugleich ein Tugendhafter ist, genießt den erhabenen Vorzug, mit der göttlichen Majestät des Gesetzes unmittelbar zu verkehren, und da seiner Tugend keine Neigung hilft, die Freyheit des Dämons noch als Mensch zu beweisen.

Inhalt

des zweyten Theils.

Seite

Wien,
gedruckt bey Anton Strauß.

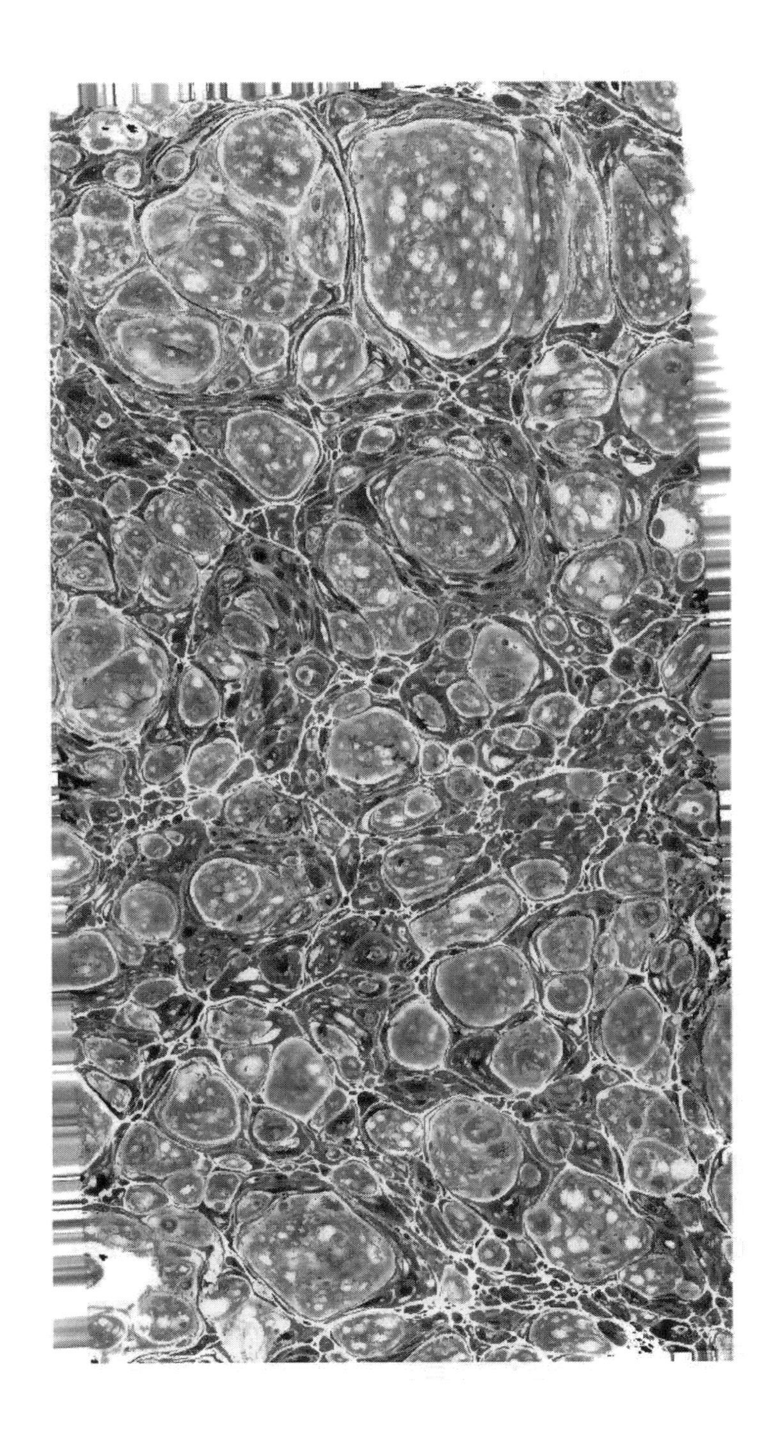

FSC
www.fsc.org
MIX
Papier aus ver-
antwortungsvollen
Quellen
Paper from
responsible sources
FSC® C141904

Druck:
Customized Business Services GmbH
im Auftrag der KNV-Gruppe
Ferdinand-Jühlke-Str. 7
99095 Erfurt